최신
개정판

· 중 검정고시 ·

검정고시의 정석

국어

편집부 저

도서출판 국자감
www.kukjagam.co.kr

목차

CONTENTS

국어

KOREAN

K O R E A N

I

문학

01 시

1 시의 개념

마음 속에 떠오르는 생각이나 느낌을 운율이 있는 언어로 압축해서 나타낸 글

2 시의 갈래

· 형식에 따라
- 정형시 : 일정한 형식에 맞추어 쓴 시
- 자유시 : 일정한 형식의 제한 없이 자유롭게 쓴 시
- 산문시 : 행과 연의 구분 없이 산문처럼 줄글로 쓴 시

3 시의 구성요소

1) 운율(음악적 요소) : 시를 읽을 때 느껴지는 말의 가락

① 내재율 : 일정한 규칙이 겉으로 드러나지 않고, 시 속에서 은근하게 느껴지는 운율

② 외형률 : 일정한 형식을 통해 규칙적인 리듬이 시의 표면에 드러나는 운율

* 운율 형성 방법

① 같거나 유사한 소리, 단어, 구절 등의 반복

예 물새는 물새라서 바닷가 바위 틈에 알을 낳는다.
보얗게 하얀 물새알
산새는 산새라서 잎 수풀 둥지 안에 알을 낳는다.
알락알락 얼룩진 산새알

② 끊어 읽는 단위(음보)의 반복

예 동창이∨밝았느냐∨노고지리∨우지진다
소치는∨아이는∨상기 아니∨일었느냐
재너머∨사래 긴 밭을∨언제 갈려∨하느뇨

③ 음성 상징어(의성어, 의태어)의 사용

예 연분홍 송이송이 못내 반가와
나비는 너훌너훌 춤을 춥니다.

2) 심상(회화적 요소) : 시를 읽을 때 마음 속에 느껴지는 감각적인 모습이나 느낌

① 시각적 심상 : 눈을 통해 모양이나 빛깔 등을 보는 듯한 심상

예 반짝이는 금모래빛

② 청각적 심상 : 귀를 통해 소리를 듣는 듯한 심상

예 뒷문 밖에는 갈잎의 노래

③ 미각적 심상 : 혀를 통해 맛을 보는 듯한 심상

예 달콤 쌉싸름한 초콜릿

④ 후각적 심상 : 코를 통해 냄새를 맡는 듯한 심상

예 향그러운 꽃지짐

⑤ 촉각적 심상 : 피부를 통해 감촉을 느끼는 듯한 심상

예 부드러운 고양이의 털

⑥ 공감각적 심상 : 한 감각을 다른 감각으로 전이시켜 표현함으로써 둘 이상의 감각이 어우러져 이루어지는 심상

예 푸른 휘파람 소리가 나거든요

3) 주제(의미적 요소) : 시인이 시를 통해 말하고자 하는 것

4 시적 화자(말하는 이)

시인이 자신의 생각이나 느낌을 효과적으로 드러내기 위해 만들어 낸 인물이나 사물로, 시 속에 직접 등장할 수도 있고, 등장하지 않을 수도 있다.

5 시의 표현 방법

1) 비유 : 표현하려는 대상을 직접 설명하지 않고 다른 대상에 빗대어 표현하는 방법

① 직유법 : 성질이나 모양이 비슷한 두 대상을 '같이', '처럼', '듯이' 등의 연결어를 사용하여 직접 빗대어 표현하는 방법

예 나는 찬밥처럼 방에 담겨

② 은유법 : 표현하려는 대상을 연결어 없이 비슷한 특성이 있는 다른 대상에 빗대어 '무엇은 무엇이다' 의 형태로 표현하는 방법

예 내 마음은 호수요

③ 의인법 : 사람이 아닌 대상을 인격을 부여하여 사람인 것처럼 표현하는 방법

예 풀 아래 웃음짓는 샘물

2) 상징 : 눈으로 볼 수 없는 추상적인 개념을 구체적인 대상으로 표현하는 방법

예 소나무 : 지조, 절개

1 우리가 눈발이라면 _ 안도현

우리가 눈발이라면
허공에서 쭈빗쭈빗 흩날리는
진눈깨비는 되지 말자
세상이 바람 불고 춥고 어둡다 해도
사람이 사는 마을
가장 낮은 곳으로
따뜻한 함박눈이 되어 내리자
우리가 눈발이라면
잠 못 든 이의 창문가에서는
편지가 되고
그이의 깊고 붉은 상처 위에 돋는
새살이 되자

작품 해설

갈래 : 현대시, 자유시, 서정시
성격 : 상징적, 의지적
운율 : 내재율
제재 : 함박눈
특징 : · 긍정적 시어와 부정적 시어가 대조를 이루어 주제를 효과적으로 드러냄
· 청유형 문장을 사용하여 말하는 이의 의지를 강조하고 독자의 공감을 불러일으킴
주제 : 이웃과 더불어 따뜻한 삶을 살고 싶은 소망

2 봄은 고양이로다 _ 이장희

꽃가루와 같이 부드러운 고양이의 털에
고운 봄의 향기가 어리우도다.

금방울과 같이 호동그란 고양이의 눈에
미친 봄의 불길이 흐르도다.

고요히 다물은 고양이의 입술에
포근한 봄 졸음이 떠돌아라.

날카롭게 쭉 뻗은 고양이의 수염에
푸른 봄의 생기가 뛰놀아라.

작품 해설

갈래 : 자유시, 서정시
성격 : 감각적, 비유적
운율 : 내재율
제재 : 봄, 고양이
특징 : · 각 연이 유사한 통사 구조로 이루어짐
· 다양한 감각적 이미지(심상)를 활용하여 대상을 참신하게 묘사함
· 1 · 3연에는 정적인 이미지, 2 · 4연에는 동적인 이미지가 나타남
주제 : 고양이에서 연상되는 봄의 느낌과 생명력

3 엄마 걱정 _ 기형도

열무 삼십 단을 이고
시장에 간 우리 엄마
안 오시네, 해는 시든 지 오래
나는 찬밥처럼 방에 담겨
아무리 천천히 숙제를 해도
엄마 안 오시네, 배춧잎 같은 발소리 타박타박
안 들리네, 어둡고 무서워
금 간 창틈으로 고요히 빗소리
빈방에 혼자 엎드려 훌쩍거리던

아주 먼 옛날
지금도 내 눈시울을 뜨겁게 하는
그 시절, 내 유년의 윗목

작품 해설

갈래 : 자유시, 서정시
성격 : 회상적, 애상적
운율 : 내재율
제재 : 유년 시절의 기억
특징 : · 구체적인 상황 제시를 통해 화자의 심리를 섬세하게 나타냄
· 감각적 이미지와 비유를 사용하여 엄마의 고단한 삶과 화자의 정서를 효과적으로 표현
· 부정적인 시어의 반복을 통해 시의 분위기를 조성함
주제 : 시장에 간 엄마를 기다리던 어린 시절을 떠올리며 느끼는 슬픔

4 새로운 길 _ 윤동주

내를 건너서 숲으로
고개를 넘어서 마을로

어제도 가고 오늘도 갈
나의 길 새로운 길

민들레가 피고 까치가 날고
아가씨가 지나고 바람이 일고

나의 길은 언제나 새로운 길
오늘도……내일도……

내를 건너서 숲으로
고개를 넘어서 마을로

작품 해설

갈래 : 자유시, 서정시
성격 : 고백적, 의지적
운율 : 내재율
제재 : 나의 길
특징 : · 시의 첫 연과 마지막 연이 같은 수미상관의 구조를 이룸
· 같은 소리와 비슷한 문장 구조를 반복하여 운율을 형성함
주제 : 언제나 새로운 마음으로 삶을 살아가고자 하는 의지

5 동해바다 – 후포에서 _ 신경림

친구가 원수보다 더 미워지는 날이 많다
티끌만 한 잘못이 맷방석만 하게
동산만 하게 커 보이는 때가 많다
그래서 세상이 어지러울수록
남에게는 엄격해지고 내게는 너그러워지나 보다
돌처럼 잘아지고 굳어지나 보다

멀리 동해 바다를 내려다보며 생각한다
널따란 바다처럼 너그러워질 수는 없을까
깊고 짙푸른 바다처럼
감싸고 끌어안고 받아들일 수는 없을까
스스로는 억센 파도로 다스리면서
제 몸은 맵고 모진 매로 채찍질하면서

작품 해설

갈래 : 자유시, 서정시
성격 : 성찰적, 사색적
운율 : 내재율
제재 : 동해 바다
특징 : · 말하는 이가 자연물을 통해 자신의 삶을 성찰하고 있음
· '돌', '바다'와 같은 대조적인 의미를 지닌 시어를 사용하여 주제를 효과적으로 드러냄
주제 : 남에게는 너그럽고 자신에게는 엄격한 태도로 삶을 살고 싶은 소망

6 청포도 _ 이육사

내 고장 칠월은
청포도가 익어가는 시절

이 마을 전설이 주저리주저리 열리고
먼 데 하늘이 꿈꾸며 알알이 들어와 박혀

하늘 밑 푸른 바다가 가슴을 열고
흰 돛단배가 곱게 밀려서 오면

내가 바라는 손님은 고달픈 몸으로
청포를 입고 찾아온다고 했으니

내 그를 맞아 이 포도를 따 먹으면
두 손은 함뿍 적셔도 좋으련

아이야 우리 식탁엔 은쟁반에
하이얀 모시 수건을 마련해 두렴

작품 해설

갈래 : 자유시, 서정시
성격 : 감각적, 상징적
운율 : 내재율
제재 : 청포도
특징 : · 상징적 소재를 사용하여 주제를 효과적으로 전달함
· 푸른색과 흰색의 색채 대비를 통해 화자의 소망과 기대를 드러냄
주제 : 조국 광복에 대한 염원
풍요롭고 평화로운 세계에 대한 소망

7 먼 후일 _ 김소월

먼 훗날 당신이 찾으시면
그때에 내 말이 '잊었노라.'

당신이 속으로 나무라면
'무척 그리다가 잊었노라.'

그래도 당신이 나무라면
'믿기지 않아서 잊었노라.'

오늘도 어제도 아니 잊고
먼 훗날 그때에 '잊었노라.'

작품 해설

갈래 : 자유시, 서정시
성격 : 애상적, 민요적, 여성적
운율 : 내재율(3음보, 7 · 5조)
제재 : 이별
특징 : · 3음보의 율격, 같은 시어의 반복, 동일한 문장 구조의 반복을 통해 운율을 형성함
· 미래의 상황을 가정하여 화자의 정서를 드러냄
· 반어법을 사용하여 임을 잊지 못하는 마음을 효과적으로 드러냄
주제 : 떠난 임에 대한 그리움

8 봄 길 _ 정호승

길이 끝나는 곳에서도
길이 있다
길이 끝나는 곳에서도
길이 되는 사람이 있다
스스로 봄 길이 되어
끝없이 걸어가는 사람이 있다
강물은 흐르다가 멈추고
새들은 날아가 돌아오지 않고
하늘과 땅 사이의 모든 꽃잎은 흩어져도
보라
사랑이 끝난 곳에서도
사랑으로 남아 있는 사람이 있다
스스로 사랑이 되어
한없이 봄 길을 걸어가는 사람이 있다

작품 해설

갈래 : 자유시, 서정시
성격 : 의지적, 긍정적, 희망적
운율 : 내재율
제재 : 봄 길
특징 : · 대조적인 상황을 제시하여 희망의 의미를 강조함
· 단정적인 어조를 사용하여 확신에 찬 태도를 드러냄
· 유사한 시구를 반복하여 주제를 강조하고 운율을 형성함
주제 : 절망적 상황을 이겨내고 희망을 만들어 가는 삶의 자세

9 고향 _ 백석

나는 북관에 혼자 앓아누워서
어느 아츰 의원을 뵈이었다
의원은 여래같은 상을 하고 관공의 수염을 드리워서
먼 옛적 어느 나라 신선 같은데
새끼손톱 길게 돋은 손을 내어
묵묵하니 한참 맥을 집더니
문득 물어 고향이 어데냐 한다
평안도 정주라는 곳이라 한즉
그러면 아무개 씨 고향이란다
그러면 아무개 씰 아느냐 한즉
의원은 빙긋이 웃음을 띠고
막역지간(莫逆之間)이라며 수염을 쓴다
나는 아버지로 섬기는 이라 한즉
의원은 또다시 넌즈시 웃고
말없이 팔을 집어 맥을 보는데
손길은 따스하고 부드러워
고향도 아버지도 아버지의 친구도 다 있었다

작품 해설

갈래 : 자유시, 서정시
성격 : 서정적, 서사적
운율 : 내재율
제재 : 고향
특징 : · 인물 간의 대화 형식을 통해 시상을 전개함
· 시각적, 촉각적 심상을 활용하여 화자의 정서를 드러냄
· 차분하고 담담한 어조로 고향과 혈육에 대한 그리움을 형상화
주제 : 고향과 아버지에 대한 그리움

10 독은 아름답다 _ 함민복

은행나무 열매에서 구린내가 난다
주의해 주세요 구린내가 향기롭다

밤톨이 여물면서 밤송이가 따가워진다
날카롭게 찌르는 가시가 너그럽다

복어알을 먹으면 죽는다
복어의 독이 복어의 사랑이다

자식을 낳고 술을 끊은 친구가 있다
친구의 독한 마음이 아름답다

작품 해설

갈래 : 자유시, 서정시
성격 : 일상적, 감각적, 역설적
운율 : 내재율
제재 : 은행나무 열매, 밤송이, 복어알, 친구
특징 : · 역설을 통해 주제를 강조함
· 일상에서 접할 수 있는 소재에서 발견한 가치를 노래함
· 부정적으로 인식되는 사물의 속성을 긍정적 속성으로 전환시켜 형상화함
주제 : 자식에 대한 부모의 사랑은 가치 있고 아름다움

11 꽃 _ 김춘수

내가 그의 이름을 불러 주기 전에는
그는 다만
하나의 몸짓에 지나지 않았다.

내가 그의 이름을 불러 주었을 때
그는 나에게로 와서
꽃이 되었다.

내가 그의 이름을 불러 준 것처럼
나의 이 빛깔과 향기에 알맞은
누가 나의 이름을 불러 다오.
그에게로 가서 나도 그의 꽃이 되고 싶다.

우리들은 모두
무엇이 되고 싶다.
너는 나에게 나는 너에게
잊혀지지 않는 하나의 눈짓이 되고 싶다.

작품 해설

갈래 : 자유시, 서정시
성격 : 관념적, 주지적
운율 : 내재율
제재 : 꽃
특징 : · 구체적인 대상을 통해 추상적이고 관념적인 의미를 전달함
· 존재의 의미를 점층적으로 심화하고 확장함
주제 : 서로의 존재를 인식하고 서로에게 의미 있는 존재가 되기를 소망함

12 봄은 _ 신동엽

봄은
남해에서도 북녘에서도
오지 않는다.

너그럽고
빛나는
봄의 그 눈짓은,
제주에서 두만까지
우리가 디딘
아름다운 논밭에서 움튼다.

겨울은,
바다와 대륙 밖에서
그 매운 눈보라 몰고 왔지만
이제 올
너그러운 봄은, 삼천리 마을마다
우리들 가슴속에서
움트리라.

움터서,
강산을 덮은 그 미움의 쇠붙이들
눈 녹이듯 흐물흐물
녹여 버리겠지.

작품 해설

갈래 : 자유시, 서정시
성격 : 참여적, 상징적, 희망적
운율 : 내재율
제재 : 겨울과 봄
특징 : · '봄'과 '겨울'의 상징적 대립으로 시상을 전개함
· 단정적인 어조로 말하는 이의 강한 의지와 소망을 표현함
주제 : 통일에 대한 염원

13 수라 _ 백석

거미 새끼 하나 방바닥에 나린 것을 나는 아무 생각 없이 문밖으로 쓸어 버린다
차디찬 밤이다

언제인가 새끼 거미 쓸려 나간 곳에 큰 거미가 왔다
나는 가슴이 짜릿한다
나는 또 큰 거미를 쓸어 문밖으로 버리며
찬 밖이라도 새끼 있는 데로 가라고 하며 서러워한다

이렇게 해서 아린 가슴이 싹기도 전이다
어데서 좁쌀알만 한 알에서 가제 깨인 듯한 발이 채 서지도 못한 무척 작은 새끼 거미가
이번엔 큰 거미 없어진 곳으로 와서 아물거린다
나는 가슴이 메이는 듯하다
내 손에 오르기라도 하라고 나는 손을 내어미나 분명히 울고불고 할 이 작은 것은 나를
무서우이 달어나 버리며 나를 서럽게 한다
나는 이 작은 것을 고이 보드러운 종이에 받어 또 문밖으로 버리며
이것의 엄마와 누나나 형이 가까이 이것의 걱정을 하며 있다가 쉬이 만나기나 했으면
좋으련만 하고 슬퍼한다

작품 해설

갈래 : 자유시, 서정시
성격 : 서사적, 상징적
운율 : 내재율
제재 : 거미 가족의 헤어짐
특징 : · 시적 대상인 '거미'를 의인화하여 표현함
· 시상의 전개에 따라 시적 정서가 심화됨
주제 : 가족의 붕괴에 대한 안타까움과 가족에 대한 그리움

14 성북동 비둘기 _ 김광섭

성북동 산에 번지가 새로 생기면서
본래 살던 성북동 비둘기만이 번지가 없어졌다.
새벽부터 돌 깨는 산울림에 떨다가
가슴에 금이 갔다.
그래도 성북동 비둘기는
하느님의 광장 같은 새파란 아침 하늘에
성북동 주민들에게 축복의 메시지나 전하듯
성북동 하늘을 한 바퀴 휘 돈다

성북동 메마른 골짜기에는
조용히 앉아 콩알 하나 찍어 먹을
널찍한 마당은커녕 가는 데마다
채석장 포성이 메아리쳐서
피난하듯 지붕에 올라앉아
아침 구공탄 굴뚝 연기에서 향수를 느끼다가
산 1번지 채석장에 도루 가서
금방 따낸 돌 온기에 입을 닦는다.

예전에는 사람을 성자처럼 보고
사람 가까이
사람과 같이 사랑하고
사람과 같이 평화를 즐기던
사랑과 평화의 새 비둘기는
이제 산도 잃고 사람도 잃고
사랑과 평화의 사상까지
낳지 못하는 쫓기는 새가 되었다.

작품 해설

갈래 : 자유시, 서정시
성격 : 비판적, 상징적
운율 : 내재율
제재 : 비둘기
특징 : · 선명한 감각적 이미지를 제시함
· 비둘기를 의인화하여 문명 비판적 내용을 우회적으로 표현함
주제 : 자연 파괴와 비인간화되어 가는 현대 문명에 대한 비판

02 시조

1 시조

고려 말에 발달하여 현재까지 창작되고 있는 우리나라 고유의 정형시

1) 형식

① 초장, 중장, 종장의 3장으로 이루어진다.
② 각 장은 2개의 구로 구성된다. (3장 6구)
③ 일반적으로 각 장을 네 마디로 끊어 읽는다. (4음보)
④ 종장의 첫 음보는 세 글자로 글자 수가 고정된다.

예 [초장] 이 몸이∨죽고 죽어∨일백 번∨고쳐죽어
[중장] 백골이∨진토되어∨넋이라도∨있고 없고
[종장] 임 향한∨일편단심이야∨가실 줄이∨있으랴.
→ 종장의 첫 음보는 3글자로 고정됨

2) 시조의 종류

① 길이에 따라
- 단시조 : 한 수로 하나의 작품을 이룬 시조
- 연시조 : 두 개 이상의 평시조가 한 편의 작품으로 엮여 있는 시조

② 형식에 따라
- 평시조 : 3장 6구 45자 내외의 기본 형식으로 된 시조
- 사설시조 : 평시조보다 2구 이상 더 긴 시조. 조선 중기 이후 평민에 의해 많이 지어짐
  초장, 중장이 제한 없이 길며, 종장도 첫 음보를 제외하고 길어진 시조

3) 특징

① 평시조
- 작자층 : 사대부, 양반 계층
- 내용 : 유교적 이념, 자연 속의 풍류를 주로 노래함

② 사설시조
- 작자층 : 중인, 평민층
- 내용 : 서민들의 일상과 삶의 애환, 지배층에 대한 풍자 등을 주로 다룸

1 까마귀 싸우는 골에 _ 영천 이씨

까마귀 싸우는 골에 백로야 가지 마라.

성난 까마귀 흰빛을 시샘할세라

청강에 기껏 씻은 몸을 더럽힐까 하노라.

작품 해설

갈래 : 평시조, 단시조
성격 : 교훈적
운율 : 외형률(4음보)
제재 : 까마귀, 백로
특징 : 대조적인 소재와 상징적인 시어를 이용해 주제를 우회적으로 표현함
아들 정몽주의 장래를 염려하는 모정(母情)이 나타남
주제 : 나쁜 무리를 경계하고 지조와 절개를 지키려는 마음

2 묏버들 가려 꺾어 _ 홍랑

묏버들 가려 꺾어 보내노라 임의손대

자시는 창밖에 심어 두고 보소서.

밤비에 새잎이 나거든 날인가도 여기소서.

작품 해설

갈래 : 평시조, 단시조
성격 : 감상적, 애상적, 여성적
운율 : 외형률(4음보)
제재 : 묏버들
특징 : · 자연물(묏버들)을 통해 말하는 이의 바람을 효과적으로 전달함
· 섬세하고 여성적인 어조를 사용하여 애절한 분위기를 드러냄
주제 : 임에 대한 사랑과 그리움

3 하여가(何如歌) _ 이방원

이런들 어떠하며 저런들 어떠하료

만수산(萬壽山) 드렁칡이 얽어진들 어떠하리

우리도 이같이 얽어져 백 년까지 누리리라

작품 해설

갈래 : 평시조, 단시조
성격 : 회유적, 설득적, 우의적
운율 : 외형률(4음보)
제재 : 드렁칡
특징 : 새 나라를 건설하여 함께 잘 살아 보자는 회유를 비유법으로 효과적으로 표현함
주제 : 조선 건국에 협력하도록 회유

4 단심가(丹心歌) _ 정몽주

이 몸이 죽고 죽어 일백 번 고쳐 죽어

백골이 진토(塵土) 되어 넋이라도 있고 없고

임 향한 일편단심(一片丹心) 이야 가실 줄이 있으랴

작품 해설

갈래 : 평시조, 단시조
성격 : 의지적, 직설적
운율 : 외형률(4음보)
제재 : 일편단심
특징 : · 고려 왕조에 대한 충성심이 극명하게 드러남
· 작가 자신의 의지를 직설적으로 표현함
주제 : 고려에 대한 충성과 절개

5 내 마음 베어 내어 _ 정철

내 마음 베어 내어 저 달을 만들고자

구만 리 먼 하늘에 번듯이 걸려 있어

고운 임 계신 곳에 가 비추어나 보리라

작품 해설

갈래 : 평시조, 연군가
성격 : 애상적
운율 : 외형률(4음보)
제재 : 달
특징 : · '마음' 이라는 추상적 개념을 '달' 이라는 구체적인 대상으로 형상화함
· 임(임금)을 그리워하는 마음을 우회적으로 표현함
주제 : 임(임금)에 대한 사랑과 그리움, 변함없는 충성

6 오우가 _ 윤선도

내 벗이 몇이나 하니 수석(水石)과 송죽(松竹)이라.
동산에 달 오르니 그 더욱 반갑구나.
두어라, 이 다섯밖에 또 더하여 무엇하리. (제1수)

구름 빛이 좋다 하나 검기를 자주 한다.
바람 소리 맑다 하나 그칠 때가 많구나.
좋고도 그칠 때 없기는 물뿐인가 하노라. (제2수)

꽃은 무슨 일로 피면서 쉬이 지고
풀은 어이하여 푸른 듯 누르느냐.
아마도 변치 않는 것 바위뿐인가 하노라. (제3수)

더우면 꽃 피고 추우면 잎 지거늘
솔아 너는 어찌 눈서리를 모르느냐.
구천에 뿌리 곧은 줄을 그로 하여 아노라. (제4수)

나무도 아닌 것이 풀도 아닌 것이
곧기는 누가 시켰으며 속은 어찌 비었는고,
저렇게 사철에 푸르니 그를 좋아하노라. (제5수)

작은 것이 높이 떠서 만물을 다 비추니
밤중의 광명이 너만 한 이 또 있느냐.
보고도 말 아니하니 내 벗인가 하노라. (제6수)

작품 해설

갈래 : 고시조, 연시조 성격 : 예찬적, 자연 친화적
운율 : 외형률(4음보) 제재 : 물, 바위, 소나무, 대나무, 달
특징 : · 우리말의 아름다움을 잘 살려 표현함
· 의인법, 대구법 등 다양한 표현 방법을 활용하여 대상을 인상 깊게 그려 냄
· 자연물을 의인화하고 그 속성을 유교적 이념에 연결하여 예찬함
주제 : 다섯 벗에 대한 예찬

7 개를 여남은이나 기르되 _ 작자 미상

개를 여남은이나 기르되 요 개같이 얄미우랴

미운 임 오면은 꼬리를 홰홰 치며 치뛰락 내리뛰락 반겨서 내닫고 고운 임 오면은

뒷발을 버둥버둥 무르락 나락 캉캉 짖어서 도로 가게 하느냐

쉰밥이 그릇그릇 난들 너 먹일 줄이 있으랴

작품 해설

갈래 : 사설시조
성격 : 해학적, 우회적
운율 : 외형률
제재 : 개
특징 : · 의성어와 의태어를 활용하여 개의 행동을 사실적, 해학적으로 묘사함
· 기다려도 오지 않는 임에 대한 원망을 개에게 전가하여 웃음을 자아냄
주제 : 임을 그리워하고 기다리는 간절한 마음

8 두꺼비 파리를 물고 _ 작자 미상

두꺼비 파리를 물고 두엄 위에 뛰어올라 앉아

건너편 산을 바라보니 백송골이 떠 있거든 가슴이 섬뜩하여 펄쩍 뛰어내리다가 두엄 아래 나자빠졌구나.

다행히 날랜 나였기에 망정이지 피멍이 들 뻔하였구나.

작품 해설

갈래 : 사설시조
성격 : 풍자적, 우의적, 해학적
운율 : 외형률
제재 : 두꺼비, 파리, 백송골
특징 : · '두꺼비', '파리', '백송골' 등을 의인화하여 인간 사회를 풍자함
· 풍자적인 수법을 통해 지배 계층을 희화화함
주제 : 탐관오리의 이중성 비판

03 소설

1 소설

현실 세계에 있을 법한 일을 작가가 상상하여 꾸며 쓴 이야기

2 소설의 특성

1) **허구성** : 실제 있었던 일이 아니라 작가가 상상을 통해 꾸며 낸 이야기
2) **개연성** : 실제로 일어날 만한 이야기
3) **진실성** : 꾸며낸 이야기이지만 인생의 진리와 삶의 진솔한 모습을 담음
4) **서사성** : 사건의 내용이 일정한 시간의 흐름에 따라 전개됨

3 소설 구성의 요소

1) **인물** : 작품 속에 등장하는 사람. 작품에서 갈등을 만들고 해결하면서 이야기를 전개하는 주체
2) **사건** : 작품 속에서 인물들이 겪는 일이나 벌이는 행동. 사건을 통해 이야기가 전개됨
3) **배경** : 인물들이 행동하고 사건이 일어나는 시간이나 장소. 인물의 행동을 사실적으로 느끼게 하며, 인물의 심리를 암시하거나 작품의 분위기를 만듦

4 소설의 갈등

1) **갈등의 개념** : 인물의 마음 속 생각이 대립되거나, 인물들 간의 의견이나 관계가 대립되어 서로 복잡하게 얽혀 있는 상태

2) **갈등의 역할**

① 갈등이 전개되고 해결되는 과정에서 작품의 주제가 나타난다.
② 사건을 전개하고 이야기에 긴장감을 주어 독자의 흥미를 불러일으킨다.
③ 갈등 상황에서 보이는 반응을 통해 인물의 가치관과 성격이 명확히 드러난다.

3) 갈등의 종류

<table>
<tr><td>내적 갈등</td><td colspan="2">한 인물의 마음 속에서 상반된 심리가 대립하는 갈등</td></tr>
<tr><td rowspan="4">외적 갈등</td><td>인물과 인물</td><td>인물과 인물 간의 가치관이나 성격의 차이 때문에 일어나는 갈등</td></tr>
<tr><td>인물과 사회</td><td>인물이 자신이 속한 사회의 관습 및 윤리, 제도와의 충돌로 인해 겪는 갈등</td></tr>
<tr><td>인물과 자연</td><td>인물이 자연적 현상과 대립하여 겪는 갈등</td></tr>
<tr><td>인물과 운명</td><td>인물이 자신의 타고난 운명과 대립하여 겪는 갈등</td></tr>
</table>

5 갈등 양상에 따른 소설의 구성 단계

발단	등장인물과 배경이 소개되고, 사건의 실마리가 드러남
전개	사건이 발전되며, 갈등이 시작됨
위기	갈등이 깊어지며, 긴장감과 위기감이 조성됨
절정	갈등이 최고조에 이르고, 사건 해결의 실마리가 보임
결말	갈등이 해결되고, 사건이 마무리됨. 주인공의 운명이 결정됨

6 인물의 성격 제시 방법

1) **직접 제시** : 서술자가 인물의 성격이나 심리를 직접 설명해 줌

2) **간접 제시** : 인물의 행동이나 대화, 외양 묘사를 통해 성격이나 심리를 짐작하게 함

7 소설의 소재

1) **소재** : 소설 속에서 작가가 의도적으로 사용하는 재료로, 작가가 말하고자 하는 의미를 효과적으로 드러내기 위해 선택하는 일이나 물건

2) **소재의 기능**

① 인물들 간의 갈등을 일으키거나 해결한다.

② 인물의 심리나 처지를 상징적으로 드러낸다.

③ 작품의 배경이 되는 시대의 사회상을 드러낸다.

④ 앞으로 일어날 사건을 암시하거나 사건과 사건을 연결해 준다.

8 소설의 시점

1) **시점** : 서술자가 인물이나 사건을 바라보는 위치나 관점, 또는 서술자가 이야기를 서술해 나가는 방식

1인칭	주인공 시점	소설 속 주인공인 '나'가 자신의 이야기를 서술함
	관찰자 시점	소설 속 인물인 '나'가 주인공의 행동과 사건을 관찰하여 서술함
3인칭	관찰자 시점	소설 밖 서술자가 객관적인 태도로 인물의 행동이나 사건을 관찰하여 서술함
	전지적 작가 시점	소설 밖 서술자가 모든 것을 아는 입장에서 인물과 사건에 대해 서술함

1 고무신 _ 오영수

보리밭 이랑에 모이를 줍는 낮닭 울음만이 이따금씩 들려오는 고요한 이 마을에도 올 봄 접어들어 안타까운 이별이 있었다. 바다와 시가지 일부가 한꺼번에 내다보이는, 지대가 높고, 귀환 동포가 누더기처럼 살고 있는 산기슭 마을이었다. 그렇기에 마을 사람들은 철수 내외와 같이 가난뱅이 월급장이가 아니면 대개가 그날그날의 날품팔이다.

밤이면 모여 들고 날이 새면 일터로 나가기가 바빴다. 다만 어린 아이들만이 마을 앞 양지 바른 담 밑에 모여 윤선이 오고 가는 바다를 바라보고, 윤선도 보이지 않는 날은 무료에 지쳐 버린다.

그러나 이 단조한 마을, 무료한 아이들에게도 단 하나의 오직 단 하나의 즐거움은 있었다. 그것은 날마다 단골로 찾아오는 젊은 엿장수였다. 바다가 내려다보이는 아랫마을을 거쳐, 보리밭 사잇길로 이 마을을 향해 올라오는 엿장수는 가위를 짹각거리면서

"자아 엿이야 엿—맛좋고 빛좋은 울릉도 호박엿—처녀가 먹으면 시집을 가고 총각이 먹으면 장가를 들고……."

언제나 귀 익은 타령이건만 이 마을 아이들에게는 언제나 새롭고 즐겁고 또 신이 나는 넋두리였다.

엿장수가 마을 앞까지 채 오기도 전에 아이들은 벌써 길목에 쭉 모여 서서 개선장군이나 맞이하듯 기다리고 섰다.

철수가 마악 저녁 밥상을 받자, 그보다 먼저 저녁을 먹은 여섯 살짜리 영이와 네 살짜리 윤이 놈이 상머리에 와 앉는다. 영이 놈이 시무룩한 상을 하고 누가 묻기나 한 듯이

"어머닌 외가 갔어!"

한다. 즉 저희들을 안 데리고 갔다는 불평인 눈치다. 이런 때 저희들을 동정하는 눈치를 보이기만 하면 투정을 부리는 줄 알기 때문에 철수는 시치미를 딱 떼고

"흐음!"

했을 뿐 더는 대꾸를 않았다.

윤이는 밥술 오르내리는 것만 하염없이 바라보고 있는데, 영이는 제 말한 것이 아무 반응이 없어 계면쩍이 앉았다가 갑자기 생각난 듯이 앉은걸음으로 한 걸음 앞으로 다가앉으면서

"아부지!"

하고는 채 대답도 듣기 전에

"아지마가 오늘 윤이 때리고 날 꼬집고 했어!"

한다. 철수는 밥을 씹다 말고

"으응 정말?"

"그래!"

하고는 팔을 걷어 보이나 꼬집힌 흔적은 보이지 않았다.

그러자 작은 놈도 밑이 터진 바지를 제끼고 볼기짝을 가리키면서

"에게 에게 때려……"

하는 것을 보아 거짓말은 아닌 것 같다. 의외 일이었다.

철수는 부엌에서 저녁 설거지를 하고 있는 남이를 불렀다. 남이 역시 대답이 없다. 대답은 없으나 마루께로 걸어오는 발자국 소리는 들린다. 부엌에서 할 대답을 방문을 열고서야

"예엣!"

하는 남이의 태도도 역시 여느 때와는 다르다. 철수는 부드러운 소리로

"오늘 왜 윤이를 때리고 영이를 꼬집었냐?"

"……"

"아니 때리고 꼬집은 것을 나무람이 아니라, 애들이 무슨 저지래를 했느냐 말이다."

그제야 남이는 옆 눈으로 영이와 윤이를 한 번 흘겨보고는

"오늘 뒷 개울에 빨래를 간 새, 영이와 윤이가 저 고무신을 들어다 엿을 바꿔 먹었어요!"

어이없는 소리다. 철수는

"뭣이 어쩌고 어째?"

하고는 밥술을 걸쳐 놓고 남이에게로 돌아앉으면서

"아, 아니 그래, 넌 빨래갈 때 신을 벗고 갔더냐?"

"아니요!"

"그럼?"

"집에서 신는 헌 신 말고요, 옥색 신을요!"

철수는 또 한 번 놀라지 않을 수 없었다.

"응, 옥색 신이다?"

이 옥색 고무신으로 말하면 바로 작년 팔월 대목이었다. 철수가 남이더러 추석 치레로 뭣을 해 주면 좋으냐고 물었을 때, 남이는 옥색 바탕에 흰 테두리한 고무신이 소원이라고 했다. 옷은 작년에 지어 둔 것이 있다는 말을 철수는 그의 아내에게서 들었기 때문에, 한 껏해야 크리임이나 한 통 사줄 생각으로 말한 것이 의외에도 옥색 고무신이라는 데는 철수도 당황하지 않을 수 없었다. 그러나 한 번 해준다고 한 이상 과하니 어쩌니 할 수도 없고 해서 좀 무리를 해서 일금 삼백 육십 원을 주고 사 줬던 것이다. 남이는 무척 기뻐했고 그만큼 또 그 신을 아꼈다. 제가 쓰는 궤짝 속에 감춰 두고 특별한 출입—일테면 명절날이나, 또는 심부름 갈 때나, 학교 운동회 때나—가 아니면 좀체 신질 않았고, 또 한 번 신기만 하면 기어코 비누로 씻고 닦고 했다. 그렇기에 신어서 닳기 보담 닦아서 닳는 것이 더 했으리라. 그렇듯 골똘히도 아끼던 신이었으니 남인들 여간 속이 상했기에 때리고 꼬집었을까!

“그래 그 엿장수는 어느 놈인데?”

“매일 단골로 오는……”

“머리 덥수룩하고 젊은 총각놈 말이지, 으음……”

철수는 밥상을 내 밀었다. 남이는 남이대로

“이 놈의 엿장수 오기만 와 봐라!”

고 벼르면서 밥상을 내 갔다. 영이 놈도 슬며시 일어나서 윤이 옆에 가서 잘 작정을 한다. 부엌에서는 남이가 엿장수에 대한 앙갚음을 하는 셈인지 솥전에 바가지 닥드리는 소리가 요란하다. 철수는

“얘 남아, 신을 도로 찾아 주든지 아니면 새로 사 주든지 할 테니 바가지 너무 닥드리지 말고 그릇 조심해라!”

그러고는 담배를 붙여 물었다. 그러나 세상이 도둑판이고, 따라서 요즘 엿장수란 엿 파는 빙자로 빈 집을 노려 요강, 대야 훔쳐 가기가 예사고, 심지어는 빨래까지 걷어 가는 판인데 신으로 말하면 도둑질해 간 것도 아닌 이상, 그 놈을 잡고 힐난을 한댔자 쉽사리 찾아질 것 같지도 않았다.

남이가 세숫대야에 걸레랑 헌 양말이랑 담아 옆에 끼고 마악 대문 밖을 나서는데 엿장수의 가윗소리가 들려 왔다. 엿장수는 마을 중턱 보리밭 샛길을 올라오고 있었다. 남이는 대문 설주에 몸을 붙이고 엿장수를 기다렸다. 엿장수는 마을 앞에 오자 한층 더 목청을 높여

“자아… 떨어진 고무신이나 백철 부서진 거나 삼베 속곳 떨어진 거나……
째깍째깍.”

그러자 남이는

"저 놈의 엿장수 미쳤는가베!"
라고 입속말로 중얼거렸고, 마을 아이들은 어느 새 엿장수를 둘러쌌다. 엿장수가 엿판을 길목에 내리자 남이는 가시처럼 꼭 찌르는 소리로
"보소!"
엿장수는 놀란 듯 힐끗 한 번 돌아보고는 담을 싼 아이들을 헤치고 남이에게로 오는데 남이는 입을 샐쭉 하면서 대뜸
"내 신 내 놓소!"
했다. 엿장수는 걸음을 멈추고 한참 동안 남이를 바라보다 말고 은근한 말투로
"신은 웬 신요?"
하고는 상대편에 의심을 받을 만큼 히죽이 웃어 보이자, 남이는 눈을 까칠해 가지고
"잡아떼면 누가 속을 줄 아는가베!"
그러나 엿장수는 수양버들 봄바람 맞듯 연신 히죽거리면서
"뭘요, 그믐밤에 홍두깨도 분수가 있지?"
남이는 발끈하고
"신 말이요!"
"신을요?"
"어제 우리 집 아이들을 꾀여간 옥색 고무신 말이요!"
엿장수는 머리를 벅벅 긁으며
"꾀기는 누가……"
하고는 한 걸음 앞으로 다가서서 길 아래 위를 살핀 다음 낮은 소리로
"그 신이 당신 신이던교?"
"누구 신이든 내 놔요. 빨리!"
엿장수는 또 머리를 긁으면서
"당신 신인 줄 알았으면야, 이 놈이 미친놈이 아닌 댐에야……"
하고 지나치게 고분거리는데 남이는 한결같이 앙살을 부린다.
"내 놔요 빨리!"
엿장수는 손짓으로 어르듯 달래듯
"가만있소. 도가에 가 보고 신이 그냥 있으면야 갖다 주고말고. 만일 신이 없으면 새 신이라도 사다 줄께요. 염려마소!"
하고는 남이의 발을 눈잼하는데, 이 때 난데없이 굵다란 벌 한 마리가 날아와 남이의 얼굴 주위를 잉잉 날아돈다. 남이는 상을 찌푸리고 한 손을 내저어 벌을 쫓고, 목을 돌리고 하는데, 벌은 갑자기 남이 저고리 앞섶에 붙어 가슴패기로 기어오르고 있다. 이것을 조마조마 보고 있던 엿장

수는

"가, 가만……"

하고는 한 걸음에 뛰어들어

"요놈의 벌이……"

하고 손바닥으로 벌을 딱 덮어 눌렀다. 옆에서 보기에도 민망스런 순간이었다. 남이는 당황하면서도 귀 언저리를 붉히고 한 걸음 뒤로 물러서자, 함께 엿장수 손아귀에는 벌이 쥐어졌다. 쥐킨 벌은 고스란히 있을 리가 없다. 한 번 잉 소리를 내고는 그만 손바닥을 쏘아 버렸다. 동시에 엿장수는

"앗!"

하고 쥐었던 손을 펴 불며 털며 앙감질을 하는 꼴이 남이는 어떻게나 우스웠던지 그만 손등으로 입을 가리고 킥킥하고 웃어 버렸다. 엿장수는 반은 울 상 반은 웃는 상 남이를 바라보는데, 남이의 송곳니가 무척 예뻐 보였다. 남이는 엿장수와 눈이 마주치자 무색해서 눈을 땅바닥으로 떨어뜨렸다. 살을 쏘아 버린 벌이 꽁무니에 흰 실같은 것을 달고, 거치장스럽게 기어가고 있다. 남이의 시선을 따라 온 엿장수 눈이 이것을 보자 그만 그 억센 발로

"엥이 엥이 엥이."

하고 망깨 다지듯 짓밟고 문질러 자취도 없이 해 버리자 남이는 또 웃음이 나올 것만 같아 문을 밀고 안으로 들어가 버렸다. 엿장수는 무슨 발작이나 막 하고난 사람처럼 맥이 없었다. 어깨와 두 팔을 축 늘어뜨리고 남이가 들어간 문 쪽을 한참동안 멍하니 바라보고 나서야 비로소 어슬렁 어슬렁 엿판께로 돌아왔다. 엿판가에는 아이들이 파리떼처럼 붙어 있다. 보아하니 윤이는 아랫배에 두 손을 붙여 도사리고 앉아, 엿을 노리고 있고, 영이는 서서 아이들과 어느 것이 굵으니 작으니 하며 태태거리고 있다.

다음 날도 좋은 날씨였다. 먼 산은 선잠 깬 여인의 눈시울처럼 자꾸만 선이 희미해오고 수양버들은 아지랑이가 간지러운 듯 한들거렸다. 보리싹은 제법 파릇하고 남향 담 밑에는 민들레가 놀란 듯 활짝 피었다.

오늘따라 엿장수는 일찍 왔다. 엿장수가 오는 시간은 누구보담 더 잘 알고 있는 이 마을 아이들에게 있어서는 적지 않은 사건이었다. 또 하나 의외 일은 한 담뱃참씩이면 다음 마을로 가버리는 엿장수가 오늘은 제법 아이들과 시시덕거리고 놀기를 시작한 것이다. 그 뿐만 아니라, 길목 타작마당에서 아이들과 뜀뛰기까지 하다가 점심 때 가까이 해서야 다음 마을로 건너가는 것이었다. 아이들은 어제 모양으로 엿을 한 동강이씩 주지 않고 가는 것이 퍽이나 섭섭한 눈초리로 뒤꼴을 바라보았으나, 보릿쌀 삶을 즈음해서 엿장수는 또 왔고, 해가 져서야 돌아갔다.

다음 날도 그랬고 그 다음 날도 그랬다. 다만 전 날과 다른 것은 영이와 윤이에게 엿을 한 가

락씩 쥐어 주고 간 것이다. 동네 아이들은 영이와 윤이가 무척 부러웠다.

날씨는 한결같이 좋았다. 산기슭 잔디언덕에는 쑥싹을 캐는 소녀들의 색 낡은 분홍치마가 애틋하게 정다워 보이고 개울가에는 냉이랑 독새랑 여뀌랑 미나리랑 싹이 뾰족뾰족 돋아났다.

엿장수는 한결같이 왔고 와서는 갈 줄을 몰랐다. 어떤 날은 벙글벙글 웃었고, 웃는 날은 애들에게 엿을 나눠 주었으나 벙어리처럼 덤덤히 앉았다가 가는 날은 엿 맛을 못 보았다. 그렇기에 아이들은 엿장수가 오면 엿판보다 먼저 엿장수 눈치부터 보는 버릇이 생겼다.

밤이면 개 짖는 소리가 요란했고 그런 밤이면 마을 사람들은 안팍 문을 꼭꼭 걸어 닫았다. 어떤 사람은 철수네집 담 밑에서 도둑놈을 보았다고 했고 또 어떤 사람은 길목에서도 보았다고들 했다. 개울 빨래터에서도 보았고 동네 우물가에서도 보았다고들 했다. 그러나 막상 도둑을 맞은 사람은 한 사람도 없건만 마을에서는 도둑 소문이 자자한 채 달도 바뀌고 제비 올 무렵 어느 날 저녁녘에 우연히도 남이 아버지가 찾아왔다.

철수 내외가 남이 아버지를 맨 나중 만나기는 지금으로부터 삼년 전 윤이가 나던 해였다. 그리고 꼭 삼 년이 지났다. 삼 년 동안 남이 아버지는 많이도 변해졌다. 머리는 검은 털보다는 흰 털이 훨씬 더 많았고, 그 길숨한 얼굴은 유지를 비벼 논 것처럼 주름살이 잡혔다. 저녁을 먹고 나서 남이 아버지는

"내가 달리 온 것이 아님더!"

하고는 담배를 잰다. 철수 내외는 임민해도 이 영감이 딸을 보러만 온 것이 아니라고 짐작은 하면서도

"무슨 일인데요? 새삼스리?"

그러자 남이 아버지는

"안 그런기요. 내가 나이 칠십에 내일 죽을지 모래 죽을지……"

그러고는 담배를 쭉쭉 소리를 내어 빨고 나서

"내가 오늘 온 것은 다름이 아니 올시더—저 냄이 말임더, 저 것을 내 산 동안에 짝을 맞촤 놔아 안 되겠는교?"

하고는 또 담배를 빨기 시작한다.

"그렇잖아도 스무 살은 안 넘길 작정을 하고 또 준비도 하고 있소!"

스무 살이라는 말에 남이 아버지는 그만 질색을 하면서

"언머어이 무슨 말인교? 당찬심더!"

하고는 낯까지 붉히었다. 철수 아내가 또 무슨 말을 하려는 것을 철수는 손짓으로 막고

"영감 잘 알았소. 그만 건너가서 편히 쉬이소."

하자 그제야 남이 아버지는 안심이 되는 듯 일어서며

"내일 아침에 일찍 가겠심더, 안그런교? 기왕 남의 권식 될빠야 하루라도 일찍 보내는 기 좋지 않겠는교."

하고 또 뭐라고 중얼중얼 하면서 건너갔다.

남이는 여느 때와 조금도 다름없이 부엌에서 아침 차비를 하고 있다. 다만 다른 것은 눈시울이 약간 부은 것뿐이다. 이날 철수 내외는 둘 다 결근을 했다. 철수 아내는 그동안 장만해 두었던 남이의 옷감을 꺼냈다. 그리 좋은 것은 아니나 그래도 저고릿감이 네 벌, 치맛감이 세 벌, 그 밖에 자기가 시집올 때 해 온 무색옷 중에서 시속에 맞지 않고, 색이 너무 난한 것을 추려 몇 벌, 또 속옷 이것저것해서 한 보퉁이는 족히 되었다. 아침을 치르고 나서 철수 내외는 남이를 불러 갈 차비를 하라고 이르고, 그의 아내는 밀쳐 둔 보퉁이를 헤치고 이것은 뭣이고, 이것은 언제 입는 옷이고 또 이것은 다시 고쳐야 하고 하면서 일일이 일러주는데, 남이는 듣는 둥 마는 둥 하고

"아직 설거지도 안 했는데……"

하고 일어선다.

"내가 할 테니 그만 두고, 어서 머리 빗어라. 그리고 옷은 이걸 입고, 버선은 요 전번에 신던 것 신고……"

그러나 남이는

"물도 안 길었어요!"

하고 또 밖으로 나갈려고 한다.

"그만 둬라!"

"요새 물이 딸려서 일찍 가야 해요!"

그러자 건너 방에서는 남이 아버지가

"남아 준비 다 됐나? 차 시간 놓칠라, 속히 가자!"

하고 소리를 질렀다. 남이는 건넌방 쪽을 흘겨보고

"가고 싶거던 혼자 가지……"

하고 중얼거리면서 또 밖을 나가려는 것을, 이번에는 철수가 불러들여

"가 보고 마땅찮거든 다시 오더라도 가도록 해야지, 차시간도 있고 하니 빨리 차비를 해라!"

하고 타이르는데, 남이 아버지는 벌써 뜰에 나와 기다리고 있다. 남이는 그제야 낯을 씻고 제가 일상 쓰던 물건들을 챙겼다. 크리임통과 가루분통이 하나씩, 그리고 한쪽 모가 떨어져 삼각이 된 거울이 한 개, 얼레빗과 참빗, 그 밖에 숫본, 골무, 베갯모, 색헝겁, 당새기, 허드레옷 해서 그것도 한 보퉁이가 실하다.

분홍치마에 흰 반호장 저고리를 입고 맑은 때가 묻을락 말락 한 버선을 신은 남이는 딴 사람 같이 이뻐 보였다. 어디다 내 세우더라도 얌전한 색시감이었다. 남이 아버지는 대문짝에 담뱃대

를 딱딱 뚜드리면서 헛기침을 하는 것은 빨리 나오라는 재촉일 게다. 철수 아내는 이모저모 남이 옷맵씨를 보아주고

"어서 가거라, 너 잔치할 때는 너 아저씨기 가든지 내가 가든지 꼭 할 테니……"

그러나 남이는 한 마디 인사말도 없이 영이와 윤이를 찾는다. 골목에 나가 놀고 있던 영이와 윤이는 남이의 달라진 모양을 보고 눈이 뚱그래져서

"아지마 어데 가노?"

하고 묻는다.

남이는 대답도 않고 두 아이를 데리고 건넌방으로 들어가, 영이와 윤이를 세운 채 남이는 두 팔로 가둬 안고

"윤아야, 아지마 가먼 니 빠빠 누가 줄고?"

하자, 영이가 또

"아지마 어데 가노?"

하고 묻는다. 남이는 목멘 낮은 소리로

"우리집에 간다!"

그러나 영이는

"거짓말이다. 이거 너거집 앙이고 머고?"

하고 발까지 구르며 짜증을 낸다. 갑자기 윤이가 그 넓적한 입을 삐죽거리면서 억실억실한 눈에 눈물을 함빡 가둔다. 남이는 지긋이 팔에 힘을 준다. 윤이 눈에서 눈물 한 방울이 떨어져 남이의 자주 옷고름에 얼룩이 진다.

바로 이 때다. 골목에서 엿장수 가윗 소리가 들려 왔다. 남이는 재빨리 윤이를 업고, 영이의 손목을 잡은 채 밖으로 나갔다. 남이 아버지는 벌써 저만치 철수와 하직을 하면서 내려가고, 엿장수는 마악 철수네 집 앞에서 대문을 나서는 남이와 마주쳤다. 엿장수는 얼빠진 사람처럼 남이를 바라보는데 남이의 눈에는 순간 어두운 그림자가 지나갔다. 남이는 윤이를 업은 채 허리를 굽히고, 몸을 약간 둘러 치맛자락을 걷고 빨간 콩 주머니에서 십 원짜리 두 장을 꺼내 엿장수를 주었다. 엿장수는 그제야 눈을 돌려 남이와 돈을 번갈아 보다 말고, 신문지 조각에 엿을 너댓가락 싸서 아무 말도 없이 돈과 함께 내민다. 남이는 약간 망설이다가 역시 암말도 없이 한 손으로 받아가지고는 영이를 앞세우고 안으로 들어왔다. 엿장수는 멍하니 대문만 쳐다보고 있다가 침을 한번 꿀꺽 삼키고 나서 엿판을 울러 메고는 혼잣말로

"꽃 놀음을 가면 자주내(紫川) 골짝이지, 그럼 한 걸음을 앞서 울음고개로 질러감 되겠지!"

이렇게 중얼대면서 엿장수는 빠른 걸음으로 담 모퉁이를 돌아 울음고개로 향해 갔다 (자주내 골짝은 이 근방 사람들이 단골로 가는 봄가을 놀이터다).

남이는 그 엿장수에게 받은 엿을 영이에게 둘, 윤이에게 둘 각각 손에 쥐어주고서도 한 동강이

잘라 입에 넣고는 손수건으로 윤이 눈물자국과 영이 코 밑을 닦아 주고서야 보퉁이를 들고 일어섰다.

영이와 윤이는 엿 먹기에 여념이 없었다.

철수 아내는 보퉁이 한 개를 들고 따라 나오면서 남이에게 귓속말로 뭣을 일러주고……이래서, 남이는 떠나간다. 다만 한 가지 철수 내외에게 수수께끼는 마을 중턱에서 남이를 보내고 서서 그의 뒷모양을 바라보는데, 남이가 어이한 옥색 고무신을 신고 가는 것이다. 더구나 한 번도 신지 않은 새 것을…….

철수 내외는 서로 얼굴만 쳐다볼 뿐 도로 물어 본달 수도 없고 해서 그만 두었다. 보리밭 사이 조그만 언덕길로 옥색 고무신을 신은 남이는 갔다. 자주내 골짝이로 꽃 놀음을 가는 줄만 알았던 남이가 난데없는 영감 하나를 따라가고 있는 광경을 엿장수는 울음고개 위에서 멀거니 바라보고 있는 것을 남이 자신이야 알 리도 없었다.

작품 해설

갈래 : 현대 소설, 단편 소설
성격 : 서정적, 애상적
배경 : 1940년대 후반 바다가 보이는 산기슭 마을
시점 : 전지적 작가 시점
주요 소재의 기능 : 고무신 – '남이'와 '엿장수'가 만나게 되는 매개체
옥색 고무신 – '엿장수'가 '남이'에게 사 준 것이라고 추측됨
'남이'가 떠나갈 때 신고 감
사랑과 추억, 이별을 상징함
특징 : · 산기슭 시골을 배경으로 하여 두 젊은 남녀 사이의 순수한 연정이 드러남
· 비유적 표현을 사용하여 장면을 생생히 묘사함
· 발단에 앞으로 전개될 사건이 요약적으로 제시됨
주제 : 젊은 남녀의 애틋한 사랑

2 이상한 선생님 _ 채만식

1

우리 박선생님은 참 이상한 선생님이었다. 박선생님은 생긴 것부터가 무척 이상하게 생긴 선생님이었다. 키가 한 뼘밖에 안 되는 박선생님이라서, 뼘생 또는 뼘박이라는 별명이 있는 것처럼, 박선생님의 키는, 키 작은 사람 가운데서도 유난히 작은 키였다. 일본 정치 때, 혈서로 지원병을 지원했다 체격검사에 키가 제 척수에 차지 못해 낙방이 되었다면, 그래서 땅을 치고 울었다면, 얼마나 작은 키인 것은 알 일이다. 그런 작은 키에, 몸집은 그저 한 줌만 하고. 이 한 줌만한 몸집의, 한 뼘만한 키 위에 가서, 그런데, 이건 깜짝놀랄 만큼 큰 머리통이, 보매 위태위태하게 올라앉아 있다. 그래서 박선생님의 또 하나의 별명을 대갈장군이라고도 하였다. 머리통이 그렇게 큰 박선생님의 얼굴은 어떻게 생겼느냐 하면, 또한 여느 사람과는 많이 달랐다. 뒤통수와 앞이마가 톡 내솟고 내솟은 좁은 이마 밑으로 눈썹이 시꺼멓고, 왕방울 같은 두 눈은, 부리부리하니 정기가 있고도 사납고, 코는 매부리코요, 입은 메기입으로 귀밑까지 넓죽 째지고 그리고 목소리는 쇠꼬챙이로 찌르는 것처럼 쨍쨍하고. 이런 대갈장군의 뼘생 박선생님과 아주 정반대로 생긴 이가 강선생님이었다.

강선생님은 키가 크고, 몸집도 크고, 얼굴이 너부룻하고, 얼굴이 검기는 하여도 순하지 사납이 든 데가 없고, 눈은 더 순하고, 허허 웃기를 잘 하고, 별로 성을 내는 일이 없고, 아무하고나 상난을 질 하고… 강선생님은 이런 선생님이었다.

2

다른 학교에서도 다 그랬을 테지만, 우리 학교에서도, 그때 말로 '국어' 라던 일본말, 그 일본말로만 말을 하게 하고, 엄마 아빠 할 적부터 배운 조선말은, 아주 한 마디도 쓰지 못하게 하였다. 그러나, 주재소의 순사, 면의 면서기, 도 평의원을 한 송주사, 또 군이나 도에서 연설하러 온 사람, 이런 사람들이나 조선 사람끼리 만나도 척척 일본말로 인사를 하고 이야기를 하고 하였지, 다른 사람들이야 일본 사람과 만났을 때 말고는 다들 조선말로 말을 하고, 그래서 학교 문 밖에만 나가면 만판 조선말로 말을 하는 사람들이요, 더구나 집에 돌아가면, 어머니, 아버지, 언니, 누나, 애기, 모두들 조선말로 말을 하고 하였다. 그러니까 우리들도 학교에 가서도, 교실에서 공부를 하고 나와 운동장에서 우리끼리 놀고 할 때에는 암만해도 일본말보다 조선말이 더 많이, 그리고 잘 나와지고 하였다.

학교에서고, 학교 밖에서고 조선말로 말을 하다 선생님한테 들키는 날이면 경을 치는 판이었다. 선생님들 중에서도 제일 심하게 밝히는 선생님이 뼘박 박선생님이었다. 교장선생님이나 다른 일본 선생님은 나무라기만 하고 마는 수가 있어도, 뼘박 박선생님은 절대로 용서가 없었다.

나도 여러 번 혼이 나 보았다. 한번은 상준이 녀석과 어떡하다 쌈이 붙어서, 둘이 서로 부둥켜안고 구르면서, 이 자식아, 저 자식아, 죽어봐, 때려봐 하면서 한참 시방 때리고 제기고 하는 참이었다.

그러는 참인데, 느닷없이

"고랏! 조셍고데 겡까 스루야쓰가 이루까," (이놈아! 조선말로 쌈하는 녀석이 어딨어.)

하면서, 구둣발길로 넓적다리를 걷어차는 건, 정신 없는 중에도 뼘박 박선생님이었다.

강선생님은 그와 반대로 아무 시비가 없었다. 교실에서 공부를 할 때 외에는 그리고 다른 선생님 ——

그 중에서도 교장 이하 일본 선생님들과 뼘박 박선생님이 보지 않는 데서는, 강선생님은 우리들한테, 일본말로 말을 하지 아니하였다. 우리들이 일본말로 하여도 강선생님은 조선말로 하곤 하였다. 우리들이 어쩌다, 선생님은 왜 '국어' (일본말)로 아니 하세요? 하고 물으면, 강선생님은 웃으면서, 나는 '국어' (일본말)가 서툴러서 그런다하고 대답하였다. 그렇지만, 우리가 보기에도 강선생님은 일본말이 서투른 선생님이 아니었다.

3

해방이 되던 바로 그 이튿날이었다. 여름 방학으로 놀던 때라, 나는 궁금하여서 학교엘 가보았다. 다른 아이들도 한 오십 명이나 와서 있었다. 우리는 해방이라는 말은 아직 몰랐고, 일본이 전쟁에 지고, 항복을 한 것만 알았었다.

직원실에는, 교장선생님과 두 일본 선생님과, 그리고 뼘박 박선생님과 이렇게가 모여 앉아서 초상난 집처럼 모두는 코가 쑥욱 빠져가지고 있었다. 우리들은 운동장 구석으로, 혹은 직원실 앞 뒤로 패패로 모여 서서, 제가끔 아는 대로, 일본이 항복한 이야기를 하고 있었다. 그때에 육학년에 다니던 우리 사촌언니 대석이가, 뒤늦게야 몇몇 동무와 함께 떨떨거리고 달려들었다. 똘똘하고, 기운 세고, 싸움 잘하고, 그러느라고 선생님들한테 꾸지람과 매는 도맡아 맞고, 반에서 성적은 제일 꼴찌요 한 천하 말썽꾼이었다. 대석언니네 집은, 읍에서 십리나 되는 곳이었고, 그래서 오늘 아침에야 소문을 들었노라고 하였다. 대석언니는 직원실을 넘싯이 넘겨다보더니, 싱긋 웃으면서, 처억 직원실 안으로 들어섰다.

직원실 안에 있던 교장선생님이랑, 다른 두 일본 선생님이랑은 못 본체하고 고개를 숙이고 있는데, 뼘박 박선생님이 눈을 흘기면서, 영락없이 일본말로

"난다?"(왜 그래?)

하고 책망을 하였다.

대석언니는 그러나 무서워하지 않고 한다는 소리가

"선생님, 덴노헤이까가 고오상(천황폐하가 항복)했대죠?"

하고 묻는 것이었었다.

뼘박 박선생님은, 성을 버럭 내어 그 큰 눈방울을 부라리면서, 여전히 일본말로

"짐자쿠 있어 잘 알지누 못하넌서…… 진빙지게시니."

하고 쫓아와서 곧 한 대 갈길 듯이 을러대었다. 대석언니는 되돌아서서 나오면서 커다랗게

"덴노헤이까 바가!"(천황폐하 망할 자식!)

"………"

만일 다른 때 누구든지 그런 소리를 했단 당장 큰일이 나는 판이었다. 그러나 교장선생님이랑 두 일본 선생님은 그대로 못 들은 척 코만 빠치고 앉았고, 뼘박 박선생님도 잔뜩 눈만 흘기고 있을 뿐이지 아무렇지도 않았다. 그런 걸 보면 정녕 일본이 지고, 덴노헤이까가 항복을 하였고, 그리고 그래서 인제는 들 기승을 떨지를 못하는 모양인 것 같았다.

마침 강선생님이 땀을 뻘뻘 흘리면서 헐떡거리고 뛰어왔다. 강선생님은 본집이 이웃 고을이었다.

"오오, 느이들두 왔구나. 잘들 왔다. 느이들두 다들 알았지? 조선이, 우리 조선이 해방이 된 줄 알았지?

얘들아, 우리 조선이 독립이 됐단다, 독립이! 일본은 쫓겨가구…… 그 지질히 우리 조선 사람을 못살게 굴구, 하시하구, 필 빨아먹구 하던 일본이, 그 왜놈들이, 죄다 쫓겨가구, 우리 조선은

독립이 돼서, 우리끼리 잘살게 됐어, 잘살게."

의젓하고 점잖던 강선생님이 그렇게도 들이 날뛰고 덤비고 하는 것은 처음 보았다.

"자아, 만세 불러야지, 만세. 독립만세, 독립만세 불러야지. 태극기 없니? 태극기. 아무두 아니 가졌구나! 느인 참 태극기가 어떻게 생긴 지 구경두 못했을 게다. 가만 있자. 내, 태극기 맨들어 가지구 나오께."

그러면서 강선생님은 직원실로 들어갔다. 강선생님이 직원실로 들어서는 것을 보고, 교장선생님이랑 두 일본 선생님은 인사를 하려고, 풀기 없이 일어섰다. 강선생님은 교장선생님더러 말을 하였다.

"당신들은 인제는 일 없어. 어서, 집으루 가 있다 당신네 나라루 돌아갈 도리나 허우."

"………"

아무도 대꾸를 못하는데, 뼘박 박선생님이, 주저주저하다가

"아니, 자상히 알아보기나 하구서……"

하는 것을, 강선생님이 버럭 큰 소리로

"무엇이 어째? 자넨 그래, 무어가 미련이 남은 게 있어, 왜놈들허구 대가리 맞대구 앉어서 수군덕거리나? 혈서(血書)루 지원병 지원 한번 더해보구퍼 그리나? 아따 그다지 애닯거들랑, 왜놈들 쫓겨가는 꽁무니 따라, 일본으루 가 살게 그려나. 자네 같은 충신이면 일본서두 괄신 아니하리."

"………"

뼘박 박선생님은 그만 두말도 못하고 얼굴이 벌개서, 어쩔 줄을 몰라하였다. 뼘박 박선생님이 남한테 이렇게 꼼짝을 못하는 것을 보기는, 우리는 처음이었다. 강선생님은 반지를 여러 장 꺼내어놓고, 붉은 잉크와 푸른 잉크로, 태극기를 몇 장이고 그렸다. 그려 내놓고는 또 그리고, 그려 내놓고 또 그리고, 얼마를 그리면서, 그러다 아주 부드럽고 조용한 목소리로

"여보게 박선생?"

하고 불렀다. 그러고는, 잠자코 담배만 피우고 앉았는 뼘박 박선생을 한번 돌려다보고 나서

"내가 좀 흥분해서, 말이 너무 박절했나 보이. 어찌 생각하지 말게……그리구, 인제는 자네나 나나, 그동안 진 죄, 우리 조선 동포 앞에 속죄해야 할 때가 아닌가? 물론 이담에, 민족이 우리를 심판하구, 죄에 따라 벌을 줄날이 오겠지. 그러나 장차에 받을 민족의 심판과 벌은, 장차에 받을 민족의 심판과 벌이고, 시방 당장, 조선 민족의 한 분자루, 할 일이 조옴 많은가? 우리, 같이 손목 잡구, 건국에 도움될 일을 하세. 자아, 이리 와서 태극기 그리게. 독립만세부터 한바탕 부르세."

“………”

뻠박 박선생님은 아무 소리도 않고, 강선생님의 옆으로 와서 태극기를 그리기 시작하였다.

그 뒤로 강선생님과, 뻠박 박선생님은 사이가 매우 좋아졌다. 뻠박 박선생님은, 학과 시간마다 여러 가지로 좋은 이야기를 많이 하여 우리한테 들려주었다. 일본이 우리 조선을 뺏어, 저의 나라에 속국(屬國)을 삼던 이야기도 하여 주었다. 왜놈들은 천하의 불측한 인종이어서, 남의 나라와 전쟁하기를 좋아하는 백성이라고 하였다. 그래서, 임진왜란 때에도 우리 조선에 쳐들어왔고, 그랬다가 이순신(李舜臣) 장군이랑 권율(權慄) 도원수한테 아주 혼이 나고 쫓기어 간 이야기도 하여주었다. 우리 조선은 역사가 사천 년이나 오래고, 그리고 세계의 어떤 나라보다 못하지 않게 훌륭한 문화가 발달된 나라라고, 이야기도 하여 주었다.

뻠박 박선생님은 한편으로 열심히 미국말을 공부하였다. 그러면서 우리들 더러도 졸업을 하고 중학교에 가거들랑, 미국말을 제일 무엇보다도 많이 공부하라고, 시방은 미국말을 모르고는 훌륭한 사람이 되지 못한다고 하였다. 뻠박 박선생님은, 한 일 년 그렇게 미국말 공부를 하더니, 그 다음부터는 미국 병정이 오든지 하면, 일쑤 통역을 하고 하였다. 중학교에 다닐 때에 조금 배운 것이 있어서, 그렇게 쉽게 체득을 하였다고 하였다. 미국 병정은, 벼 공출을 감독하러 와서, 우리 뻠박 박선생님을 그 꼬마자동차에 태워가지고, 동네동네 돌아다녔다. 뻠박 박선생님은 미국 양복을 얻어 입고, 미국 담배를 얻어 피우고, 미국 통조림이랑 과자를 얻어먹고 하였다.

해방 뒤에 새로 온 김교장 선생님이 갈려가고, 강선생님이 교장이 되었다. 강선생님이 교장이 된 다음부터는, 뻠박 박선생님은 강선생님과 도로 사이가 나빠졌다.

우리는 한번 뻠박 박선생님이 미국 담배를 피우고 있는 것을, 교장선생님이

“자넨 그건 무어라구, 주접스럽게 얻어 피우군 하나?”

하고, 핀잔을 하는 것을 보았다. 강선생님은 교장이 된 지 일 년이 못 되어서 파면을 당하였다.

어른들 말이, 강선생님은 빨갱이라고 하였다. 그리고, 그래서 파면을 당하였느니라고 하였다.

또 누구는, 뻠박 박선생님이, 강선생님을 그렇게 꼬아댄 것이지, 강선생님은 하나도 빨갱이가 아니라고도 하였다. 강선생님이 파면을 당한 뒤를 물려, 뻠박 박선생님이 교장선생님이 되었다. 교장이 된 뻠박 박선생님은, 그 작은 키가 으쓱하였다. 뻠박 박선생님은 미국을 침이 마르도록 칭찬을 하였다.

이 세상에, 미국같이 훌륭한 나라가 없고, 미국 사람같이 훌륭한 백성이 없다고 하였다.

우리 조선은, 미국 덕분에 해방이 되었으니까, 미국을 누구보다도 고맙게 여기고, 미국이 시키는 대로 순종을 하여야 하느니라고 하였다. 우리가 혹시 말 끝에 ‘미국놈……’이라고 하면, 뻠박 박선생님은, 단박 붙잡아다 세우고 벌을 키우곤 하였다. 전에, ‘덴노헤이까 바가’라고 한 것

만큼이나 엄한 벌을 주었다.

"이놈아, 아무리 미련한 소견이기로, 자아 보아라, 우리 조선을 독립을 시켜주느라구, 자기 나라 백성을 많이 죽여가면서 전쟁을 했지. 그래서 그덕에 우리 조선이 왜놈의 압제에서 벗어나서 독립이 되질 아니했어? 그뿐인감? 독립을 시켜주구 나서두 우리 조선 사람들, 배 아니 고프구, 편안히 잘 살라구, 양식이야, 옷감이야, 기계야, 자동차야, 석유야, 설탕이야, 구두야, 무어 죄다 골고루 가져다 주지 않어? 그런데 그런 고마운 사람들더러, 미국놈이 무어야?"

벌을 세우면서, 뼘박 박선생님은 이렇게 꾸짖곤 하였다.

아무튼 뼘박 박선생님은 참 이상한 선생님이었다.

작품 해설

갈래 : 현대 소설, 단편 소설
성격 : 풍자적, 비판적
배경 : 해방 전후 어느 초등학교
시점 : 1인칭 관찰자 시점
제재 : 기회주의적으로 행동하는 선생님
특징 : · 어린아이를 서술자로 설정하여 주인공을 관찰함
· 인물의 외모와 행동을 과장하고 희화화하여 풍자함
주제 : 해방 전후 혼란한 사회를 틈타 기회주의적으로 행동하는 인물 비판

3 자전거 도둑 _ 박완서

수남이는 청계천 세운 상가 뒷길의 전기용품 도매상의 꼬마 점원이다.

수남이란 어엿한 이름이 있는데도 '꼬마'로 통한다. 열여섯 살이라지만 볼은 아직 어린아이처럼 빨갛고 통통하며, 눈이 맑고 깨끗하다. 성숙한 것은 목소리뿐이다. 제법 굵고 부드럽다. 그 목소리가 전화선을 타면 점잖고 떨떠름한 늙은이 목소리로 들린다.

이 가게에는 변두리 전기 가게나 전기 기술자로부터 걸려 오는 전화가 많다.

수남이가 받으면 상대방은 깍듯이 존댓말을 해 온다.

"주인 영감님이십니까?"

"아, 아닙니다. 꼬맙니다."

수남이는 마치 무슨 큰 실수나 저지른 것처럼 황공해하며 볼까지 붉어신다.

"짜식, 아침부터 재수 없게 누굴 놀려. 너 이따 두고 보자."

이런 호령이라도 들려오면 수남이는 우선 고개를 움츠려 알밤을 피하는 시늉부터 한다. 설마 전화통에서 알밤이 튀어나올 리는 없는데 말이다. 실수만 했다 하면 알밤 먹을 것을 예상하고 고개가 자라 모가지처럼 오그라드는 게 수남이가 이곳 전기 가게에 취직하고 나서부터 얻은 조건 반사다.

이곳 단골손님들은 우락부락한 전기 기술자들이 대부분이어서 성질들이 거칠고 급하다. 그들이 요구하는 것을 수남이가 빨리 알아듣고 척척 챙기지 못하고 조금만 어릿어릿하면 "짜식" 하며 사정없이 밤송이 같은 머리에 알밤을 먹인다. 수남이는 그 숱한 전기용품 이름을 척척 알아들을 수 있을 만큼 일에 익숙해질 때까지 숱한 알밤을 먹었다.

그런데 일에 익숙해진 후에도 수남이는 심심찮게 까닭도 없는 알밤을 얻어먹는다. 이 거친 사내들은 그런 짓궂은 방법으로 수남이를 귀여워하는 것이다. 예쁜 아이를 보면 장난을 치거나 물어뜯어 울려 놓고 마는 사람이 있듯이, 이 사내들은 그런 방법으로 수남이에게 애정 표시를 했다.

"짜식, 잘 잤냐?"

"요놈 요새 제법 컸단 말이야. 장가들여야겠는데? 짜식, 좋아하기는……."

그러곤 여지없이 알밤이다. 주먹과 팔짓만 허풍스럽게 컸지, 아주 부드러운 알밤이다. 그러니까 수남이는 그만큼 인기 있는 점원인 셈이다.

수남이는 단골손님들에게만 인기가 있는 게 아니라, 주인 영감에게도 여간 잘 뵌 게 아니다. 누구든지 수남이에게 알밤을 먹이는 걸 들키기만 하면 금방 불호령이 내린다.

"왜 하필 남의 머리를 쥐어박어? 채 굳지도 않은 머리를. 그게 어떤 머린 줄이나 알고들 그래, 응? 공부 많이 해서 대학도 가고 박사도 될 머리란 말이야. 임자들 같은 돌대가리가 아니란 말이야."

그러면 아무리 막돼먹은 손님이라도 선생님 꾸지람에 떠는 초등학생처럼 풀이 죽어 수남이에게 진심으로 미안해했다.

"꼬마야, 그럼 너 요새 어디 야학이라도 다니니?"

그러고는 은근히 부러워하는 눈치까지 보였다.

그러면 영감님은 딱하다는 듯이 혀를 차며 말했다.

"아니, 야학은 아무 때나 들어가나. 똥통 학교라면 또 몰라. 수남이는 내년 봄에 시험 봐서 들어가야 해. 야학이라도 일류로, 그래서 이 녀석이 그저 틈만 있으면 책이라고. 허허……."

수남이는 가슴이 크게 출렁인다.

수남이는 한 번도 주인 영감님에게 하다못해 야학이라도 들어가 공부를 해 보고 싶다는 말을 비친 적이 없다. 맨손으로 어린 나이에 서울에 와서 거지도 안 되고, 깡패도 안 되고, 이런 어엿한 가게의 점원이 된 것만도 수남이로서는 눈부신 성공인데, 벼락 맞을 노릇이지, 어떻게 감히 공부까지를 바라겠는가.

그러면서도 자기 또래의 고등학생만 보면 가슴이 짜릿짜릿하던 수남이다.

처음 전기용품 취급이 서툴러 시험을 하다 툭하면 손끝에 짜릿한 전기가 흘러 화들짝 놀랐던 것처럼, 고등학교 교복은 수남이의 심장에 짜릿한 감전을 일으키며 가슴을 온통 마구 휘젓는 이상한 힘이 있었다. 그런 수남이의 비밀을 주인 영감님은 알고 있었던 것이다.

수남이는 부끄럽고도 기뻤다. 그래서 수남이는

"내년 봄에 시험 봐서 들어가야 해. 야학이라도 일류로……." 할 때의 주인 영감님이 그렇게 좋을 수가 없다.

그 소리를 듣기 위해서라면 그까짓 알밤쯤 하루 골백번을 맞아도 좋았다. 자기를 위해 그런 소리를 해 주는 주인 영감님을 위해서라면 뼛골이 부러지게 일을 한들 눈곱만큼도 억울할 것이 없을 것 같다. 월급은 좀 짜게 주지만, 그 달콤한 소리를 어찌 월급 액수에 비기겠는가.

수남이의 하루는 눈코 뜰 새 없이 바쁘고 고단하지만 행복하다.

그 어느 해보다도 긴 겨울이 가고 봄이 왔다.

내년 봄이 아니라 올봄이 온 것이다. 달력에는 이미 벚꽃이 활짝 피어 있었다. 그런데도 그 어느 해보다도 길었던 겨울은 아직도 뭐가 부족했던지 화창한 봄날에 끼어들어 심술을 부렸다. 별안간 기온이 뚝 떨어지더니 바람까지 세차게 몰아쳤다.

전화를 받은 주인 영감님이 좀 생기가 나더니 계산서를 작성해 주면서 ××상회에 20와트 형광 램프 다섯 상자만 배달해 주고 오란다. 가까운 데 있는 소매상에서는 이렇게 전화 주문으로 배달까지를 부탁해 올 때가 많다. 수남이는 자전거도 잘 타 배달이라면 문제도 없다. 그래도 오늘은 바람이 유난해서 조심하느라 형광 램프 상자를 밧줄로 꼼꼼히 묶는다. 주인 영감님까지 묶는 걸 거들어 주면서 한마디 한다.

"인석아, 까불지 말고 조심해. 사고 내서 누구 못할 노릇 시키지 말고."

오늘 장사가 좀 잘 안돼서 그런지 말씨가 퉁명스럽긴 했지만, 나쁜 말은 아닌데도 수남이는 고깝게 듣는다.

꼭 네깟 놈 다칠 게 걱정이 아니라 나 손해 볼 게 겁난다는 소리로 들린다.

수남이는 보통 때 같으면 "할아버지, 나너오겠습니다." 하고 신바람 나게, 그리고 붙임성 있게 외치고는 방긋 웃어 보이고 나서야 페달을 밟고 씽 달렸을 터인데, 오늘은 왠지 그래지지가 않는다.

아무 말 안 하고 자전거를 무거운 듯이 질질 끌다가 꾸물거리며 올라탔고, 느릿느릿 페달을 젓는다.

주인 영감님이 뒤에서 악을 쓴다.

"인석아, 조심해. 까불지 말고."

주인 영감님의 목소리가 회오리바람을 타고 이상하게 날카롭고 기분 나쁘게 들린다. 수남이는 "쳇." 하고 혀를 차고는 도망치듯 씽 자전거의 속력을 낸다.

형광 램프를 ××상회에 전달하고 나서 돈을 받는 데 또 한참이 걸린다.

수남이는 주인이 세 번씩이나 세어서 준 돈을 다시 두 번이나 센다.

그러고 나서야 "고맙습니다. 안녕히 계십쇼." 하고는 저만큼 자전거를 세워 놓은 쪽으로 횡하니 달음질친다.

바람이 여전하다.

저만큼서 흙먼지가 땅을 한 꺼풀 벗겨 홑이불처럼 둘둘 말아 오는 것같이 엄청난 기세로 몰려온다. 골목 안의 모든 것이 '뎅그렁', '와장창', '우르릉' 거리며 소리 높여 비명을 지른다.

드디어 바람이 몰고 온 흙먼지 홑이불이 집어삼킬 듯이 수남이의 조그만 몸뚱이를 덮친다. 수남이는 눈을 꼭 감고 숨을 죽인다. 바람이 지난 후 수남이는 눈을 뜨고 침을 탁 뱉는다. 입속에 모래가 들어와 깔깔하고 목구멍이 알싸하니 아프다. 다시 자전거 쪽으로 걷는다. 조금 전만 해도 서 있던 자전거가 누워 있다. 그래도 날아가진 않았으니 다행이다.

자전거뿐 아니라 골목의 모든 것이 다 제자리에 그대로 있다. 수남이는 그것이 신기하다. 누워 있는 자전거를 일으켜 세우고 날렵하게 올라타 막 페달을 밟으려는데, 어디선지 고함 소리가 천둥처럼 들린다.

"이놈아, 어딜 도망가는 거야! 게 서라. 꼼짝 말고."

수남이는 자기에게 지르는 고함은 아니겠지 싶어 그대로 페달을 밟는다.

"아니 이놈이, 어디로 도망을 가려고 이래!"

뒷덜미를 사납게 붙들린다.

깜짝 놀라 돌아다 보니 점잖고 깨끗한 신사다. 이런 신사가 자기에게 어떤 볼일이 있다는 것인지, 수남이는 도시 짐작을 할 수 없다. 게다가 신사는 몹시 화가 나 있다. 신사를 화나게 할 일을 자기가 저질렀다고는 더구나 생각할 수 없다.

"인마, 꼼짝 말고 있어."

신사의 말이 아니더라도 꼼짝할 수 있는 처지가 아니다. 꼼짝하기는커녕 숨도 제대로 쉴 수 없을 만큼 수남이의 뒷덜미는 신사의 손에 잔뜩 움켜쥐어져 있다.

"임마, 네놈 자전거가 쓰러지면서 내 차를 들이받았단 말이야. 이런 고급차를 말이야. 이런 미련한 놈, 왜 눈은 째려, 째리긴! 그러니 내 차에 흠이 안 나고 배겼겠냐. 내 차는 인마, 여자들 손톱만 살짝 닿아도 생채기가 나는 고급 차야 인마, 알아?"

그러고는 거울처럼 티 하나 없이 번들대는 차체를 면밀히 훑어보더니 환성을 질렀다.

"그러면 그렇지."

아마 자전거가 부딪쳐 긁힌 생채기를 찾아낸 모양이다.

"인마, 칠만 살짝 긁혔어도 또 모르겠는데……. 여기 봐라, 여기가 이렇게 우그러지기까지 했으니 일은 컸다, 컸어."

신사가 덩칫값도 못 하게 팔짝팔짝 뛰면서, 잘 봐 두라는 듯이 수남이의 얼굴을 차에다 바싹 밀어붙였다. 그러나 수남이는 번쩍이는 차에 비친 울상이 된 자기 얼굴을 볼 수 있을 뿐이었다.

꼭 오늘 재수 옴 붙은 일이 날 것 같더라만, 마침내 이런 끔찍한 일이 일어나고 말았구나. 울음이 왈칵 솟구친다. 그러자 제 얼굴도, 차체의 흠도 아무것도 안 보이고 온 세상이 부옇게 흐려 보일 뿐이다.

"울긴, 인마. 너 한 달에 얼마나 버냐?"

신사의 목청이 다분히 누그러지며 목소리에 연민이 담긴 것을 수남이는 재빨리 알아차린다. 그러자 흑흑 소리까지 내어 운다.

"울긴 짜식, 할 수 없다. 너나 나나 오늘 재수 옴 붙은 걸로 치고 반반씩 손해 보자. 오천 원만 내."

수남이는 너무 놀라 울음까지 끄르륵 삼키고 신사를 쳐다본다. 그사이 사람들이 큰 구경이나 난 것처럼 모여들어 신사와 수남이를 에워싼다.

누군가가 뒤에서 속삭인다.

"빌어, 이놈아. 그저 잘못했다고 무조건 빌어."

수남이는 여러 사람이 자기를 동정하고 있다고 느끼자 적이 용기가 생긴다.

"아저씨, 잘못했습니다. 한 번만 용서해 주십시오. 아저씨이……."

제법 또렷한 소리로 용서를 빈다.

"용서라니, 이만큼 했으면 됐지 어떻게 더 용서를 해."

"아저씨, 그러시지 말고 한 번만 봐 주셔요. 네, 아저씨?"

수남이는 주머니 속에 든 반 원 생각을 하면 얼굴이 화끈대고 공연히 무섭기까지 하다. 그렇지만 주인 영감님을 위해 그 돈만은 죽기를 무릅쓰고 지킬 각오를 단단히 한다.

"아니, 이 녀석이 이제 보니 이런 큰일 저지르고 그냥 내뺄 심사 아냐? 요런 악질 녀석 같으니라고."

신사의 표정은 은은히 감돌던 연민이 싹 가시고 점잖게 무표정해진다.

그러고는 옆에 섰던 운전사인 듯한 남자에게 말했다.

"안 되겠네. 이런 악질 깡패 녀석하고 시비해 봤댔자 공연히 시간만 낭비니, 자네 자물쇠 하나 사 오게. 이 녀석 자전걸 잡아 놓기로 하세. 언제든지 오천 원 가져와서 찾아가라고."

그러고는 주머니에서 오백 원짜리를 한 장 꺼내서 운전사에게 주는 것이었다.

수남이로서는 전혀 예기치 못했던 사태였다. 주머니의 만 원에 대해서만 생각했었지 자전거에 대해선 전혀 생각이 미치지 못했었다.

운전사는 금방 커다란 자물쇠를 하나 사 가지고 왔다. 신사는 다시 네놈은 쳐다보기도 싫다는 듯이 수남이를 전혀 상대하지 않고 묵묵히 자전거 바퀴에다 자물쇠를 채우고, 눈앞의 빌딩을 가리켰다.

“나 저기 306호실에 있으니까 돈 오천 원 갖고 와. 그러면 열쇠 내줄 테니.”

그러고는 수남이를 힐끗 흘겨보고 유유히 빌딩 속으로 사라져 갔다.

수남이는 울지도 못하고 빌지도 못하고 그냥 막연히 서 있었다.

수남이와 신사의 시비를 흥미진진하게 구경하던 사람들도 헤어지지 않고 그냥 서 있었다. 아마 수남이가 앙앙 울거나, 펄펄 뛰면서 욕을 하거나 그런 일이 일어나 주기를 기다리는 눈치였다. 그러나 수남이는 바보가 돼 버린 아이처럼 조용히 멍청히 서 있었다.

그때였다. 누군가가 나직이 속삭였다.

“도망쳐라, 도망쳐. 그까짓 자전거 들고 도망치라고.”

그것은 악마의 속삭임처럼 은밀하고 감미로웠다. 수남이의 가슴은 크게 뛰었다. 이번에는 좀 더 점잖고 어른스러운 소리가 나섰다.

“그래라, 그래. 그까짓 거 들고 도망가렴. 뒷일은 우리가 감당할게.”

그러자 모든 구경꾼이 수남이의 편이 되어 와글와글 외쳐 댔다.

“도망가라, 어서어서 자전거를 번쩍 들고 도망가라, 도망가라.”

수남이는 자기편이 되어 준 이 많은 사람들을 도저히 배반할 수 없었다. 이상한 용기가 솟았다.

수남이는 자전거를 가볍게 옆구리에 끼고 달렸다.

정말이지 조금도 안 무거웠다. 타고 달릴 때보다 더 신나게 달렸다. 달리면서 마치 오래 참았던 오줌을 시원스레 내깔기는 듯한 쾌감까지 느꼈다.

주인 영감님은 자전거를 옆에 끼고 바람처럼 달려온 놈을 눈을 휘둥그렇게 뜨고 바라볼 뿐이었다. 오늘 바람이 세더니만 필시 이 조그만 놈이 바람에 날아왔나, 설마 그럴 리야 없을 텐데 내 눈이 어떻게 된 것인가, 그런 눈치였다.

수남이는 너무 숨이 차서 이런 주인 영감님의 궁금증을 시원히 풀어 주지 못하고 한동안 헉헉대기만 한다.

“인마, 말을 해. 무슨 일이야? 네놈 꼴이 영락없이 도둑놈 꼴이다, 인마.”

도둑놈 꼴이라는 소리가 수남이의 가슴에 가시처럼 걸린다.

수남이는 겨우 숨을 가라앉히고 자초지종을 주인 영감님께 털어놓는다. 다 듣고 난 주인 영감님은 무엇이 그리 좋은지 무릎을 치면서 통쾌해한다.

“잘했다, 잘했어. 촌놈인 줄만 알았더니 제법인데, 제법이야.”

그러고는 가게에서 쓰는 드라이버니 펜치를 가지고 자전거에 채운 자물쇠를 분해하기 시작한다. 엎드려서 그 짓을 하고 있는 주인 영감님이 수남이의 눈에 흡사 도둑놈 두목 같아 보여 정이 떨어진다. 주인 영감님 얼굴이 누런 똥빛인 것조차 지금 깨달은 것 같아 속이 메스껍다.

마침내 자물쇠를 깨뜨렸나 보다. 영감님 얼굴에 회심의 미소가 떠오르더니 자유롭게 된 자전거 바퀴를 시험이라도 하려는 듯이 자전거로 골목을 한 바퀴 빙그르르 돌아 들어와서는 말했다.

"네놈 오늘 운 텄다."

그러고는 수남이의 머리를 쓰다듬고 볼과 턱을 두둑한 손으로 귀여운 듯이 감싼다. 영감님이 기분이 좋을 때면 수남이에 대한 애정의 표시로 으레 그렇게 했었고, 수남이도 그걸 좋아했었다.

그런데 오늘은 싫다. 영감님의 손이 싫다.

운이 트기는커녕 재수 옴 붙었다는 생각이 여전하고, 수남이는 그날 온종일 우울했다. 그러나 자기가 왜 그렇게 우울한지 그걸 차분히 생각할 새도 없는 바쁜 하루였다.

가게 문을 닫고 주인댁에서 날라 온 저녁밥을 먹고 나면 비로소 수남이 혼자만의 시간이다. 꿀 같은 시간이었다. 책을 펴 놓고 영어 단어를 찾고, 수학 문제를 풀어 보고, 턱을 괴고 소년답게 감미로운 공상에 잠길 수 있는 그런 시간이었다.

그러나 오늘 수남이는 그게 되지를 않았다. 책을 집어던졌다.

낮에 내가 한 짓은 옳은 짓이었을까?

옳을 것도 없지만 나쁠 것은 또 뭔가. 자가용까지 있는 처지에 나 같은 아이에게 오천 원을 우려내려고 그렇게 심하게 굴던 신사를 그 정도 골려 준 것이 뭐가 나쁜가? 그런데도 왜 무섭고 떨렸던가. 그때의 내 꼴이 어땠으면, 주인 영감님까지 "네놈 꼴이 꼭 도둑놈 꼴이다."라고 하였을까.

그럼 내가 한 짓은 도둑질이었단 말인가.

그리고 나는 도둑질을 하면서 그렇게 기쁨을 느꼈더란 말인가.

수남이는 몸을 부르르 떨면서 낮에 자전거를 갖고 달리면서 맛본 공포와 함께 그 까닭 모를 쾌감을 회상한다.

마치 참았던 오줌을 시원하게 눌 때처럼 무거운 긴장감이 갑자기 풀리면서 온몸이 날아갈 듯이 가벼워지는 그 상쾌한 해방감이었다. 한 번 맛보면 도저히 잊혀질 것 같지 않은 그 짙은 쾌감…….

아아, 도둑질하면서도 나는 죄책감보다는 쾌감을 더 짙게 느꼈던 것이다.

혹시 내 피 속에 도둑놈의 피가 흐르고 있기 때문이 아닐까.

순간 수남이는 방바닥에서 송곳이라도 치솟은 듯이 후닥닥 일어서서 안절부절을 못하고 좁은 방 안을 헤맸다.

수남이의 눈앞에는 수갑을 차고, 순경들에게 끌려와 도둑질 흉내를 그대로 내 보이던 형의 얼굴이 환히 떠오른다. 그리고 서울 가서 무슨 짓을 하든지 도둑질만은 하지 말라고 신신당부하던 아버지의 얼굴도 떠오른다.

수남이의 형 수길이는, 온 집안 식구가 기대를 걸고 고등학교까지 마쳐 준 보람도 없이 집에서 빈들대다가, 어느 날 갑자기 서울 가서 돈 벌고 성공해서 돌아오겠다는 말 한마디를 남기고 훌쩍 집을 나갔다.

그러고는 편지 한 장, 하다못해 다른 사람을 통한 안부 한마디 없는 2년이 지났다.

그동안 아버지는 폭 늙었고, 어머니는 뼈만 남게 아위어서 수남이랑 동생들을 들볶았다. 들볶는 푸념 속에서 무정한 큰아들에 대한 원망과 함께 그래도 행여나 하는 기대가 곁들여 있는 것을 수남이는 느낄 수 있었다.

수남이도 뭔가 형에 대한 기대를 안 할 수가 없었다. 동생들이 발바닥이 다 닳아 없어져 덜렁대는 낡은 운동화를 신고 다니는 걸 봐도, “조금만 참아, 큰형이 돈 많이 벌어 가지고 오면 운동화랑 잠바랑 다 사 줄게.” 하는 말을 할 지경이었다.

형이 돈을 많이 벌어 오면, 이런 기대에 온 집안 식구가 하루하루를 매달려 살았다.

그러던 어느 날 밤, 마침내 형이 돌아왔다.

옷과 운동화와 과자와 고기를 한 짐이나 되게 사 들고, 형이 정말 돈을 벌어서 별의별 것을 다 사 가지고 온 것이었다. 아버지는 밤중이지만 동네 사람을 모아 큰 잔치를 벌이지 못해 안달을 했다. 그러나 형은 험악한 얼굴을 하고 잔치는커녕 동생들이 좋아서 떠드는 것도 하지 못하도록 윽박질렀다.

수남이는 지금도 그날 밤 일이 기억에 생생하다. 그날 밤 형의 누런 똥빛 얼굴은 정말로 못 잊겠다. 꼭 악몽 같다.

다음 날 형은 읍내에서 온 순경한테 수갑이 채워져 잡혀갔다.

형은 악을 써서 변명했다.

“2년 만에 빈손으로 집에 들어갈 수는 없었단 말이야! 도저히 그럴 수는 없었단 말이야!”

그래서 읍내 가게를 털어 돈과 물건을 훔친 것이다. 다음에 수남이가 형을 본 것은 읍내에 현장 검증인가를 나왔을 때다. 도둑질한 것을 다시 한 번 되풀이해 보여 주는 것인데, 딴 구경꾼들 틈에 섞여 수남이는 덜덜 떨면서 그 장면을 봤다. 그 도둑놈과 형제간이란 게 두고두고 생각해도 몸서리가 쳐졌다.

아버지는 화병으로 몸져눕고, 집안 형편은 말이 아니었다.

이번에는 수남이가 지난날 형이 그랬던 것처럼 서울 가서 돈 벌어 오겠다며 집을 나섰다. 아버지는 말리지 않았다. 문지방을 짚고 일어나 앉아서 띄엄띄엄 수남이를 타일렀다.

“무슨 짓을 하든지 그저 도둑질은 하지 마라, 알았냐?”

그런데 오늘 수남이는 도둑질을 하고 만 것이다.

하지만 수남이는 스스로 그것은 결코 도둑질이 아니었다고 변명을 한다.

그런데 왜 그때, 그렇게 떨리고 무서우면서도 짜릿하니 기분이 좋았던 것인가? 문제는 그때의 그 쾌감이었다. 자기 마음 속에 도사린 부도덕성이었다. 오늘 한 짓이 도둑질이 아닐지 모르지만, 앞으로 어쩌면 도둑질을 할지도 모르겠다는 생각이 들었다. 형의 일이 자기와 전혀 관계없는 일이 아니란 생각이 들었다.

소년은 아버지가 그리웠다. 도덕적으로 자기를 견제해 줄 어른이 그리웠다.

주인 영감님은 자기가 한 짓을 나무라기는커녕 손해 안 난 것만 좋아서

"오늘 너 운 텄다."며 좋아하지 않았던가.

수남이는 짐을 꾸렸다.

'아아, 내일도 바람이 불었으면. 바람이 물결치는 보리밭을 보았으면…….'

마침내 결심을 굳힌 수남이의 얼굴은 누런 똥빛이 말끔히 가시고, 소년다운 청순함으로 빛났다.

작품 해설

갈래 : 현대 소설, 단편 소설, 성장 소설
성격 : 교훈적, 사회 비판적
배경 : 1970년대, 서울 청계천 세운 상가
시점 : 전지적 작가 시점
제재 : 자전거
특징 : · 인물들의 심리와 성격이 섬세하게 드러남
· 순진한 소년의 눈으로 어른들의 부도덕성을 고발함
· 도덕적으로 대립되는 인물을 제시하여 양심과 도덕성의 회복을 강조함
주제 : 물질적 이익만을 추구하는 도시 사람들에 대한 비판

4 소음공해 _ 오정희

집에 돌아오자마자 뜨거운 물로 샤워를 하고 실내복으로 갈아입었다. 목요일, 심신 장애자 시설에서 자원봉사자로 일하는 날은 몸이 젖은 솜처럼 피곤하고 무거웠다. 그래도 뇌성마비나 선천적 기능 장애로 사지가 뒤틀리고 정신마저 온전치 못한 아이들을 씻기고 함께 놀이를 하고 휠체어를 밀어 산책을 시키는 등 시중을 들다 보면 나를 요구하는 곳에서 시간과 힘을 내어 일한다는 뿌듯함이 있었다. 고등학생인 두 아들은 아침에 도시락을 두 개씩 싸들고 갔으니 밤 11시나 되어야 올 것이고, 남편은 3박 4일의 출장 중이니 저물어도 서두를 일이 없었다. 더욱이 나는 한나절 심신이 지치게 일을 한 뒤라 당당히 휴식을 즐길 권리가 있다. 아이들이 올 때까지의 서너 시간은 오로지 내 시간인 것이다. 아이들은 머리가 커져 치마폭에 감기거나 귀찮게 치대는 일이 없이 "다녀왔습니다." 한마디로 문 닫고 제 방에 들어앉게 마련이지만, 가족들이 집에 있을 때는 아무리 거실이나 방에 혼자 있어도 혼자 있다는 기분을 갖기 어려웠다. 사방 문 열린 방에서 두 손 모아 쥐고 전전긍긍 24시간 대기하고 있는 형국이었다.

거실 탁자의 갓등을 켜고 커피를 진하게 끓여 마시며 슈베르트의 아르페지오네 소나타를 틀었다. 첼로의 감미로운 선율이 흐르고 나는 어슴푸레하고 아득한 공간, 먼 옛날로 돌아가는 듯한 기분에 잠겨 들었다. 몽상과 시와 꿈과 불투명한 미래가 약간 불안하게, 그러나 기대와 신비한 예감으로 존재하던 시절, 내가 이러한 모습으로 살아가리라는 것은 상상할 수도 없었던 시절로…….

사람이 단돈 몇 푼 잃는 것은 금세 알아도 본질적인 것을 잃어 가는 것에는 무감각하다던가? 눈을 감고 하염없이 소나타의 음률에 따라 흐르던 나는 그 감미롭고 슬픔에 찬 흐름을 압도하며 끼어든 불청객에 사납게 눈을 치떴다. "드르륵드르륵". 무거운 수레를 끄는 듯 둔탁한 그 소리는 중년 여자의 부질없는 회한과 감상을 비웃듯 천장 위에서 쉼 없이 들려왔다. 십 분, 이십 분, 초침까지 헤아리며 천장을 노려보다가 나는 신경질적으로 전축을 껐다. 그 사실적이고 무지한 소리에 피아노와 첼로의 멜로디는 이미 소음에 지나지 않았다.

하루 이틀의 일이 아니었다. 위층 주인이 바뀐 이래 한 달 전부터 나는 그 정체 모를 소리에 밤낮없이 시달려 왔다. 진공청소기 소리인가? 운동 기구를 들여 놓았나? 가내 공장을 차렸나? 식구들마다 온갖 추측을 해 보았으나 도무지 알 수 없는 일이었다.

"도깨비가 사나 봐요. 롤러스케이트를 타는 도깨비."

아들 녀석이 머리에 뿔을 만들어 보이며 처음에는 히히덕거렸으나, 자정 넘도록 들려오는 그 소리에 나중에는 짜증을 내기 시작했다. 좀체 남의 험구를 하지 않는 남편도 "한 지붕 아래 함께 못 살 사람들이군."
하는 말로 공동생활의 기본적인 수칙을 모르는 이웃을 나무랐다.

일주일을 참다가 나는 인터폰을 들었다. 인터폰으로 직접 위층을 부르거나 면대하지 않고 경비원을 통해 이쪽 의사를 전달하는 간접적인 방법을 택한 것은, 나로서는 자신의 품위와 상대방에 대한 예절을 지키기 위해서였던 것이다. 나는 자주 경비실에 전화를 걸어, 한밤중에 조심성 없이 화장실 물을 내리는 옆집이나 때 없이 두들겨대는 피아노 소리, 자정 넘어까지 조명등 켜들고 비디오 찍어 가며 고래고래 악을 써 삼동에 잠을 깨우는 함진아비의 행태 따위가 얼마나 교양 없고 몰상식한 짓인가, 소음 공해와 공동생활의 수칙에 대해 주의를 줄 것을 선의의 피해자들을 대변해서 말하고는 했었다.

위층의 소리는 멈추지 않았다. 드르륵거리는 소리에 머리털이 진저리를 치며 곤두서는 것 같았다. 철없고 상식 없는 요즈음 젊은 엄마들이 아이들에게 집 안에서 자전거나 스케이트보드 따위를 타게도 한다는데, 아무래도 그런 것 같았다. 인터폰의 수화기를 들자, 경비원의 응답이 들렸다. 내 목소리를 알아채자마자 길게 말꼬리를 늘이며 지레 짚었다. 귀찮고 성가셔하는 표정이 눈앞에 역력히 떠올랐다.

"위층이 또 시끄럽습니까? 조용히 해 달라고 말씀드릴까요?"

잠시 후 인터폰이 울렸다.

"충분히 주의하고 있으니 염려 마시랍니다."

경비원의 전갈이었다. 염려 마시라고? 다분히 도전적인 저의가 느껴지는 말이었다. 게다가 드르륵드르륵 소리는 여전하지 않은가? 이제는 한판 싸워 보자는 이야기인가? 나는 인터폰을 들어 다짜고짜 909호를 바꿔 달라고 말했다. 신호음이 서너 차례 울린 후에야 신경질적인 젊은 여자의 응답이 들렸다.

"아래층인데요. 댁이 그런 식으로 말할 건 없잖아요? 나도 참을 만큼 참았다고요. 공동 주택에는 지켜야 할 규칙들이 있잖아요? 난 그 소리 때문에 병이 날 지경이에요."

"여보세요. 난 날아다니는 나비나 파리가 아니에요. 내 집에서 마음대로 움직이지도 못하나요? 해도 너무하시네요. 이틀거리로 전화를 해 대시니 저도 피가 마르는 것 같아요. 저더러 어쩌라는 거예요?"

"하여튼 아래층 사람 고통도 생각하시고 주의해 주세요."

나는 거칠게 수화기를 내려놓았다. "뻔뻔스럽기는. 이제는 순 배짱이잖아?" 소리 내어 욕설을 퍼부어도 화가 가라앉지 않았다. 그렇다고 언제까지 경비원을 사이에 두고 '하랍신다.', '하신다더라.' 하며 신경전을 펼 수도 없는 일이었다. 화가 날수록 침착하고 부드럽게 처신해야 한다는 것은 나이가 가르친 지혜였다. 지난 겨울 선물로 받은, 아직 쓰지 않은 실내용 슬리퍼에 생각이 미친 것은 스스로도 신통했다. 선물도 무기가 되는 법. 발소리를 죽이는 푹신한 슬리퍼를 선물함으로써 소리를 죽이라는 메시지와 함께 소리 때문에 고통 받는 내 심정을 간접적으로 나타낼 수 있으리라. 사려 깊고 양식 있는 이웃으로서 공동생활의 규범에 대해 조근조근 타이르리라.

위층으로 올라가 벨을 눌렀다. 안쪽에서 "누구세요?" 묻는 소리가 들리고도 십 분 가까이 지나 문이 열렸다. '이웃사촌이라는데 아직 인사도 없이…….' 등등 준비했던 인사말과 함께 포장한 슬리퍼를 내밀려던 나는 첫마디를 뗄 겨를도 없이 우두망찰했다. 좁은 현관을 꽉 채우며 휠체어에 앉은 젊은 여자가 달갑잖은 표정으로 나를 올려다보았다.

"안 그래도 바퀴를 갈아 볼 작정이었어요. 소리가 좀 덜 나는 것으로요. 어쨌든 죄송해요. 도와주는 아줌마가 지금 안 계셔서 차 대접할 형편도 안 되네요."

여자의 텅 빈, 허전한 하반신을 덮은 화사한 빛깔의 담요와 휠체어에서 황급히 시선을 떼며 나는 할 말을 잃은 채 부끄러움으로 얼굴만 붉히며 슬리퍼 든 손을 등 뒤로 감추었다.

작품 해설

갈래 : 현대 소설, 단편 소설
성격 : 비판적, 교훈적
배경 : 시간적 – 현대 / 공간적 – 도시의 한 아파트
시점 : 1인칭 주인공 시점
제재 : 소음공해
특징 : · 인물의 심리가 생생하게 드러남
· 극적 반전을 통해 주제를 강조하고 여운을 남김
주제 : 이웃에 무관심한 현대인의 삶에 대한 비판과 반성

5 하늘은 맑건만 _ 현덕

며칠 전 일이다. 문기는 저녁에 쓸 고기 한 근을 사 오라고 숙모에게 지전 한 장을 받았다. 언제나 그맘때면 사람이 붐비는 삼거리 고깃간이다. 한참을 기다려서 문기 차례가 왔다. 문기는 지전을 내밀었다. 뚱뚱보 고깃간 주인은 그 돈을 받아 등구미에 넣고 천천히 고기를 베어 저울에 단 후 종이에 말아 내밀었다. 그리고 그 거스름돈으로 지전 아홉 장과 그 위에 은전 몇 닢을 얹어 내주는 것이 아닌가.

문기는 어리둥절하였다. 처음 그 돈을 숙모에게 받을 때와 고깃간 주인에게 내밀 때까지도 일 원짜리로만 알았던 것이다. 문기는 돈과 주인을 의심스레 쳐다보았다. 허나 그는 다음 사람의 고기를 베느라 분주하다.

문기는 주빗주빗하는 사이 사람에게 밀려 뒷줄로 나오고 말았다. 그러나 다시 생각하면 정말 숙모가 일 원짜리를 준 것인지 아닌지 모르겠다. 아니라면 도리어 큰일이 아닌가, 하여튼 먼저 숙모에게 알아볼 일이었다. 문기는 집을 향해 돌아가면서도 연해 고개를 갸웃거리며 그 일을 생각하였다. 내가 잘못 본 것인가, 고깃간 주인이 잘못 본 것인가하고.

골목 모퉁이를 꺾어 돌아섰다. 서너 간 앞을 서서 동무 수만이가 간다. 문기는 쫓아가 그와 나란히 서며,

"너 집에 인제 가니?"

하고 어깨에 손을 걸고,

"이거 이상한 일 아냐?"

"뭐가 말야?"

"고길 사러 갔는데 말야. 난 일 원짜리로 알구 냈는데 십 원으로 거슬러 주니 말야."

"정말야? 어디 봐."

문기는 손바닥을 펴 돈과 또 고기를 보였다. 수만이는 잠시 눈을 끔벅끔벅 무슨 궁리를 하는 듯 문기 얼굴을 보고 섰더니,

"너 이렇게 해 봐라."

"어떻게 말야?"

"먼저 잔돈만 너희 작은어머니에게 주는 거야."

"그러고 어떡해?"

"그리고 아무 말 없거든 내게로 나와. 헐 일이 있으니."

"무슨 헐 일?"

"글쎄, 그러구만 나와. 다 좋은 일이 있으니."

마침내 문기는 수만이가 이르는 대로 잔돈만 주머니에서 꺼내 놓았다. 숙모는 그 돈을 받아 두 번 자세히 세어 보고 주머니에 넣고는 아무 말 없이 돌아서 고기를 씻는다. 그래도 문기는 한동안 머뭇머뭇 눈치를 보다가 슬며시 밖으로 나갔다. 그리고 문밖에는 수만이가 이상한 웃음으로 그를 맞이하였다.

수만이가 있다던 좋은 일이란 다른 것이 아니었다. 거리에서 보고 지내던 온갖 가지고 싶고 해 보고 싶은 가지가지를 한번 모조리 돈으로 바꾸어 보자는 것이다.

그러나 문기는,

"돈을 쓰면 어떻게 되니?"

"염려 없어. 나 하는 대로만 해."

하고 머뭇거리는 문기 어깨에 팔을 걸고 수만이는 우쭐거리며 걸음을 옮긴다.

하긴 문기 역시 돈으로 바꾸고 싶은 것이 없지 않은 터, 그리고 수만이가 시키는 대로 끌려 하기만 하면 남이 하래서 하는 것이니까 어떻게 자기 책임은 없는 듯싶었다. 그리고 수만이는 수만이대로 돈은 문기가 만든 돈, 나중에 무슨 일이 난다 하여도 자기 책임은 없으니까 또 안심이었다. 이래서 두 소년은 마침내 손이 맞고 말았다.

그래도 으슥한 골목을 걸을 때에는 알 수 없는 두려움에 가슴이 두근거리었으나 밝은 큰 행길로 나오자 차차 다른 기쁨으로 변했다. 길 좌우편 환한 상점 유리창 안의 온갖 것이 모두 제 것인 양, 손짓해 부르는 듯했다. 드디어 그들은 공을 샀다. 만년필을 샀다. 쌍안경을 샀다. 만화책을 샀다. 그리고 활동사진 구경도 갔다. 다니며 이것저것 군것질도 했다.

그리고 그 나머지 돈으로 또 한 가지 즐거운 계획이 있었다. 조그만 환등 기계 한 틀을 사자는 것이다. 이것을 놀려 아이들에게 일 전씩 받고 구경을 시킨다. 그리고 여기서 나오는 것으로 두고두고 용돈에 주리지 않도록 하자는 계획이다. 하고 오늘 저녁부터 그 첫 착수를 하자는 약조였다.

그러나 이 즐거운 계획을 앞두고 이내 올 것이 오고 말았다. 안방에서 저녁상을 받고 앉았던 삼촌은 문기를 불렀다. 두 번 세 번 문기야, 소리가 아랫방 창을 울린다. 방 안에서 문기는 못 들

은 양 대답하지 않는다. 그러나 네 번째는 안방 미닫이를 열고 삼촌이,

"문기 아랫방에 없니?"

댓돌 위에 신이 놓여 있는데 없는 양 할 수는 없다. 기어이 문기는 그 삼촌 앞에 나가 무릎을 꿇고 앉지 않을 수 없었다. 삼촌은 잠잠히 식사를 계속한다. 그 상 밑에 안반 뒤에 숨겨 두었던 공이 와 있다. 상을 물릴 임시에 삼촌은 입을 열었다.

"너 요새 학교에 매일 갔었니?"

"네."

삼촌은 상 밑에 그 공을 굴려 내며,

"이거 웬 공이냐?"

"수만이가 준 공이에요."

"이것두?"

하고 삼촌은 무릎 밑에서 쌍안경을 꺼내 들었다.

"네."

"수만이란 뭣 하는 집 아이냐?"

문기는 고개를 숙이고 앉아 말이 없다. 삼촌은 숭늉을 마시고 상을 물렸다.

"네 입으로 수만이가 줬다니 네 말이 옳겠지, 설마 네가 날 속이기야 하겠니? 하지만 남이 준다고 아무것이고 덥석덥석 받는다는 것두 좀 생각해 볼 일이거든."

삼촌은 다시 말을 계속한다.

"말 들으니 너 요샌 저녁두 가끔 나가 먹는다더구나. 그것두 수만이에게 얻어먹는 거냐?"

문기는 벌겋게 얼굴이 달아 수그리고 있다. 삼촌은 잠시 묵묵히 건너다만 보고 있더니 음성을 고쳐 엄한 어조로,

"어머님은 어려서 돌아가시구 아버지는 저 모양이시구, 앞으로 집안을 일으킬 사람은 너 하나야. 성실치 못한 아이들하고 어울려 다니다 혹 나쁜 데 빠지거나 하면 첫째 네 꼴은 뭐구 내 모양은 뭐냐? 난 너 하나는 어디까지든지 공부도 시키구 사람을 만들어 주려구 애를 쓰는데 너두 그 뜻을 받아 주어야 사람이 아니냐."

그리고 삼촌은 이렇게 뒤뚝 맘 한번 잘못 가졌다가 영 신세를 망치고 마는 예를 이것저것 들어 말씀하고는 이후론 절대 이런 것들을 받아들이지 말라는 단단한 다짐을 받은 후 문기를 내보냈다.

문기는 아랫방에 내려와 혼자 되자 삼촌 앞에서보다 갑절 얼굴이 달아올랐다. 지금까지 될 수 있는 대로 생각지 않으려고 힘을 써 오던 그편에 정면으로 제 몸을 세워 놓고 보지 않을 수 없었다. 그러자 자기라는 몸은 벌써 삼촌의 이른바 나쁜 데 빠지고 만 것이다. 그야 자기는 수만이

가 시켜서 한 일이니까 잘못이 없다는 것이지만, 당초에 그것은 제 허물을 남에게 미루려는 얄미운 구실이 아니고 뭐냐. 그리고 문기는 이미 삼촌을 속이었다. 또 써서는 아니 될 돈을 쓰고 말았다.

문기는 삼거리 고깃간을 향해 갔다. 그리고 뒷골목으로 돌아가 나머지 돈을 종이에 싸서 담 너머로 그 집 안마당을 향해 던졌다.

그제야 문기는 무거운 짐을 풀어 놓은 듯 어깨가 거뜬했다. 아까 물위로 둥실둥실 떠 가던 그 공, 지금은 벌써 십 리고 이십 리고 멀리 떠 갔을 듯싶은 그 공과 함께 문기는 자기의 허물도 멀리 사라져 깨끗이 벗어난 듯 속이 후련했다. 그리고,

'다시는, 다시는…….'

하고 문기는 두 번 다시 그런 허물을 범하지 않겠다고 백 번 다지며 집을 향해 돌아간다.

그러나 문기는 그것만으로는 도저히 자기 허물을 완전히 벗을 수 없었다. 그가 자기 집 어귀에 이르렀을 때 뜻하지 않은 것이 기다리고 있다 나타났다.

"너 어디 갔다 오니?"

하고 컴컴한 처마 밑에서 수만이가 튀어나오며 반긴다.

"지금 느이 집에 다녀오는 길이다."

그리고 문기 어깨에 팔 하나를 걸고 한길을 향해 돌아서며,

"어서 가자."

약조한 환등 틀을 사러 가자는 것이다. 극장 앞 장난감 가게에 있는 조그만 환등 틀을 오고 가는 길에 물건도 보고 가격도 보아 두었던 것이다. 그리고 오늘 낮에도 보고 온 것이었건만 수만이는,

"그새 팔리지나 않았을까?"

하고 걸음을 재촉한다. 문기는 생각 없이 몇 걸음 끌려가다가는 갑자기 그 팔을 쳐 내리며 물러선다.

"난 싫다."

수만이는 어리둥절해 쳐다본다.

"뭐 말야? 환등 틀 사기 싫단 말야?"

"난 인제 돈 가진 것 없다."

"뭐?"

하고 수만이는 의외라는 듯 눈이 둥그레지다가는 금세 능청스러운 웃음을 지으며,

"너 혼자 두고 쓰잔 말이지. 그러지 말구 어서 가자."

"정말 없어. 지금 고깃간 집 안마당으로 던져 주고 오는 길이야. 공두 쌍안경두 버리구."
하고 문기는 증거를 보이느라고 이쪽저쪽 주머니를 털어 보이는 것이나 수만이는 흥 하고 코웃음을 친다.

"누군 너만 못 약을 줄 아니?"

그리고 연신 빈정댄다.

"고깃간 집 마당으로 던졌다? 아주 핑계가 됐거든."

"거짓말 아니다. 참말야."
할 뿐, 문기는 어떻게 변명할 줄을 몰라 쳐다보기만 하다가 고개를 떨어뜨리고 울상을 한다.

"오늘 작은아버지에게 막 꾸중 듣구. 그리고 나두 인젠 그런 건 안 헐 작정이다."

"그래도 나하고 약조헌 건 실행해야지. 싫으면 너는 빠져도 좋아. 그럼 돈만 이리 내."
하고 턱 밑에 손을 내민다.

"정말 없대두 그래."

수만이는 내밀었던 손으로 대뜸 멱살을 잡는다.

"이게 그래두 느물거려."

이런 때 마침 기침을 하며 이웃집 사람이 골목으로 들어서자 수만이는 슬며시 물러선다. 그러나,

"낼은 안 만날 네나. 어디 두고 보자!"
하고 피해 가는 문기 등을 향해 소리쳤다.

사실 그다음 시간 교실을 들어갔을 때 문기는 크게 놀랐다. 칠판 한 가운데, '김문기는 ○○○했다.'가 커다랗게 씌어 있다. 뒤미쳐 선생님이 들어왔다. 일은 간단히 선생님이 한번 쳐다보고 누구 장난이냐 하고 쓱쓱 지워 버리고는 고만이었지만 선생님이 들어오고 그것을 지우기까지의 그동안 문기는 실로 앞이 캄캄했다.

그러나 수만이는 그것으로 그만두지 않았다. 학교가 파해 거리로 나와서는 한층 심했다. 두어 간 문기를 앞세워 놓고 따라오면서 연해 수만이는,

"앞에 가는 아이는 공공공했다지."

그리고 점점 더해 나중엔 도적질을 거꾸로 붙여서,

"앞에 가는 아이는 '질적도'했다지."
하고 거리거리 외며 따라오는 것이다.

문기 집 가까이 이르렀다. 수만이는 문기 앞으로 다가서며 작은 음성으로 조졌다.

"너 지금으로 가지고 나오지 않으면 낼은 가만 안 둔다. 도적질했다하구 똑바루 써 놓을 테

야."

문기는 여전히 못 들은 척 걸음만 옮긴다. 자기 집 마당엘 들어섰다. 숙모는 뒤꼍에서 화초 모종을 하는지,

"여기 심어라, 저기 심어라."

하고 아랫집 심부름하는 아이와 이야기하는 소리가 날 뿐 집 안엔 아무도 없다.

그리고 눈앞에 보이는 붙장 안 앞턱에 잔돈 얼마와 지전 몇 장이 놓여 있다. 그리고 문밖엔 지금 수만이가 돈을 가지고 나오기를 기다리고 섰다. 여기서 문기는 두 번째 허물을 범하고 말았다.

"진작 듣지."

하고 빙그레 웃는 수만이 얼굴에다 뺨을 때리듯 돈을 던져 주고 문기는 달아났다.

날이 저물어서 문기는 풀이 죽어 집 마루에 걸터앉았다. 숙모가 방에서 나오다 보고,

"너 학교에서 인제 오니?"

그리고 이어,

"너 혹 붓장 안의 돈 봤니?"

하다가는 채 문기가 입을 열기 전에 숙모는,

"학교서 지금 오는 애가 알겠니. 참 점순이 고년 앙큼헌 년이드라. 낮에 내가 뒤꼍에서 화초 모종을 내고 있는데 집을 간다고 나가더니 글쎄 돈을 집어 갔구나."

문기는 잠잠히 듣기만 한다. 그러나 속으로는 갚으면 고만이지 소리를 또 한 번 외어 본다.

그날 밤이었다. 아랫방 들창 밑에 훌쩍훌쩍 우는 어린아이 울음소리가 났다. 아랫집 심부름하는 아이 점순이 음성이었다. 숙모가 직접 그 집에 가서 무슨 말을 한 것은 아니로되 자연 그 말이 한 입 건너 두 입 건너 그 집에까지 들어갔고, 그리고 그 집 주인 여자는 점순이를 때려 쫓아낸 것이다. 먼저는 동네 아이들이 모여 지껄지껄하더니 차차 하나가고 둘 가고 훌쩍훌쩍 우는 그 소리만 남는다. 방 안의 문기는 그 밤을 뜬눈으로 새웠다.

이튿날 아침이다. 문기는 밥을 두어 술 뜨다가는 고만둔다. 그 돈을 갚기 위한 그것이 아니다. 도무지 입맛이 나지 않았다. 학교에 갔다. 첫 시간은 수신 시간, 그리고 공교로이 제목이 '정직'이다. 선생님은 뒷짐을 지고 교단 위를 왔다 갔다 하며 거짓이라는 것이 얼마나 악한 것이고 정직이 얼마나 귀하고 중한 것인가를 누누이 말씀한다. 그리고 안경 쓴 선생님의 그 눈이 번쩍 하고 문기 얼굴에 머물렀다 가고 가고 한다. 그럴 때마다 문기는 가슴이 뜨끔뜨끔해진다. 문기는 자기 한 사람에게만 들리기 위한 정직이요, 수신 시간인 듯싶었다. 그만치 선생님은 제 속을 다 들여다보고 하는 말인 듯싶었다.

먼저보다 갑절 무겁고 컴컴한 마음이었다. 도저히 문기의 약한 어깨로는 지탱하지 못할 무거운 눌림이다. 걸음은 집을 향해 가는 것이지만 반대로 마음은 멀어진다. 장차 집엘 가서 대할 숙모가 두려웠고 삼촌이 두려웠고 더욱이 점순이가 두려웠다.

어느덧 걸음은 삼거리를 지나고 있었다. 문기 등 뒤에서 아주 멀리 뿡뿡하고 자동차 소리와 비켜라 하는 사람의 소리가 나는 듯하더니 갑자기 귀밑에서 크게 울린다. 언뜻 돌아다보니 바로 눈앞에 자동차 머리가 달려든다. 그리고 문기는 으쓱하고 높은 데서 아래로 떨어지는 듯싶은 감과 함께 정신을 잃고 말았다.

얼마 동안을 지났는지 모른다. 문기가 어렴풋이 눈을 떴을 때 무섭게 전등불이 밝아 눈이 부시었다. 문기는 다시 눈을 감았다. 두 번째 문기는 눈을 뜨자 희미하게 삼촌의 얼굴이 나타나며 그것이 차차 똑똑해지더니 삼촌은,

"너, 내가 누군지 알겠니?"

하고 웃지도 않고 내려다본다. 문기는 이것도 꿈인가 하고 한번 웃어 주려면서 그대로 맑은 정신이 났다. 문기는 병원 침대 위에 누워 있었다. 어디 아픈 데는 없으면서도 몸을 움직일 수는 없다. 삼촌은 근심스러운 얼굴로 내려다본다.

"작은아버지."

하고 문기는 입을 열었다. 그리고

"저는 마땅히 받아야 할 벌을 받은 거예요."

하고 문기는 눈을 감으며 한 마디 한 마디 그러나 똑똑하게 처음부터 끝까지 먼저 고깃간 주인이 일 원을 십 원으로 알고 거슬러 준 것, 그 돈을 써 버린 것, 그리고 또 붙장 안의 돈을 자기가 훔쳐 낸 것, 이렇게 하나하나 숨김없이 자백을 하자 이때까지 겹겹으로 싸고 있던 허물이 한 꺼풀 한 꺼풀 벗어지면서 마음속의 어둠도 차차 사라져 가며 맑아지는 것을 문기는 확실히 깨달을 수 있었다. 마음이 맑아지며 따라 몸도 가뜬해진다. 내일도 해는 뜨고 하늘은 맑아지리라. 그리고 문기는 그 하늘을 떳떳이 마음껏 쳐다볼 수 있을 것이다.

작품 해설

갈래 : 현대 소설, 단편 소설, 성장 소설
성격 : 사실적, 교훈적
배경 : 1930년대, 어느 도시
시점 : 전지적 작가 시점
제재 : 잘못 받은 거스름돈
특징 : · 인물의 갈등과 심리 변화가 섬세하게 드러남
· 갈등 해결 과정을 통해 소년이 성장하는 과정이 드러남
주제 : 정직한 삶의 중요성

6 소나기 _ 황순원

소년은 개울가에서 소녀를 보자 곧 윤 초시네 증손녀 딸이라는 걸 알 수 있었다. 소녀는 개울에다 손을 잠그고 물장난을 하고 있는 것이다. 서울서는 이런 개울물을 보지 못하기나 한 듯이.

벌써 며칠째 소녀는 학교서 돌아오는 길에 물장난이었다. 그런데 어제까지는 개울 기슭에서 하더니 오늘은 징검다리 한가운데 앉아서 하고 있다.

소년은 개울둑에 앉아 버렸다. 소녀가 비키기를 기다리자는 것이다.

요행 지나가는 사람이 있어 소녀가 길을 비켜 주었다.

다음날은 좀 늦게 개울가로 나왔다.

이날은 소녀가 징검다리 한가운데 앉아 세수를 하고 있었다. 분홍 스웨터 소매를 걷어 올린 팔과 목덜미가 마냥 희었다.

한참 세수를 하고 나더니 이번에는 물속을 빤히 들여다본다. 얼굴이라도 비추어 보는 것이리라. 갑자기 물을 움켜 낸다. 고기 새끼라도 지나가는 듯.

소녀는 소년이 개울둑에 앉아 있는 걸 아는지 모르는지 그냥 날쌔게 물만 움켜 낸다. 그러나 번번이 허탕이다. 그래도 재미있는 양, 자꾸 물만 움킨다. 어제처럼 개울을 건너는 사람이 있어야 길을 비킬 모양이다.

그러다가 소녀가 물속에서 무엇을 하나 집어낸다. 하얀 조약돌이었다. 그리고는 훌쩍 일어나 팔짝팔짝 징검다리를 뛰어 건너간다.

다 건너가더니 홱 이리로 돌아서며,

“이 바보.”

조약돌이 날아왔다.

소년은 저도 모르게 벌떡 일어섰다.

단발머리를 나풀거리며 소녀가 막 달린다. 갈밭 사잇길로 들어섰다. 뒤에는 청량한 가을 햇살 아래 빛나는 갈꽃뿐.

이제 저쯤 갈밭머리로 소녀가 나타나리라. 꽤 오랜 시간이 지났다고 생각했다. 그런데도 소녀는 나타나지 않는다. 발돋움을 했다. 그러고도 상당한 시간이 지났다고 생각됐다.

저쪽 갈밭머리에 갈꽃이 한 옴큼 움직였다. 소녀기 갈꽃을 안고 있었다. 그리고 이제는 천천한 걸음이었다. 유난히 맑은 가을 햇살이 소녀의 갈꽃머리에서 반짝거렸다. 소녀 아닌 갈꽃이 들길을 걸어가는 것만 같았다.

소년은 이 갈꽃이 아주 뵈지 않게 되기까지 그대로 서 있었다. 문득 소녀가 던진 조약돌을 내려다보았다. 물기가 걷혀 있었다. 소년은 조약돌을 집어 주머니에 넣었다.

다음날부터 좀 더 늦게 개울가로 나왔다. 소녀의 그림자가 뵈지 않았다. 다행이었다.

그러나 이상한 일이었다. 소녀의 그림자가 뵈지 않는 날이 계속될수록 소년의 가슴 한구석에는 어딘가 허전함이 자리 잡는 것이었다. 주머니 속 조약돌을 주무르는 버릇이 생겼다.

그러한 어떤 날, 소년은 전에 소녀가 앉아 물장난을 하던 징검다리 한가운데에 앉아 보았다. 물속에 손을 잠갔다. 세수를 하였다. 물속을 들여다보았다. 검게 탄 얼굴이 그대로 비치었다. 싫었다.

소년은 두 손으로 물속의 얼굴을 움키었다. 몇 번이고 움키었다. 그러다가 깜짝 놀라 일어나고 말았다. 소녀가 이리 건너오고 있지 않으냐.

'숨어서 내가 하는 일을 엿보고 있었구나.' 소년은 달리기 시작했다. 디딤돌을 헛짚었다. 한 발이 물속에 빠졌다. 더 달렸다.

몸을 가릴 데가 있어 줬으면 좋겠다. 이쪽 길에는 갈밭도 없다. 메밀밭이다. 전에 없이 메밀꽃 내가 짜릿하게 코를 찌른다고 생각됐다. 미간이 아찔했다. 찝찔한 액체가 입술에 흘러들었다. 코피였다. 소년은 한 손으로 코피를 훔쳐 내면서 그냥 달렸다. 어디선가, '바보, 바보.' 하는 소리가 자꾸만 뒤따라오는 것 같았다.

토요일이었다.

개울가에 이르니 며칠째 보이지 않던 소녀가 건너편 가에 앉아 물장난을 하고 있었다.

모르는 체 징검다리를 건너기 시작했다. 얼마 전에 소녀 앞에서 한 번 실수를 했을 뿐, 여태 큰길 가듯이 건너던 징검다리를 오늘은 조심스럽게 건넌다.

"얘."

못 들은 체했다. 둑 위로 올라섰다.

"얘, 이게 무슨 조개지?"

자기도 모르게 돌아섰다. 소녀의 맑고 검은 눈과 마주쳤다. 얼른 소녀의 손바닥으로 눈을 떨구었다.

“비단조개.”

“이름도 참 곱다.”

갈림길에 왔다. 여기서 소녀는 아래편으로 한 삼 마장쯤, 소년은 우대로 한 십 리 가까잇길을 가야 한다.

소녀가 걸음을 멈추며,

“너, 저 산 너머에 가 본 일 있니?”

벌 끝을 가리켰다.

“없다.”

“우리 가 보지 않을래? 시골 오니까 혼자서 심심해 못 견디겠다.”

“저래 봬도 멀다.”

“멀면 얼마나 멀기에? 서울 있을 땐 아주 먼 데까지 소풍 갔었다.”

소녀의 눈이 금세 ‘바보, 바보.’ 할 것만 같았다.

논 사잇길로 들어섰다. 벼 가을걷이하는 곁을 지났다.

허수아비가 서 있었다. 소년이 새끼줄을 흔들었다. 참새가 몇 마리 날아간다. ‘참, 오늘은 일찍 집으로 돌아가 텃논의 참새를 봐야 할 걸.’ 하는 생각이 든다.

“아, 재밌다!”

소녀가 허수아비 줄을 잡더니 흔들어 댄다. 허수아비가 자꾸 우쭐거리며 춤을 춘다. 소녀의 왼쪽 볼에 살포시 보조개가 패었다.

저만큼 허수아비가 또 서 있다. 소녀가 그리로 달려간다. 그 뒤를 소년도 달렸다. 오늘 같은 날은 일찌감치 집으로 돌아가 집안일을 도와야 한다는 생각을 잊어버리기라도 하려는 듯이.

누가 말한 것도 아닌데 바위에 나란히 걸터앉았다. 유달리 주위가 조용해진 것 같았다. 따가운 가을 햇살만이 말라 가는 풀 냄새를 퍼뜨리고 있었다.

“저건 또 무슨 꽃이지?”

적잖이 비탈진 곳에 칡덩굴이 엉키어 꽃을 달고 있었다.

“꼭 등꽃 같네. 서울 우리 학교에 큰 등나무가 있었단다. 저 꽃을 보니까 등나무 밑에서 놀던 동무들 생각이 난다.”

소녀가 조용히 일어나 비탈진 곳으로 간다. 꽃송이가 달린 줄기를 잡고 끊기 시작한다. 좀처럼 끊어지지 않는다. 안간힘을 쓰다가 그만 미끄러지고 만다. 칡덩굴을 그러쥐었다.

소년이 놀라 달려갔다. 소녀가 손을 내밀었다. 손을 잡아 이끌어 올리며, 소년은 제가 꺾어다 줄 것을 잘못했다고 뉘우친다.

소녀의 오른쪽 무릎에 핏방울이 내맺혔다. 소년은 저도 모르게 생채기에 입술을 가져다 대고 빨기 시작했다. 그러다가 무슨 생각을 했는지 홱 일어나 저쪽으로 달려간다.

좀 만에 숨이 차 돌아온 소년은

"이걸 바르면 낫는다."

송진을 생채기에다 문질러 바르고는 그 달음으로 칡덩굴 있는 데로 내려가 꽃 달린 줄기를 이빨로 끊어 가지고 올라온다. 그리고는,

"저기 송아지가 있다. 그리 가 보자."

누렁 송아지였다. 아직 코뚜레도 꿰지 않았다.

소년이 고삐를 바투 잡아 쥐고 등을 긁어 주는 척 후딱 올라탔다. 송아지가 껑충거리며 돌아간다.

소녀의 흰 얼굴이, 분홍 스웨터가, 남색 스커트가, 안고 있는 꽃과 함께 범벅이 된다. 모두가 하나의 큰 꽃묶음 같다. 어지럽다. 그러나 내리지 않으리라. 자랑스러웠다. 이것만은 소녀가 흉내 내지 못할 자기 혼자만이 할 수 있는 일인 것이다.

"너희 예서 뭣들 하느냐?"

농부 하나가 억새풀 사이로 올라왔다.

송아지 등에서 뛰어내렸다. 어린 송아지를 타서 허리가 상하면 어쩌느냐고 꾸지람을 들을 것만 같다.

그런데 나룻이 긴 농부는 소녀 편을 한번 훑어보고는 그저 송아지 고삐를 풀어내면서,

"어서들 집으로 가거라. 소나기가 올라."

참, 먹장구름 한 장이 머리 위에 와 있다. 갑자기 사면이 소란스러워진 것 같다. 바람이 우수수 소리를 내며 지나간다. 삽시간에 주위가 보랏빛으로 변했다.

산을 내려오는데 떡갈나뭇잎에서 빗방울 듣는 소리가 난다. 굵은 빗방울이었다. 목덜미가 선뜩선뜩했다. 그러자 대번에 눈앞을 가로막는 빗줄기.

비안개 속에 원두막이 보였다. 그리로 가 비를 그을 수밖에.

그러나 원두막은 기둥이 기울고 지붕도 갈래갈래 찢어져 있었다. 그런대로 비가 덜 새는 곳을 가려 소녀를 들어서게 했다. 소녀는 입술이 파랗게 질려 있었다. 어깨를 자꾸 떨었다.

무명 겹저고리를 벗어 소녀의 어깨를 싸 주었다. 소녀는 비에 젖은 눈을 들어 한번 쳐다보았을 뿐, 소년이 하는 대로 잠자코 있었다. 그러면서 안고 온 꽃묶음 속에서 가지가 꺾이고 꽃이 일그러진 송이를 골라 발밑에 버린다.

소녀가 들어선 곳도 비가 새기 시작했다. 더 거기서 비를 그을 수 없었다.

밖을 내다보던 소년이 무엇을 생각했는지 수수밭 쪽으로 달려간다. 세워 놓은 수숫단 속을 비집어 보더니 옆의 수숫단을 날라다 덧세운다. 다시 속을 비집어 본다. 그리고는 소녀 쪽을 향해 손짓을 한다.

수숫단 속은 비는 안 새었다. 그저 어둡고 좁은 게 안됐다. 앞에 나앉은 소년은 그냥 비를 맞아야만 했다. 그런 소년의 어깨에서 김이 올랐다.

소녀가 속삭이듯이, 이리 들어와 앉으라고 했다. 괜찮다고 했다. 소녀가 다시 들어와 앉으라고 했다. 할 수 없이 뒷걸음질을 쳤다. 그 바람에 소녀가 안고 있는 꽃묶음이 우그러들었다. 그러나 소녀는 상관없다고 생각했다. 비에 젖은 소년의 몸 내음새가 확 코에 끼얹어졌다. 그러나 고개를 돌리지 않았다. 도리어 소년의 몸기운으로 해서 떨리던 몸이 적이 누그러지는 느낌이었다.

소란하던 수숫잎 소리가 뚝 그쳤다. 밖이 멀게졌다.

수숫단 속을 벗어 나왔다. 멀지 않은 앞쪽에 햇빛이 눈부시게 내리붓고 있었다.

도랑 있는 곳까지 와 보니, 엄청나게 물이 불어 있었다. 빛마저 제법 붉은 흙탕물이었다. 뛰어 건널 수가 없었다.

소년이 등을 돌려 댔다. 소녀가 순순히 업히었다. 걷어 올린 소년의 잠방이까지 물이 올라왔다. 소녀는 "어머나!" 소리를 지르며 소년의 목을 그러안았다.

개울가에 다다르기 전에 가을 하늘은 언제 그랬는가 싶게 구름 한 점 없이 쪽빛으로 개어 있었다.

그 다음날은 소녀의 모양이 뵈지 않았다. 다음날도, 다음날도. 매일같이 개울가로 달려와 봐도 뵈지 않았다.

학교에서 쉬는 시간에 운동장을 살피기도 했다. 남몰래 5학년 여자 반을 엿보기도 했다. 그러나 뵈지 않았다.

그날도 소년은 주머니 속 흰 조약돌만 만지작거리며 개울가로 나왔다. 그랬더니 이쪽 개울둑에 소녀가 앉아 있는 게 아닌가.

소년은 가슴부터 두근거렸다.

"그동안 앓았다."

알아보게 소녀의 얼굴이 해쓱해져 있었다.

"그날 소나기 맞은 것 때문에?"

소녀가 가만히 고개를 끄덕였다.

"인제 다 나았냐?"

"아직도……."

"그럼 누워 있어야지."

"너무 갑갑해서 나왔다. ……그날 참 재밌었어. ……그런데 그날 어디서 이런 물이 들었는지 잘 지지 않는다."

소녀가 분홍 스웨터 앞자락을 내려다본다. 거기에 검붉은 진흙물 같은 게 들어 있었다.

소녀가 가만히 보조개를 떠올리며,

"이게 무슨 물 같니?"

소년은 스웨터 앞자락만 바라다보고 있었다.

"내, 생각해 냈다. 그날 도랑 건널 때 내가 업힌 일 있지? 그때 네 등에서 옮은 물이다."

소년은 얼굴이 확 달아오름을 느꼈다.

갈림길에서 소녀는,

"저, 오늘 아침에 우리 집에서 대추를 땄다. 내일 제사 지내려고……."

대추 한 줌을 내어 준다.

소년은 주춤한다.

"맛봐라, 우리 증조할아버지가 심었다는데 아주 달다."

소년은 두 손을 오그려 내밀며,

"참, 알도 굵다!"

"그리고 저, 우리 이번에 제사 지내고 나서 좀 있다 집을 내주게 됐다."

소년은 소녀네가 이사해 오기 전에 벌써 어른들의 이야기를 들어서 윤 초시 손자가 서울서 사업에 실패해 가지고 고향에 돌아오지 않을 수 없게 됐다는 걸 알고 있었다. 그것이 이번에는 고향 집마저 남의 손에 넘기게 된 모양이었다.

"왜 그런지 난 이사 가는 게 싫어졌다. 어른들이 하는 일이니 어쩔 수 없지만……."

전에 없이 소녀의 까만 눈에 쓸쓸한 빛이 떠돌았다.

소녀와 헤어져 돌아오는 길에 소년은 혼자 속으로 소녀가 이사를 간다는 말을 수없이 되뇌어 보았다. 무어 그리 안타까울 것도 서러울 것도 없었다. 그렇건만 소년은 지금 자기가 씹고 있는 대추알의 단맛을 모르고 있었다.

이날 밤, 소년은 몰래 덕쇠 할아버지네 호두밭으로 갔다.

낮에 봐 두었던 나무로 올라갔다. 그리고 봐 두었던 가지를 향해 작대기를 내리쳤다. 호두 송이 떨어지는 소리가 별나게 크게 들렸다. 가슴이 선뜩했다. 그러나 다음 순간, 굵은 호두야 많이 떨어져라, 많이 떨어져라, 저도 모를 힘에 이끌려 마구 작대기를 내리치는 것이었다.

개울물은 날로 여물어 갔다.

소년은 갈림길에서 아래쪽으로 가 보았다. 갈밭머리에서 바라보는 서당골 마을은 쪽빛 하늘 아래 한결 가까워 보였다.

어른들의 말이, 내일 소녀네가 양평읍으로 이사 간다는 것이었다. 거기 가서는 조그마한 가겟방을 보게 되리라는 것이었다.

소년은 저도 모르게 주머니 속 호두알을 만지작거리며, 한 손으로는 수없이 갈꽃을 휘어 꺾고 있었다.

그날 밤, 소년은 자리에 누워서도 같은 생각뿐이었다. 내일 소녀네가 이사하는 걸 가 보나 어쩌나. 가면 소녀를 보게 될까 어떨까.

그러다가 까무룩 잠이 들었는가 하는데,

"허, 참, 세상일도……."

마을 갔던 아버지가 언제 돌아왔는지,

"윤 초시 댁도 말이 아니야. 그 많던 전답을 다 팔아 버리고, 대대로 살아오던 집마저 남의 손에 넘기더니, 또 악상까지 당하는 걸 보면……."

남폿불 밑에서 바느질감을 안고 있던 어머니가,

"증손이라곤 계집애 그 애 하나뿐이었지요?"

"그렇지. 사내애 둘 있던 건 어려서 잃어버리고……."

"어쩌면 그렇게 자식복이 없을까."

"글쎄 말이지. 이번 애는 꽤 여러 날 앓는 걸 약도 변변히 못 써 봤다더군. 지금 같아서는 윤 초시네도 대가 끊긴 셈이지. ……그런데 참, 이번 계집애는 어린것이 여간 잔망스럽지가 않아. 글쎄 죽기 전에 이런 말을 했다지 않아? 자기가 죽거든 자기 입던 옷을 꼭 그대로 입혀서 묻어 달라고……."

작품 해설

갈래 : 단편 소설, 현대 소설, 순수 소설
성격 : 서정적, 향토적
배경 : 늦여름에서 초가을의 농촌
시점 : 3인칭 관찰자 시점
제재 : 소나기
특징 : · 향토적 배경으로 서정적인 분위기가 느껴짐
· 간결하고 압축적인 문장으로 산뜻한 느낌을 줌
· '소나기'라는 소재를 통해 주제를 상징적으로 드러냄
주제 : 소년과 소녀의 짧고 순수한 사랑

7 동백꽃 _ 김유정

오늘도 또 우리 수탉이 막 쪼이었다. 내가 점심을 먹고 나무를 하러갈 양으로 나올 때이었다. 산으로 올라서려니까 등 뒤에서 푸드덕, 푸드덕 하고 닭의 횃소리가 야단이다. 깜짝 놀라서 고개를 돌려 보니 아니나 다르랴, 두 놈이 또 얼리었다.

점순네 수탉(은 대강이가 크고 똑 오소리같이 실팍하게 생긴 놈)이 덩저리 작은 우리 수탉을 함부로 해내는 것이다. 그것도 그냥 해내는 것이 아니라 푸드덕 하고 면두를 쪼고 물러섰다가 좀 사이를 두고 또 푸드덕하고 모가지를 쪼았다. 이렇게 멋을 부려 가며 여지없이 닦아 놓는다. 그러면 이 못생긴 것은 쪼일 적마다 주둥이로 땅을 받으며 그 비명이 킥, 킥 할 뿐이다. 물론, 미처 아물지도 않은 면두를 또 쪼이어 붉은 선혈은 뚝뚝 떨어진다.

이걸 가만히 내려다보자니 내 대강이가 터지서 피가 흐르는 것같이 두 눈에서 불이 번쩍 난다. 대뜸 지게막대기를 메고 달려들어 점순네 닭을 후려칠까 하다가 생각을 고쳐먹고 헛매질로 떼어만 놓았다.

이번에도 점순이가 쌈을 붙여 놨을 것이다. 바짝바짝 내 기를 올리느라고 그랬음에 틀림없을 것이다.

고놈의 계집애가 요새로 들어서서 왜 나를 못 먹겠다고 고렇게 아르릉거리는지 모른다.

나흘 전 감자 쪼간만 하더라도 나는 저에게 조금도 잘못한 것은 없다.

계집애가 나물을 캐러 가면 갔지 남 울타리 엮는 데 쌩이질을 하는 것은 다 뭐냐. 그것도 발소리를 죽여 가지고 등 뒤로 살며시 와서

"얘! 너 혼자만 일하니?"

하고 긴치 않는 수작을 하는 것이었다.

어제까지도 저와 나는 이야기도 잘 않고 서로 만나도 본척만척하고 이렇게 점잖게 지내던 터이련만, 오늘로 갑작스레 대견해졌음은 웬일인가. 항차 망아지만 한 계집애가 남 일하는 놈 보구…….

"그럼 혼자 하지 떼루 하디?"

내가 이렇게 내배알는 소리를 하니까

"너, 일하기 좋니?"

또는,

"한여름이나 되거든 하지 벌써 울타리를 하니?"

잔소리를 두루 늘어놓다가 남이 들을까 봐 손으로 입을 틀어막고는 그 속에서 깔깔댄다. 별로 우스울 것도 없는데, 날씨가 풀리더니 이놈의 계집애가 미쳤나 하고 의심하였다. 게다가 조금 뒤에는 제 집께를 할끔할끔 돌아보더니 행주치마의 속으로 꼈던 바른손을 뽑아서 나의 턱 밑으로 불쑥 내미는 것이다. 언제 구웠는지 아직도 더운 김이 확 끼치는 굵은 감자 세 개가 손에 뿌듯이 쥐였다.

"느 집엔 이거 없지?"

하고 생색 있는 큰소리를 하고는, 제가 준 것을 남이 알면 큰일 날 테니 여기서 얼른 먹어 버리란다. 그리고 또 하는 소리가

"너, 봄 감자가 맛있단다."

"난 감자 안 먹는다. 니나 먹어라."

나는 고개도 돌리지 않고 일하던 손으로 그 감자를 도로 어깨 너머로 쑥 밀어 버렸다.

그랬더니 그래도 가는 기색이 없고, 그뿐만 아니라 쌔근쌔근하고 심상치 않게 숨소리가 점점 거칠어진다. 이건 또 뭐야 싶어서 그때서야 비로소 돌아다보니 나는 참으로 놀랐다. 우리가 이 동리에 들어온 것은 근 삼 년째 되어 오지만, 여지껏 가무잡잡한 점순이의 얼굴이 이렇게까지 홍당무처럼 새빨개진 법이 없었다. 게다가 눈에 독을 올리고 한참 나를 요렇게 쏘아보더니 나중에는 눈물까지 어리는 것이 아니냐. 그리고 바구니를 다시 집어 들더니 이를 꼭 악물고는 엎어질 듯 자빠질 듯 논둑으로 휑하니 달아나는 것이다.

어쩌다 동리 어른이

"너, 얼른 시집가야지?"

하고 웃으면

"염려 마세유. 갈 때 되면 어련히 갈라구……."

이렇게 천역덕스레 받는 점순이었다. 본시 부끄럼을 타는 계집애도 아니거니와 또한 분하다고 눈에 눈물을 보일 얼병이도 아니다. 분하면 차라리 나의 등어리를 바구니로 한번 모질게 후려 때리고 달아날지언정.

그런데 고약한 그 꼴을 하고 가더니 그 뒤로는 나를 보면 잡아먹으려고 기를 복복 쓰는 것이다.

설혹 주는 감자를 안 받아먹은 것이 실례라 하면, 주면 그냥 주었지 "느 집엔 이거 없지?"는 다 뭐냐. 그렇잖아도 저희는 마름이고 우리는 그 손에서 배재를 얻어 땅을 부치므로 일상 굽실거린다. 우리가 이 마을에 처음 들어와 집이 없어서 곤란으로 지낼 제, 집터를 빌리고 그 위에 집을 짓도록 마련해 준 것도 점순네의 호의였다. 그리고 우리 어머니 아버지도 농사 때 양식이 딸리면 점순네한테 가서 부지런히 꾸어다 먹으면서, 인품 그런 집은 다시없으리라고 침이 마르도록 칭찬하곤 하는 것이다. 그러면서도 열일곱씩이나 된 것들이 수군수군하고 붙어 다니면 동리의 소문이 사납다고 주의를 시켜 준 것도 또 어머니였다. 왜냐하면, 내가 점순이하고 일을 저질렀다가는 점순네가 노할 것이고, 그러면 우리는 땅도 떨어지고 집도 내쫓기고 하지 않으면 안 되는 까닭이었다.

그런데 이놈의 계집애가 까닭 없이 기를 복복 쓰며 나를 말려 죽이려고 드는 것이다.

눈물을 흘리고 간 그다음 날 저녁나절이었다. 나무를 한 짐 잔뜩 지고 산을 내려오려니까 어디서 닭이 죽는 소리를 친다. 이거 뉘 집에서 닭을 잡나 하고 점순네 울 뒤로 돌아오다가 나는 고만 두 눈이 뚱그레졌다. 점순이가 저희 집 봉당에 홀로 걸터앉았는데, 이게 치마 앞에다 우리 씨암탉을 꼭 붙들어 놓고는

"이놈의 닭! 죽어라, 죽어라."

요렇게 암팡스레 패 주는 것이 아닌가. 그것도 대가리나 치면 모른다마는 아주 알도 못 낳으라고 그 볼기짝께를 주먹으로 콕콕 쥐어박는 것이다.

나는 눈에 쌍심지가 오르고 사지가 부르르 떨렸으나, 사방을 한번 휘돌아보고야 그제서 점순이 집에 아무도 없음을 알았다. 잡은 지게막대기를 들어 울타리의 중턱을 후려치며

"이놈의 계집애! 남의 닭 알 못 낳으라구 그러니?"

하고 소리를 빽 질렀다.

그러나 점순이는 조금도 놀라는 기색이 없고, 그대로 의젓이 앉아서 제 닭 가지고 하듯이 또 죽어라, 죽어라 하고 패는 것이다. 이걸 보면 내가 산에서 내려올 때를 겨냥해 가지고 미리부터 닭을 잡아 가지고 있다가 너 보란 듯이 내 앞에 쥐지르고 있음이 확실하다.

그러나 나는 그렇다고 남의 집에 뛰어 들어가 계집애하고 싸울 수도 없는 노릇이고, 형편이 썩 불리함을 알았다. 그래 닭이 맞을 적마다 지게막대기로 울타리나 후려칠 수밖에 별도리가 없다.

그러나 점순이의 침해는 이것뿐이 아니다.

사람들이 없으면 틈틈이 제집 수탉을 몰고 와서 우리 수탉과 쌈을 붙여 놓는다. 제집 수탉은 썩 험상궂게 생기고 쌈이라면 홰를 치는 고로 으레 이길 것을 알기 때문이다. 그래서 툭하면 우

리 수탉이 면두며 눈깔이 피로 흐드르하게 되도록 해 놓는다. 어떤 때에는 우리 수탉이 나오지를 않으니까 요놈의 계집애가 모이를 쥐고 와서 꾀어내다가 쌈을 붙인다.

그랬던 걸 이렇게 오다 보니까 또 쌈을 붙여 놓으니 이 망할 계집애가 필연 우리 집에 아무도 없는 틈을 타서 제가 들어와 홰에서 꺼내 가지고 나간 것이 분명하다.

나는 다시 닭을 잡아다 가두고, 염려가 되었지만 그렇다고 산으로 나무를 하러 가지 않을 수도 없는 형편이었다.

소나무 삭정이를 따며 가만히 생각해 보니 암만해도 고년의 목쟁이를 돌려놓고 싶다. 이번에 내려가면 망할 년 등줄기를 한번 되게 후려치겠다 하고 싱둥겅둥 나무를 지고는 부리나케 내려왔다.

거지반 집에 다 내려와서 나는 호드기 소리를 듣고 발이 딱 멈추었다. 산기슭에 널려 있는 굵은 바윗돌 틈에 노란 동백꽃이 소보록하니 깔리었다. 그 틈에 끼여 앉아서 점순이가 청승맞게스리 호드기를 불고 있는 것이다. 그보다도 더 놀란 것은 그 앞에서 또 푸드덕, 푸드덕 하고 들리는 닭의 횃소리다. 필연코 요년이 나의 약을 올리느라고 또 닭을 집어 내다가 내가 내려올 길목에다 쌈을 시켜 놓고, 저는 그 앞에 앉아서 천연스레 호드기를 불고 있음에 틀림없으리라.

나는 약이 오를 대로 다 올라서 두 눈에서 불과 함께 눈물이 펵 쏟아졌다. 나무 지게도 벗어 놀 새 없이 그대로 내동댕이치고는 지게막대기를 뻗치고 허둥허둥 달려들었다.

가까이 와 보니, 과연 나의 짐작대로 우리 수탉이 피를 흘리고 거의 빈사지경에 이르렀다. 닭도 닭이려니와 그러함에도 불구하고 눈 하나 깜짝 없이 고대로 앉아서 호드기만 부는 그 꼴에 더욱 치가 떨린다. 동네에서도 소문이 났거니와 나도 한때는 걱실걱실히 일 잘하고 얼굴 예쁜 계집애인 줄 알았더니, 시방 보니까 그 눈깔이 꼭 여우 새끼 같다.

나는 대뜸 달려들어서 나도 모르는 사이에 큰 수탉을 단매로 때려 엎었다. 닭은 푹 엎어진 채 다리 하나 꼼짝 못하고 그대로 죽어 버렸다. 그리고 나는 멍하니 섰다가 점순이가 매섭게 눈을 홉뜨고 닥치는 바람에 뒤로 벌렁 나자빠졌다.

"이놈아! 너 왜 남의 닭을 때려죽이니?"

"그럼 어때?"

하고 일어나다가

"뭐, 이 자식아! 누 집 닭인데?"

하고 복장을 떼미는 바람에 다시 벌렁 자빠졌다. 그러고 나서 가만히 생각하니 분하기도 하고 무안하기도 하고, 또 한편 일을 저질렀으니 인젠 땅이 떨어지고 집도 내쫓기고 해야 될는지 모른다.

나는 비슬비슬 일어나며 소맷자락으로 눈을 가리고는 얼김에 엉 하고 울음을 놓았다. 그러다 점순이가 앞으로 다가와서

"그럼 너, 이담부턴 안 그럴 테냐?"

하고 물을 때에야 비로소 살길을 찾은 듯싶었다. 나는 눈물을 우선 씻고 뭘 안 그러는지 명색도 모르건만

"그래!"

하고 무턱대고 대답하였다.

"요담부터 또 그래 봐라, 내 자꾸 못살게 굴 테니."

"그래그래, 인제 안 그럴 테야."

"닭 죽은 건 염려 마라, 내 안 이를 테니."

그리고 뭣에 떠다밀렸는지 나의 어깨를 짚은 채 그대로 퍽 쓰러진다.

그 바람에 나의 몸뚱이도 겹쳐서 쓰러지며 한창 피어 퍼드러진 노란 동백꽃 속으로 폭 파묻혀 버렸다.

알싸한 그리고 향긋한 그 내음새에 나는 땅이 꺼지는 듯이 온 정신이 고만 아찔하였다.

"너, 말 마라."

"그래!"

조금 있더니 요 아래서

"점순아! 점순아! 이년이 바느질을 하다 말구 어딜 갔어?"

하고 어딜 갔다 온 듯싶은 그 어머니가 역정이 대단히 났다.

점순이가 겁을 잔뜩 집어먹고 꽃 밑을 살금살금 기어서 산 아래로 내려간 다음, 나는 바위를 끼고 엉금엉금 기어서 산 위로 치빼지 않을 수 없었다.

작품 해설

갈래 : 단편 소설, 농촌 소설
성격 : 해학적, 향토적, 서정적
배경 : 1930년대 봄, 강원도 산골 마을
시점 : 1인칭 주인공 시점
제재 : 감자, 닭싸움, 동백꽃
특징 : · '현재-과거-현재'의 역순행적 구성 방식을 취함
· 닭싸움을 매개로 하여 갈등의 심화와 화해를 보여줌
· 강원도 사투리의 사용으로 토속적 분위기를 형성하고 작품의 현장감과 생동감을 높임
주제 : 산골 마을 젊은 남녀의 순박한 사랑

8 사랑 손님과 어머니 _ 주요섭

나는 금년 여섯 살 난 처녀애입니다. 내 이름은 박옥희이고요. 우리 집 식구라고는 세상에서 제일 예쁜 우리 어머니와 나, 단 두 식구뿐이랍니다. 아차 큰일 났군, 외삼촌을 빼놓을 뻔했으니.

지금 중학교에 다니는 외삼촌은 어디를 그렇게 싸돌아다니는지 집에는 끼니때 외에는 별로 붙어 있지를 않으니까 어떤 때는 한 주일씩 가도 외삼촌 코빼기도 못 보는 때가 많으니까요, 깜박 잊어버리기도 예사지요, 무얼.

우리 어머니는, 그야말로 세상에서 둘도 없이 곱게 생긴 우리 어머니는, 금년 나이 스물네 살인데 과부랍니다. 과부가 무엇인지 나는 잘 몰라도, 하여튼 동리 사람들이 나더러 '과부 딸'이라고들 부르니까, 우리 어머니가 과부인 줄을 알지요. 남들은 다 아버지가 있는데, 나만은 아버지가 없지요. 아버지가 없다고 아마 '과부 딸'이라나 봐요.

외할머니 말씀을 들으면 우리 아버지는 내가 이 세상에 나오기 한 달 전에 돌아가셨대요. 우리 어머니하고 결혼한 지는 일 년 만이고요. 우리 아버지의 본집은 어디 멀리 있는데, 마침 이 동리 학교에 교사로 오게 되기 때문에 결혼 후에도 우리 어머니는 시집으로 가지 않고, 여기 이 집을 사고(바로 이 집은 우리 외할머니댁 옆집이지요), 여기서 살다가 일 년이 못 되어 갑자기 돌아가셨대요. 내가 세상에 나오기도 전에 아버지는 돌아가셨다니까, 나는 아버지 얼굴도 못 뵈었지요. 그러니 아무리 생각해 보아도 아버지 생각은 안 나요. 아버지 사진이라는 사진은 나도 한두 번 보았지요. 참말로 훌륭한 얼굴이에요. 아버지가 살아 계시다면, 참말로 이 세상에서 제일가는 잘난 아버지일 거예요. 그런 아버지를 보지도 못한 것은 참으로 분한 일이에요. 그 사진도 본 지가 퍽 오래 되었는데, 이전에는 그 사진을 늘 어머니 책상 위에 놓아두시더니, 외할머니가 오시면 오실 때마다 그 사진을 치우라고 늘 말씀하셨는데, 지금은 그 사진이 어디 있는지 없어졌어요. 언젠가 한번 어머니가 나 없는 동안에 몰래 장롱 속에서 무엇을 꺼내 보시다가, 내가 들어오니까 얼른 장롱 속에 감추는 것을 보았는데, 그게 아마 아버지 사진인 것 같았어요.

아버지가 돌아가시기 전에 우리가 먹고살 것을 남겨 놓고 가셨대요. 작년 여름에, 아니로군,

가을이 다 되어서군요. 하루는 어머니를 따라서 여기서 한 십 리나 가서 조그만 산이 있는 데를 가서, 거기서 밤도 따 먹고, 또 그 산 밑에 초가집에 가서 닭고깃국을 먹고 왔는데, 거기 있는 땅이 우리 땅이래요. 거기서 나는 추수로 밥이나 굶지 않게 된다고요. 그래도 반찬 사고 과자 사고 할 돈은 없대요. 그래서 어머니가 다른 사람의 바느질을 맡아서 해 주지요. 바느질을 해서 돈을 벌어서 그걸로 청어도 사고, 달걀도 사고, 내가 먹을 사탕도 사고 한다고요.

그리고 우리 집 정말 식구는 어머니와 나와 단 둘뿐인데, 아버님이 계시던 사랑방이 비어 있으니까, 그 방도 쓸 겸 또 어머니의 잔심부름도 좀 해 줄 겸 해서 우리 외삼촌이 사랑방에 와 있게 되었대요.

금년 봄에는 나를 유치원에 보내 준다고 해서, 나는 너무나 좋아서 동무 아이들한테 실컷 자랑을 하고 나서 집으로 돌아오노라니까, 사랑에서 큰외삼촌이(우리 집 사랑에 와 있는 외삼촌의 형님 말이에요) 웬 한 낯선 사람 하나와 앉아서 이야기를 하고 있었습니다. 큰외삼촌이 나를 보더니 "옥희야." 하고 부르겠지요.

"옥희야, 이리 온. 와서 이 아저씨께 인사드려라."

나는 어째 부끄러워서 비슬비슬하니까, 그 낯선 손님이,

"아, 그 애기 참 곱다. 자네 조카딸인가?"

하고 큰외삼촌더러 묻겠지요. 그러니까 큰외삼촌은,

"응, 내 누이의 딸……. 경선 군의 유복녀 외딸일세."

하고 대답합니다.

"옥희야, 이리 온, 응! 그 눈은 꼭 아버지를 닮았네그려."

하고 낯선 손님이 말합니다.

"자, 옥희야, 커단 처녀가 왜 저 모양이야. 어서 와서 이 아저씨께 인사드려라. 네 아버지의 옛날 친구(親舊)신데, 오늘부터 이 사랑에 계실 텐데, 인사 여쭙고 친해 두어야지."

나는 낯선 손님이 사랑방에 계시게 된다는 말을 듣고 갑자기 즐거워졌습니다. 그래서 그 아저씨 앞에 가서 사붓이 절을 하고는 그만 안마당으로 뛰어 들어왔지요. 그 낯선 아저씨와 큰외삼촌은 소리를 내서 크게 웃더군요.

나는 안방으로 들어오는 나름으로 어머니를 붙들고,

"엄마, 사랑방에 큰외삼촌이 아저씨를 하나 데리구 왔는데에 그 아저씨가아 이제 사랑에 있는대."

하고 법석을 하니까,

"응, 그래."

하고 어머니는 벌써 안다는 듯이 대수롭잖게 대답(對答)을 하더군요.

그래서 나는

"언제부터 와 있나?"

하고 물으니까,

"오늘부텀."

"애구, 좋아."

하고 내가 손뼉을 치니까, 어머니는 내 손을 꼭 붙잡으면서,

"왜, 이리 수선이야."

"그럼 작은외삼촌은 어디로 가나?"

"외삼촌도 사랑에 계시지."

"그럼 둘이 있나?"

"응."

"한 방에 둘이 있어?"

"왜, 장지문 닫고 외삼촌은 아랫방에 계시고 그 아저씨는 윗방에 계시고, 그러지"

나는 그 아저씨가 어떠한 사람인지는 몰랐으나 첫날부터 내게는 퍽 고맙게 굴고, 나도 그 아저씨가 꼭 마음에 들었어요.

어른들이 저희끼리 말하는 것을 들으니까, 그 아저씨는 돌아가신 우리 아버지와 어렸을 적 친구라고요. 어디 먼 데 가서 공부를 하다가 요새 돌아왔는데, 우리 동리 학교 교사로 오게 되었대요. 또, 우리 큰외삼촌과도 동무인데, 이 동리에는 하숙도 별로 깨끗한 곳이 없고 해서 윗사랑으로 와 계시게 되었다고요. 또, 우리도 그 아저씨한테서 밥값을 받으면 살림에 보탬도 좀 되고 한다고요.

그 아저씨는 그림책들을 얼마든지 가지고 있어요. 내가 사랑방으로 나가면, 그 아저씨는 나를 무릎에 앉히고 그림책들을 보여 줍니다. 또, 가끔 과자도 주고요.

어느 날은 점심을 먹고 이내 살그머니 사랑에 나가 보니까, 아저씨는 그 때에야 점심을 잡수셔요. 그래 가만히 앉아서 점심 잡숫는 걸 구경하고 있노라니까, 아저씨가

"옥희는 어떤 반찬을 제일 좋아하노?"

하고 묻겠지요. 그래 삶은 달걀을 좋아한다고 했더니, 마침 상에 놓인 삶은 달걀을 한 알 집어 주면서 나더러 먹으라고 합니다.

나는 그 달걀을 벗겨 먹으면서,

"아저씨는 무슨 반찬이 제일 맛나요?"

하고 물으니까, 아저씨는 한참이나 빙그레 웃고 있더니,

"나도 삶은 달걀."

하겠지요. 나는 좋아서 손뼉을 짤깍짤깍 치고,

"아, 나와 같네. 그럼 가서 어머니한테 알려야지."

하면서 일어서니까, 아저씨가 꼭 붙들면서,

"그러지 마라."

그러시겠지요. 그래도 나는 한번 맘을 먹은 다음엔 꼭 그대로 하고야 마는 성미지요. 그래 안 마당으로 뛰어 들어가면서,

"엄마, 엄마, 사랑 아저씨도 나처럼 삶은 달걀을 제일 좋아한대."

하고 소리를 질렀지요.

"떠들지 마라."

하고 어머니는 눈을 흘기십니다. 그러나 사랑 아저씨가 달걀을 좋아하는 것이 내게는 썩 좋게 되었어요. 그 다음부터는 어머니가 달걀을 많이씩 사게 되었으니까요. 달걀 장수 노파가 오면 한꺼번에 열 알도 사고 스무 알도 사고, 그래선 두고두고 삶아서 아저씨 상에도 놓고, 또 으레 나도 한 알씩 주고 그래요. 그뿐만 아니라, 아저씨한테 놀러 나가면 가끔 아저씨가 책상 서랍 속에서 달걀을 한두 알 꺼내서 먹으라고 주지요. 그래 그 담부터는 나는 아주 실컷 달걀을 많이 먹었어요.

어느 토요일 오후였습니다. 아저씨는 나더러 뒷동산에 올라가자고 하셨습니다. 나는 너무나 좋아서 가자고 그러니까, 아저씨가

"들어가서 어머니께 허락 맡고 온."

하십니다. 참 그렇습니다. 나는 뛰어 들어가서 어머니께 허락을 맡았습니다. 어머니는 내 얼굴을 다시 세수시켜 주고, 머리도 다시 땋고, 그러고 나서는 나를 아스러지도록 한 번 몹시 껴안았다가 놓아 주었습니다.

"너무 오래 있지 말고, 응?"

하고 어머니는 크게 소리치셨습니다. 아마 사랑 아저씨도 그 소리를 들었을 거예요.

뒷동산에 올라가서는 정거장을 한참 내려다보았으나, 기차는 안 지나갔습니다. 나는 풀잎을 쭉쭉 뽑아 보기도 하고, 땅에 누운 아저씨의 다리를 꼬집어보기도 하면서 놀았습니다. 한참 후에 아저씨하고 손목을 잡고 내려오는데, 유치원 동무들을 만났습니다.

"옥희가 아빠하고 어디 갔다 온다, 응."

하고 한 동무가 말하였습니다. 그 아이는 우리 아버지가 돌아가신 줄을 모르는 아이였습니다. 나는 얼굴이 빨개졌습니다. 그 때 나는 얼마나 이 아저씨가 정말 우리 아버지였더라면 하고 생각했는지 모릅니다. 나는 정말로 한 번만이라도,

"아빠!"

하고 불러 보고 싶었습니다. 그러고 그날, 그렇게 아저씨하고 손목을 잡고 골목골목을 지나오는 것이 어찌도 재미가 좋았는지요.

나는 대문까지 와서,

“난 아저씨가 우리 아빠라면 좋겠다.”

하고 불쑥 말해 버렸습니다. 그랬더니 아저씨는 얼굴이 홍당무처럼 빨개져서 나를 몹시 흔들면서,

“그런 소리 하면 못써.”

하고 말하는데, 그 목소리가 몹시도 떨렸습니다. 나는 아저씨가 몹시 성이 난 것처럼 보여서, 아무 말도 못 하고 안으로 뛰어 들어갔습니다. 어머니가

“어디까지 갔던?”

하고 나와 안으며 묻는데, 나는 대답도 못 하고 그만 훌쩍훌쩍 울었습니다. 어머니는 놀라서,

“옥희야, 왜 그러니, 응?”

하고 자꾸만 물었으나, 나는 아무 대답도 못 하고 울기만 했습니다.

이튿날은 일요일인 고로 나는 어머니와 함께 예배당에를 가려고 차리고 나서 어머니가 옷을 갈아입는 동안 잠깐 사랑에 나가 보았습니다. ‘아저씨가 아직도 성이 났나?’ 하고 가만히 방 안을 들여다보았더니 책상에 앉아서 무엇을 쓰고 있던 아저씨가 내다보면서 빙그레 웃었습니다. 그 웃음을 보고 나는 마음을 놓았습니다. 아저씨가 지금은 성이 풀린 것이 확실하니까요. 아저씨는 나를 이리 보고 저리 보고 훑어보더니,

“옥희, 오늘 어디 가노? 저렇게 곱게 채리고”

하고 물었습니다.

“엄마하고 예배당에 가.”

“예배당에?”

하고 물었습니다.

“요 앞에 예배당에 가지 뭐.”

“응? 요 앞이라니?”

이 때 안에서

“옥희야.”

하고 부드럽게 부르는 어머니 목소리가 들리었습니다. 나는 얼른 안으로 뛰어 들어오면서 돌아다보니까, 아저씨는 또 얼굴이 빨갛게 성이 났겠지요. 내 원, 참으로 무슨 일로 요새는 아저씨가 그렇게 성을 잘 내는지 알 수 없었습니다.

예배당에 가서 찬미하고 기도하다가 기도하는 중간에 갑자기 나는 ‘혹시 아저씨도 예배당에 오지 않았나?’ 하는 생각이 나서 눈을 뜨고 고개를 들어 남자석을 바라보았습니다. 그랬더니 하,

바로 거기에 아저씨가 와 앉아 있겠지요. 그런데 아저씨는 어른이면서도 눈 감고 기도하지 않고 우리 아이들처럼 눈을 번히 뜨고 여기저기 두리번두리번 바라봅니다. 나는 얼른 아저씨를 알아보았는데 아저씨는 나를 못 알아보았는지 내가 빙그레 웃어 보여도 웃지도 않고 멀거니 보고만 있겠지요. 그래 나는 손을 흔들었지요. 그러니까 아저씨는 얼른 고개를 숙이고 말더군요. 그 때에 어머니는 내가 팔 흔드는 것을 깨닫고 두 손으로 나를 붙들고 끌어당기더군요. 나는 어머니 귀에다 입을 대고,

"저기 아저씨도 왔어."

하고 속삭이니까 어머니는 흠칫하면서 내 입을 손으로 막고 막 끌어잡아다가 앞에 앉히고 고개를 누르더군요. 보니까 어머니도 얼굴이 홍당무처럼 빨개졌더군요.

그 날 예배는 아주 젬병이었어요. 웬일인지 예배가 다 끝날 때까지 어머니는 성이 나서 강대만 향하여 앞으로 바라보고 앉았고, 이전 모양으로 가끔 나를 내려다보고 웃는 일이 없었어요. 그리고 아저씨를 보려고 남자석을 바라다보아도 아저씨도 한 번도 바라다보아 주지도 않고 성이 나서 앉아 있고, 어머니는 나를 보지도 않고 공연히 꽉꽉 잡아당기지요. 왜 모두들 그리 성이 났는지! 나는 그만 '으아.' 하고 울고 싶었어요. 그러나 바로 멀지 않은 곳에 우리 유치원 선생님이 앉아 있는 고로 울고 싶은 것을 아주 억지로 참았답니다.

하루는 밤에 아저씨 방에서 놀다가 졸려서 안방으로 들어오려고 일어서니까 아저씨가 하얀 봉투를 서랍에서 꺼내어 내게 주었습니다.

"옥희, 이거 갖다가 엄마 드리고, 지나간 달 밥값이라고, 응."

나는 그 봉투를 갖다가 어머니에게 드렸습니다. 어머니는 그 봉투를 받아들자 갑자기 얼굴이 파랗게 질렸습니다. 그 전날 달밤에 마루에 앉았을 때보다도 더 새하얗다고 생각되었습니다. 그 봉투를 들고 어쩔 줄을 모르는 듯이 어머니의 얼굴에는 초조한 빛이 나타났습니다. 나는

"그거 지나간 달 밥값이래."

하고 말을 하니까, 어머니는 갑자기 잠자다 깨나는 사람처럼 "응?" 하고 놀라더니, 또 금시에 백지장같이 새하얗던 얼굴이 발갛게 물들었습니다. 봉투 속으로 들어갔던 어머니의 파들파들 떨리는 손가락이 지전을 몇 장 끌고 나왔습니다. 어머니는 입술에 약간 웃음을 띠면서 "후!" 하고 한숨을 내쉬었습니다. 그러나 그것도 잠깐, 다시 어머니는 무엇에 놀랐는지 흠칫하더니 금시에 얼굴이 다시 새하얘지고 입술이 바르르 떨렸습니다. 어머니의 손을 바라다보니 거기에는 지전 몇 장 외에 네모로 접은 하얀 종이가 한 장 잡혀 있는 것이었습니다.

어머니는 한참을 망설이는 모양이었습니다. 그러더니 무슨 결심을 한 듯이 입술을 악물고 그 종이를 차근차근 펴 들고 그 안에 쓰인 글을 읽었습니다. 나는 그 안에 무슨 글이 쓰여 있는지 알

도리가 없었으나, 어머니는 그 글을 읽으면서 금시에 얼굴이 파랬다 발갰다 하고, 그 종이를 든 두 손은 이제는 바들바들이 아니라 와들와들 떨리어서 그 종이가 부석부석 소리를 내게 되었습니다.

한참 후에 어머니는 그 종이를 아까 모양으로 네모지게 접어서 돈과 함께 봉투에 도로 넣어 반짇고리에 던졌습니다. 그리고는 정신(情神) 나간 사람처럼 멀거니 앉아서 전등만 쳐다보는데, 어머니 가슴이 불룩불룩합니다. 나는 어머니가 혹시 병이나 나지 않았나 하고 염려가 되어서 얼른 가서 무릎에 안기면서,

"엄마, 잘까?"

하고 말했습니다.

엄마는 내 뺨에 입을 맞추어 주었습니다. 그런데 어머니의 입술이 어쩌면 그리도 뜨거운지요. 마치 불에 달군 돌이 볼에 와 닿는 것 같았습니다.

요새 와서 어머니의 하는 일이란 참으로 알 수가 없는 노릇입니다. 어떤 때는 어머니도 퍽 유쾌하셨습니다. 밤에 때로는 풍금도 타고 또 때로는 찬송가도 부르고 그러실 때에는 나도 너무도 좋아서 가만히 어머니 옆에 앉아서 듣습니다. 그러나 가끔가끔 그 독창은 소리 없는 울음으로 끝을 맺는 때가 많은데, 그런 때면 나도 따라서 울었습니다. 그러면 어머니는 나를 안고 내 얼굴에 돌아가면서 무수히 입을 맞추어 주면서,

"엄마는 옥희 하나면 그뿐이야, 응, 그렇지……."

하시며 언제까지나 언제까지나 우시는 것이었습니다.

그 날 밤, 저녁밥 먹고 나니까 어머니는 나를 불러 앉히고 머리를 새로 빗겨 주었습니다. 댕기도 새 댕기를 드려 주고, 바지, 저고리, 치마, 모두 새 것을 꺼내 입혀 주었습니다.

"엄마, 어디 가?"

하고 물으니까,

"아니."

하고 웃음을 띠면서 대답합니다. 그러더니 새로 다린 하얀 손수건을 내리어 내 손에 쥐어 주면서,

"이 손수건, 저 사랑 아저씨 손수건인데, 이것 아저씨 갖다 드리고 와, 응? 오래 있지 말고 손수건만 갖다 드리고 이내 와, 응?"

하고 말씀하셨습니다.

손수건을 들고 사랑으로 나가면서, 나는 접어진 손수건 속에 무슨 발각발각하는 종이가 들어 있는 것처럼 생각되었습니다마는, 그것을 펴 보지 않고 그냥 갖다가 아저씨에게 주었습니다.

아저씨는 방에 누워 있다가 벌떡 일어나서 손수건을 받는데, 웬일인지 아저씨는 이전처럼 나 보고 빙긋 웃지도 않고 얼굴이 몹시 파래졌습니다. 그리고는 입술을 질근질근 깨물면서 말 한 마디 아니 하고 그 수건을 받더군요.

나는 어째 이상한 기분이 들어서 아저씨 방에 들어가 앉지도 못하고 그냥 되돌아서 안방으로 도로 왔지요. 어머니는 풍금 앞에 앉아서 무엇을 그리 생각하는지 가만히 있더군요. 나는 풍금으로 가서 가만히 그 옆에 앉아 있었습니다. 이윽고 어머니는 조용조용히 풍금을 타십니다. 무슨 곡조인지는 몰라도 구슬픈 곡조예요.

밤이 늦도록 어머니는 풍금을 타셨습니다. 그 구슬픈 곡조를 계속하고 또 계속하면서.

여러 밤을 자고 난 어떤 날 오후에 나는 오래간만에 아저씨 방엘 나가 보았더니 아저씨가 짐을 싸느라고 분주하겠지요. 내가 아저씨에게 손수건을 갖다 드린 다음부터는, 웬일인지 아저씨가 나를 보아도 언제나 퍽 슬픈 사람, 무슨 근심이 있는 사람처럼 아무 말도 없이 나를 물끄러미 바라다만 보고 있는 고로, 나도 그리 자주 놀러 나오지 않았던 것입니다. 그랬었는데 이렇게 갑자기 짐을 꾸리는 것을 보고 나는 놀랐습니다.

"아저씨, 어디 가?"

"응, 멀리루 간다."

"언제?"

"오늘."

"기차 타구?"

"갔다가 언제 또 와?"

아저씨는 아무 대답도 없이 서랍에서 예쁜 인형을 하나 꺼내서 내게 주었습니다.

"옥희, 이것 가져, 응. 옥희는 아저씨 가고 나면 아저씨 이내 잊어버리고 말겠지!"

나는 갑자기 슬퍼졌습니다. 그래서

"아니."

하고 얼른 대답하고 인형을 안고 안으로 들어왔습니다.

"엄마, 이것 봐. 아저씨가 이것 나 줬다. 아저씨가 오늘 기차 타고 먼데로 간대."

하고 내가 말했으나 어머니는 대답이 없으십니다.

"엄마, 아저씨 왜 가?"

"학교 방학했으니깐 가지."

"어디루 가?"

"아저씨 집으로 가지, 어디로 가?"

"갔다가 또 와?"

어머니는 대답이 없으십니다.

"난 아저씨 가는 거 나쁘다."

하고 입을 쫑긋 했으나, 어머니는 그 말은 대답 않고

"옥희야, 벽장에 가서 달걀 몇 알 남았나 보아라."

하고 말씀하셨습니다.

나는 깡충깡충 방안으로 들어갔습니다. 달걀은 여섯 알이 있었습니다.

"여스 알."

하고 나는 소리쳤습니다.

"응, 다 가지고 이리 나오너라."

어머니는 그 달걀 여섯 알을 다 삶았습니다. 그 삶은 달걀 여섯 알을 손수건에 싸 놓고 또 반지에 소금을 조금 싸서 한 귀퉁이에 넣었습니다.

"옥희야, 너 이것 갖다 아저씨 드리고, 가시다가 찻간에서 잡수시랜다고, 응."

그 날 오후에 아저씨가 떠나간 다음, 나는 방에서 아저씨가 준 인형을 업고 자장자장 잠을 재우고 있었습니다. 어머니가 부엌에서 들어오시더니,

"옥희야, 우리 뒷동산에 바람이나 쐬러 올라갈까?"

하십니다.

"응, 가, 가."

하면서 나는 좋아 덤비었습니다.

잠깐 다녀올 터이니 집을 보고 있으라고 외삼촌에게 이르고 어머니는 내 손목을 잡고 나섰습니다.

"엄마, 나 저, 아저씨가 준 인형 가지고 가?"

"그러렴."

나는 인형을 안고 어머니 손목을 잡고 뒷동산으로 올라갔습니다. 뒷동산에 올라가면 정거장이 빤히 내려다보입니다.

"엄마, 저 정거장 봐. 기차는 없네."

어머니는 아무 말씀도 없이 가만히 서 계십니다. 사르르 바람이 와서 어머니 모시 치마 자락을 산들산들 흔들어 주었습니다. 그렇게 산 위에 가만히 서 있는 어머니는 다른 때보다 더 한층 예뻐게 보였습니다.

저편 산모퉁이에서 기차가 나타났습니다.

"아, 저기 기차 온다."

하고 나는 좋아서 소리쳤습니다.

기차는 정거장에서 잠시 머물더니 금시에 '삑' 하고 소리를 지르면서 움직였습니다.

"기차 떠난다."

하면서 나는 손뼉을 쳤습니다. 기차가 저편 산모퉁이 뒤로 사라질 때까지, 그리고 그 굴뚝에서 나는 연기가 하늘 위로 모두 흩어져 없어질 때까지, 어머니는 가만히 서서 그것을 바라다보았습니다.

뒷동산에서 내려오자 어머니는 방으로 들어가시더니 이때까지 늘 열어 두었던 풍금 뚜껑을 닫으십니다. 그러고는 거기 쇠를 채우고 그 위에다가 이전 모양으로 반짇고리를 얹어 놓으십니다. 그러고는 옆에 있는 찬송가를 맥없이 들고 뒤적뒤적하시더니 빼빼 마른 꽃송이를 그 갈피에서 집어내시더니,

"옥희야, 이것 내다 버려라."

하고 그 마른 꽃을 내게 주었습니다. 그 꽃은 내가 유치원에서 갖다가 어머니께 드렸던 그 꽃입니다. 그러자 옆 대문이 삐꺽하더니,

"달걀 사소."

하고 매일 오는 달걀장수 노파가 달걀 광주리를 이고 들어왔습니다.

"인젠 우리 달걀 안 사요. 달걀 먹는 이가 없어요."

하시는 어머니 목소리는 맥이 한 푼어치도 없었습니다.

나는 어머니의 이 말씀에 놀라서 떼를 좀 써 보려 했으나, 석양에 빤히 비치는 어머니 얼굴을 볼 때 그 용기가 없어지고 말았습니다. 그래서 아저씨가 주신 인형 귀에다가 내 입을 갖다 대고 가만히 속삭이었습니다.

"얘, 우리 엄마가 거짓부리 썩 잘하누나. 내가 달걀 좋아하는 줄 잘 알면서 먹을 사람이 없대누나. 떼를 좀 쓰구 싶다만 저 우리 엄마 얼굴 좀 봐라. 어쩌면 저리도 새파래졌을까? 아마 어데가 아픈가 보다."

라고요.

작품 해설

갈래 : 현대 소설, 단편 소설
성격 : 서정적, 심리적, 낭만적
배경 : 1930년대, 어느 작은 도시
시점 : 1인칭 관찰자 시점
제재 : 어머니와 사랑손님의 사랑
특징 : · 어른들의 애정과 심리를 어린아이의 눈을 통해 그려 냄
· 전통적인 윤리관 속에서 갈등하는 인물의 심리가 잘 드러남
주제 : 사랑과 보수적 윤리관 사이에서 갈등하는 어머니와 사랑손님의 사랑과 이별

9 수난이대 _ 하근찬

진수가 돌아온다. 진수가 살아서 돌아온다. 아무개는 전사했다는 통지가 왔고, 아무개는 죽었는지 살았는지 통 소식이 없는데, 우리 진수는 살아서 오늘 돌아오는 것이다. 생각할수록 어깻바람이 날 일이다. 그래 그런지 몰라도 박만도는 여느 때 같으면 아무래도 한두 군데 앉아 쉬어야 넘어설 수 있는 용머리재를 단숨에 올라채고 만 것이다. 가슴이 펄럭거리고 허벅지가 뻐근했다. 그러나 그는 고갯마루에서도 쉴 생각을 하지 않았다. 들 건너 멀리 바라보이는 정거장에서 연기가 물씬물씬 피어오르며, 삐익 기적 소리가 들려왔기 때문이다. 아들이 타고 내려올 기차는 점심때가 가까워서야 도착한다는 것을 모르는 바 아니다. 해가 이제 겨우 산등성이 위로 한 뼘가량 떠올랐으니, 오정이 되려면 아직 차례 먼 것이다. 그러나 그는 공연히 마음이 바빴다.

'까짓것, 잠시 앉아 쉬면 뭐할 끼고.'

손가락으로 한쪽 콧구멍을 찍 누르면서 팽 마른 코를 풀어 던졌다. 그리고 휘청휘청 고갯길을 내려가는 것이다.

내리막은 오르막에 비하면 아무것도 아니었다. 대고 팔을 흔들라치면 절로 굴러 내려가는 것이다. 만도는 오른쪽 팔만을 앞뒤로 흔들고 있었다. 왼쪽 팔은 조끼 주머니에 아무렇게나 쑤셔 넣고 있는 것이다.

'삼대독자가 죽다니 말이 되나, 살아서 돌아와야 일이 옳고말고. 그런데 병원에서 나온다 하니 어디를 좀 다치기는 다친 모양이지만, 설마 나같이 이렇게사 되지 않았겠지.'

만도는 왼쪽 조끼 주머니에 꽂힌 소맷자락을 내려다보았다. 그 소맷자락 속에는 아무것도 든 것이 없었다. 그저 소맷자락만이 어깨 밑으로 덜렁 처져 있는 것이다. 그래서 노상 그쪽은 조끼 주머니 속에 꽂혀 있는 것이다.

'볼기짝이나 장딴지 같은 데를 총알이 약간 스쳐 갔을 따름이겠지. 나처럼 팔뚝 하나가 몽땅 달아날 지경이었다면 그 엄살스런 놈이 견뎌 냈을 턱이 없고말고.'

슬며시 걱정이 되기도 하는 듯, 그는 속으로 이런 소리를 주워섬겼다.

주막 앞을 지나치면서 만도는 술방 문을 열어 볼까 했으나, 방문 앞에 신이 여러 켤레 널려 있고, 방 안에서 웃음소리가 요란하기 때문에, 돌아오는 길에 들르기로 했다. 신작로에 나서면 금세 읍이었다. 만도는 읍 들머리에서 잠시 망설이다가, 정거장 쪽과는 반대되는 방향으로 걸음을 옮겼다. 장거리를 찾아가는 것이었다. 진수가 돌아오는데 고등어나 한 손 사 가지고 가야 될 거 아닌가 싶어서였다. 장날은 아니었으나, 고깃전에는 없는 고기가 없었다. 이것을 살까 하면 저것이 좋아 보이고, 그것을 사러 가면 또 그 옆의 것이 먹음직해 보였다. 한참 이리저리 서성거리다가 결국은 고등어 한 손이었다. 그것을 달랑달랑 들고 정거장을 향해 가는데, 겨드랑 밑이 간질간질해 왔다. 그러나 한쪽밖에 없는 손에 고등어를 들었으니 참 딱했다. 어깻죽지를 연방 위아래로 움직거리는 수밖에 없었다. 정거장 대합실에 들어선 만도는 먼저 벽에 걸린 시계부터 바라보았다. 두 시 이십 분이었다.

'벌써 두 시 이십 분이라니, 내가 잘못 보았나?'

아무리 두 눈을 씻고 보아도 시계는 틀림없는 두 시 이십 분이었다.

한쪽 걸상에 가서 궁둥이를 붙이면서도 곧장 미심쩍어했다.

'두 시 이십 분이라니, 그럼 벌써 점심때가 겨웠단 말인가?'

말도 아닌 것이다. 자세히 보니 시계는 유리가 깨어졌고 먼지가 꺼멓게 앉아 있었다.

'그러면 그렇지.'

엉터리였다. 벌써 그렇게 되었을 리가 없는 것이다.

"여보이소, 지금 몇 싱교?"

맞은편에 앉은 양복쟁이한테 물어보았다.

"열 시 사십 분이오."

"예, 그렁교."

만도는 고개를 굽실하고는 두 눈을 연방 껌벅거렸다.

'열 시 사십 분이라. 보자. 그러면 아직도 한 시간이나 넘어 남았구나.'

그는 안심이 되는 듯 후유 숨을 내쉬었다. 궐련을 한 개 물고 불을 댕겼다. 정거장 대합실에 와서 이렇게 도사리고 앉아 있노라면, 만도는 곧잘 생각나는 일이 한 가지 있었다. 그 일이 머리에 떠오르면 등골을 찬 기운이 쫙 스쳐 내려가는 것이었다.

손가락이 시퍼렇게 굳어진, 이끼 낀 나무토막 같은 팔뚝이 지금도 저만큼 눈앞에 보이는 듯했다.

바로 이 정거장 마당에 백 명 남짓한 사람들이 모여 웅성거리고 있었다. 그중에는 만도도 섞여 있었다. 기차를 기다리고 있는 것이었으나, 그들은 모두 자기네들이 어디로 가는 것인지 알지를 못했다. 그저 차를 타라면 탈 사람들이었다. 징용에 끌려 나가는 사람들이었다. 그러니까 지금으로부터 십이삼 년 옛날의 이야기인 것이다.

바다를 본 것도 처음이었고, 그처럼 큰 배에 몸을 실어 본 것은 더구나 처음이었다. 배 밑창에 엎드려서 꽥꽥 게워 내는 사람들이 많았으나, 만도는 그저 골이 좀 띵했을 뿐 아무렇지도 않았다. 더러는 하루에 두 개씩 주는 뭉치 밥을 남기기도 했으나, 그는 한꺼번에 하루 것을 뚝딱해도 시원찮았다. 모두 내릴 준비를 하라는 명령이 떨어진 것은 사흘째 되는 황혼 때였다. 제가끔 봇짐을 챙기기에 바빴다. 만도도 호박 덩이만 한 보따리를 옆구리에 덜렁 찼다. 갑판 위에 올라가 보니 하늘은 활활 타오르고 있고, 바닷물은 불에 녹은 쇠처럼 벌겋게 출렁거리고 있었다. 지금 막 태양이 물 위로 딱 떨어져 가는 것이었다. 해 덩어리가 어쩌면 그렇게 크고 붉은지 정말 처음이었다. 그리고 바다 위에 주황빛으로 번쩍거리는 커다란 산이 둥둥 떠 있는 것이었다. 무시무시하도록 황홀한 광경에 모두들 딱 벌어진 입을 다물 줄 몰랐다. 만도는 어깨 마루를 번쩍 들어 올리면서, 히야 고함을 질러 댔다. 그러나 섬에서 기다리고 있는 것은 숨 막히는 더위와 강제 노동, 그리고 잠자리만씩이나 한 모기떼……. 그런 것뿐이었다.

여느 날과 다름없이 굴속에서 바위를 허물어 내고 있었다. 바위 틈서리에 구멍을 뚫어서 다이너마이트 장치를 하는 것이었다. 장치가 다 되면 모두 바깥으로 나가고 한 사람만 남아서 불을 댕기는 것이다. 그리고 그것이 터지기 전에 얼른 밖으로 뛰어나와야 한다. 만도가 불을 댕기는 차례였다. 모두 바깥으로 나가 버린 다음, 그는 성냥을 꺼내었다. 그런데 웬 영문인지 기분이 꺼림칙했다. 모기에게 물린 자리가 자꾸 쑥쑥 쑤시는 것이었다. 긁적긁적 긁어 댔으나 도무지 시원한 맛이 없었다. 그는 이맛살을 찌푸리면서 성냥을 득 그었다. 그래 그런지 몰라도 불은 이내 픽 하고 꺼져 버렸다. 성냥 알맹이 네 개째에야 겨우 심지에 불이 댕겨졌다. 심지에 불이 붙는 것을 보자, 그는 얼른 몸을 굴 밖으로 날렸다. 바깥으로 막 나서려는 때였다. 산이 무너지는 소리와 함께 사나운 바람이 귓전을 후려갈기는 것이었다. 만도는 정신이 아찔했다. 공습이었던 것이다. 산등성이를 넘어 달려든 비행기가 머리 위로 아슬아슬하게 지나가는 것이었다. 미처 정신을 차리기도 전에 또 한 대가 뒤따라 날아드는 것이 아닌가? 만도는 그만 넋을 잃고 굴 안으로 도로 달려 들어갔다. 달려 들어가서 굴 바닥에 엎드리고 말았다. 그 순간이었다. 쾅! 굴 안이 미어지는 듯하면서 다이너마이트가 터졌다. 만도의 두 눈에서 불이 번쩍 났다.

만도가 어렴풋이 눈을 떠 보니 바로 거기 눈앞에 누구의 것인지 모를 팔뚝이 하나 아무렇게나 던져져 있었다. 손가락이 시퍼렇게 굳어져서 마치 이끼 낀 나무토막처럼 보이는 팔뚝이었다. 만도는 그것이 자기의 어깨에 붙어 있던 것인 줄을 알자 그만 '으악!' 하고 정신을 잃어버렸다.

재차 눈을 떴을 때는 그는 푹신한 담요 속에 누워 있었고, 한쪽 어깻죽지가 못 견디게 쿡쿡 쑤셔 댔다. 절단 수술은 이미 끝난 뒤였다.

꽤액 기차 소리였다. 멀리 산모퉁이를 돌아오는가 보다. 만도는 앉았던 자리를 털고 벌떡 일어서며, 옆에 놓아둔 고등어를 집어 들었다. 기적 소리가 가까워질수록 그의 가슴이 울렁거렸다. 대합실 밖으로 뛰어나가 플랫폼이 잘 보이는 울타리 쪽으로 가서 발돋움을 했다. 땡땡땡……. 종이 울자, 잠시 후 차는 소리를 지르면서 달려들었다. 기관차의 옆구리에서는 김이 픽픽 풍겨 나왔다. 만도의 얼굴은 바짝 긴장되었다. 시꺼먼 열차 속에서 꾸역꾸역 사람들이 밀려 나왔다. 꽤 많은 손님이 쏟아져 내리는 것이었다. 만도의 두 눈은 곧장 이리저리 굴렀다. 그러나 아들의 모습은 쉽사리 눈에 띄지 않았다. 저쪽 출찰구로 밀려가는 사람의 물결 속에 두 개의 지팡이를 짚고 절룩거리면서 걸어 나가는 상이군인이 있었으나, 만도는 그 사람에게 주의가 가지는 않았다. 기차에서 내릴 사람은 모두 내렸는가 보다. 이제 미처 차에 오르지 못한 사람들이 플랫폼을 이리저리 서성거리고 있을 뿐인 것이다.

'그놈이 거짓으로 편지를 띄웠을 리는 없을 건데…….'

만도는 자꾸 가슴이 떨렸다.

'이상한 일이다.'

히고 있을 때였다. 분명히 뒤에서,

"아부지!"

부르는 소리가 들렸다. 만도는 깜짝 놀라며 얼른 뒤를 돌아보았다. 그 순간 만도의 두 눈은 무섭도록 크게 떠지고, 입은 딱 벌어졌다. 틀림없는 아들이었으나, 옛날과 같은 진수는 아니었다. 양쪽 겨드랑이에 지팡이를 끼고 서 있는데, 스쳐 가는 바람결에 한쪽 바짓가랑이가 펄럭거리는 것이 아닌가?

만도는 눈앞이 노래지는 것을 어쩌지 못했다. 한참 동안 그저 멍멍하기만 하다 코허리가 찡해지면서 두 눈에 뜨거운 것이 핑 도는 것이었다.

"에라이, 이놈아!"

만도의 입술에서 모지게 튀어나온 첫마디였다. 떨리는 목소리였다.

고등어를 든 손이 불끈 주먹을 쥐고 있었다.

"이기 무슨 꼴이고, 이기?"

"아부지!"

"이놈아, 이놈아……."

만도의 들창코가 크게 벌름거리다가 훌쩍 물코를 들이마셨다. 진수의 얼굴에는 어느 결에 눈물이 꾀죄죄하게 흘러내리고 있었다. 만도는 모든 게 진수의 잘못이기나 한 듯 험한 얼굴로,

"가자, 어서!"

무뚝뚝한 한마디를 내던지고는 성큼성큼 앞장을 서 가는 것이었다.

술방 앞으로 가서 방문을 왈칵 잡아당겼다.

"빨리 곱빼기로 한 사발 달라니까구마."

"오늘은 와 이카노?"

여편네가 건네주는 술 사발을 받아 들며, 만도는 후유 한숨을 크게 내쉬었다. 그리고 입을 얼른 사발로 가져갔다. 꿀꿀꿀, 잘도 넘어간다. 그 큰 사발을 단숨에 비워 버리고는 도로 여편네 앞으로 불쑥 내민다. 그렇게 연거푸 석 잔을 해치우고야 '으으윽!' 하고 게트림을 했다. 여편네가 눈이 휘둥그레져 가지고 혀를 내둘렀다. 빈속에 술을 그처럼 때려 마시고 보니 금세 눈두덩이 확확 달아오르고, 귀뿌리가 발갛게 익어 갔다. 술기가 얼근하게 돌자, 이제 좀 속이 풀리는 것 같아 방문을 열고 바깥을 내다보았다. 진수는 이마에 땀을 척척 흘리면서 다 와 가고 있었다.

"진수야!"

버럭 소리를 질렀다.

"이리 들어와 보래."

"……."

진수는 아무런 대꾸도 없이 어기적어기적 다가왔다. 다가와서 방문턱에 걸터앉으니까, 여편네가 보고,

"방으로 좀 들어오이소."

한다.

"여기 좋심더."

그는 수세미 같은 손수건으로 이마와 코언저리를 아무렇게나 훔친다.

"마, 아무 데서나 묵어라. 저, 국수 한 그릇 말아 주소."

"야."

"곱빼기로 잘 좀……. 참지름도 치소, 잉?"

"야아."

여편네는 코로 히죽 웃으면서 만도의 옆구리를 살짝 꼬집고는, 소쿠리에서 삶은 국수 두 뭉텅이를 집어 든다.

진수가 국수를 훌훌 끌어 넣고 있을 때, 여편네는 만도의 귓전으로 얼굴을 갖다 댔다.

"아들이가?"

만도는 고개를 약간 앞뒤로 끄덕거렸을 뿐, 좋은 기색을 하지 않았다.

진수가 국물을 훌쩍 들이마시고 나자 만도는,

"한 그릇 더 묵을래?"

한다.

"아니예."

"한 그릇 더 묵지, 와?"

"고만 묵을랍니더."

진수는 입술을 싹 닦으며 부스스 자리에서 일어났다.

주막을 나선 그들 부자는 논두렁길로 접어들었다. 아까와 같이 만도가 앞장을 서는 것이 아니라, 이번에는 진수를 앞세웠다. 지팡이를 짚고 기우뚱기우뚱 앞서 가는 아들의 뒷모습을 바라보며, 팔뚝이 하나밖에 없는 아버지가 느릿느릿 따라가는 것이다. 손에 매달린 고등어가 대고 달랑달랑 춤을 춘다. 너무 급하게 들이부어서 그런지, 만도의 뱃속에서는 우글우글 술이 끓고 다리가 휘청거린다. 콧구멍으로 더운 숨을 훅훅 내뿜어 본다. 정신이 아른하다. 좋다.

"진수야!"

"예."

"니 우짜다가 그래 됐노?"

"전쟁하다가 이래 안 됐심니꼬? 수류탄 쪼가리에 맞았심더."

"수류탄 쪼가리에?"

"예."

"음……."

"얼른 낫지 않고 막 썩어 들어가기 땜에 군의관이 잘라 버립디더. 병원에서예. 아부지!"

"……."

"아부지!"

"와?"

"이래 가지고 나 우째 살까 싶습니더."

"우째 살긴 뭘 우째 살아? 목숨만 붙어 있으면 다 사는 기다. 그런 소리 하지 마라."

"……."

"나 봐라. 팔뚝이 하나 없어도 잘만 안 사나? 남 봄에 좀 덜 좋아서 그렇지, 살기사 왜 못 살아?"

“차라리 아부지같이 팔이 하나 없는 편이 낫겠어예. 다리가 없어 노니, 첫째 걸어 댕기기에 불편해서 똑 죽겠심더.”

“야야, 안 그렇다. 걸어 댕기기만 하면 뭐하노, 손을 지대로 놀려야 일이 뜻대로 되지.”

“그럴까예?”

“그렇다니까, 그러니까 집에 앉아서 할 일은 니가 하고, 나댕기메 할 일은 내가 하고, 그라면 안 되겠나, 그제?”

“예.”

진수는 가벼운 한숨을 내쉬며 아버지를 돌아보았다. 만도는 돌아보는 아들의 얼굴을 향해서 지그시 웃어 주었다. 술을 마시고 나면 오줌이 마려워진다. 만도는 길가에 아무렇게나 쭈그리고 앉아서 고기 묶음을 입에 물려고 한다. 그것을 본 진수는,

“아부지, 그 고등어 이리 주이소.”

한다. 팔이 하나밖에 없는 몸으로 물건을 손에 든 채 소변을 볼 수는 없는 것이다. 아버지가 볼일을 마칠 때까지, 진수는 저만치 떨어져서 지팡이를 한쪽 손에 모아 쥐고 다른 손으로 고등어를 들고 있었다. 볼일을 다 본 만도는 얼른 가서 아들의 손에서 고등어를 다시 받아 든다.

개천 둑에 이르렀다. 외나무다리가 놓여 있는 그 시냇물이다. 진수는 슬그머니 걱정이 되었다. 물은 그렇게 깊은 것 같진 않지만, 밑바닥이 모래흙이어서 지팡이를 짚고 건너가기가 만만할 것 같지 않기 때문이다. 외나무다리 위로는 도저히 건너갈 재주가 없고…….

진수는 하는 수 없이 둑에 퍼지고 앉아서 바짓가랑이를 걷어 올리기 시작했다.

만도는 잠시 멀뚱히 서서 아들의 하는 양을 내려다보고 있다가,

“진수야, 그만두고 자아, 업자.”

하는 것이었다.

“업고 건느면 일이 다 되는 거 아니가. 자아, 이거 받아라.”

고등어 묶음을 진수 앞으로 민다.

“…….”

진수는 퍽 난처해하면서, 못 이기는 듯이 그것을 받아 들었다. 만도는 등어리를 아들 앞에 갖다 대고 하나밖에 없는 팔을 뒤로 버쩍 내밀며,

“자아, 어서!”

진수는 지팡이와 고등어를 각각 한 손에 쥐고, 아버지의 등어리로 가서 슬그머니 업혔다. 만도는 팔뚝을 뒤로 돌리면서 아들의 하나뿐인 다리를 꼭 안았다. 그리고,

“팔로 내 목을 감아야 될 끼다.”

했다. 진수는 무척 황송한 듯 한쪽 눈을 찍 감으면서, 고등어와 지팡이를 든 두 팔로 아버지의 굵은 목줄기를 부둥켜안았다. 만도는 아랫배에 힘을 주며, '끙!' 하고 일어났다. 아랫도리가 약간 후들거렸으나, 걸어갈 만은 했다. 외나무다리 위로 조심조심 발을 내디디며 만도는 속으로,

'이제 새파랗게 젊은 놈이 벌써 이게 무슨 꼴이고? 세상을 잘못 만나서 진수 니 신세도 참 똥이다, 똥!'

이런 소리를 주워섬겼고, 아버지의 등에 업힌 진수는 곧장 미안스러운 얼굴을 하며,

'나꺼정 이렇게 되다니 아버지도 참 복도 더럽게 없지. 차라리 내가 죽어 버렸더라면 나았을 낀데……'

하고 중얼거렸다.

만도는 아직 술기가 약간 있었으나, 용케 몸을 가누며 아들을 업고 외나무다리를 조심조심 건너가는 것이었다. 눈앞에 우뚝 솟은 용머리재가 이 광경을 가만히 내려다보고 있었다.

작품 해설

갈래 : 단편 소설, 전후 소설
성격 : 사실적, 향토적, 비극적
배경 : 일제 강점기부터 6 · 25 전쟁 직후까지의 경상도 어느 시골 마을
시점 : 전지적 작가 시점(부분적으로 3인칭 관찰자 시점이 섞임)
제재 : 시대 상황으로 인해 수난을 겪는 아버지와 아들
특징 : · 부자(父子)가 겪는 수난을 통해 민족의 시대적 아픔을 드러냄
· 상징적 소재를 통해 주제 의식을 드러냄
· 과거와 현재를 교차하여 서술함
주제 : 수난의 현실과 그 극복 의지

10 노새 두 마리 _ 최일남

노새가 갑자기 달아난 건 어저께 일이었다. 아버지는 연탄을 실은 뒤 노새의 고삐를 잡고 나는 그냥 뒤따르고 있었다. 내가 뒤따르는 것은 아버지에게 큰 도움이 못 되고 하릴없이 따라다니기만 할 뿐이었다. 야트막한 언덕길을 오를 때 마차의 뒤를 밀기도 했으나 그것은 그대로 시늉일 뿐, 내 어린 힘으로 어떻게 된다든가 하는 일은 없었다. 아버지는 이따금 따라다니지 말고 집에 가서 공부나 하라고 했지만, 내가 공부 다 했어요, 하면 그 이상 더 말리지는 않았다. 그러나 탄을 싣거나 부릴 때 내가 거들려고 나서면 아버지는 한사코 그걸 말렸다. 아버지가 그랬으므로 나는 그러면 더 좋지 하는 홀가분한 마음으로 망아지 모양 마차 뒤만 졸졸 따라다녔다. 바로 어저께도 그랬다. 새 동네의 두 집에서 200장씩 갖다 달라고 해서, 아버지는 연탄 400장을 싣고 새 동네로 들어가는 그 가파른 골목길을 들어서고 있었다. 얘기의 앞뒤가 조금 뒤바뀌었지만, 우리 아버지는 연탄 가게의 주인이 아니고 큰길가에 있는 연탄 공장에서 배달 일만 맡고 있다. 그러므로 연탄 공장의 배달 주임이 어느 동네 어느 집에 몇 장을 날라다 주라고 하면, 그만한 양의 탄을 실어다 주고 거기 따르는 구전만 받으면 그만이었다. 그런데 한 가지 자랑스러운 일은 아버지는 아무리 찾기 힘든 집이라도 척척 알아낸다는 것이다. 연탄 공장 사람들의 설명이 미처 끝나기도 전에 알 만하오, 한마디면 그만이었다. 열이면 열 거의 틀리는 일이 없었다. 오죽하면 공장 사람들도

"마차 영감은 집 찾는 데 귀신이라니깐."

하면서 혀를 내두를까. 그들도 아버지에게 실려 보내면 마음이 놓인다는 것이었다. 어저께도 아버지는 이러이러한 댁에 갖다 주라는 말을 듣자, 두 번 다시 물어보지 않고 짐을 싣고 나선 것이다.

그 가파른 골목길 어귀에 이르자 아버지는 미리서 노새 고삐를 낚아 잡고 한달음에 올라갈 채비를 하였다. 그러나 어쩐 일인지 다른 때 같으면 400장 정도 싣고는 힘 안 들이고 올라설 수 있는 고개인데도 이날따라 오름길 중턱에서 턱 걸리고 말았다. 아버지는 어, 하는 눈치더니 고삐를 거머쥐고 힘껏 당겼다. 이마에 힘줄이 굵게 돋았다. 얼굴이 빨개졌다. 나는 얼른 달라붙어 죽어

라고 밀었다. 그러나 길바닥에는 살얼음이 한 겹 살짝 깔려 있어서 마차를 미는 내 발도 줄줄 미끄러져 나가기만 했다. 노새는 앞뒤 발을 딱딱 소리를 낸 만큼 힘껏 땅을 밀어냈으나 마치는 그때마다 살얼음 위에 노새의 발자국만 하얗게 긁힐 뿐 조금도 올라가지 않았다. 아직은 아래쪽으로 밀려 내려가지 않고 제자리에 버티고 선 것만도 다행이었다. 사람들이 몇 명 지나갔으나 모두 쳐다보기만 할 뿐 아무도 달라붙지는 않았다. 그전에도 그랬다. 사람들은 얼핏 도와주고 싶은 생각이 났다가도, 상대가 연탄 마차인 것을 알고는 감히 손을 내밀지 못했다. 도대체 어디다 손을 댄단 말인가. 제대로 하자면 손만 아니라 배도 착 붙이고 밀어야 할 판인데 그랬다간 옷을 모두 망치지 않겠는가, 옷을 망치면서까지 친절을 베풀 사람은 이 세상엔 없다고 나는 믿어 오고 있다. 그건 그렇고, 그런 시간에도 마차는 자꾸 밀려 내려오고 있었다. 돌을 괴려고 주변을 살펴보았으나 그만한 돌이 얼른 눈에 띄지 않을 뿐더러, 그나마 나까지 손을 놓으면 와르르 밀려 내려올 것 같아서 손을 뗄 수가 없었다. 아버지는 평소의 그답지 않게 사정없이 노새에게 매질을 해 댔다.

"이랴, 우라질 놈의 노새, 이랴!"

노새는 눈을 뒤집어 까다시피 하면서 바득바득 악을 써 댔으나 판은 이미 그른 판이었다. 그때였다. 노새가 발에서 잠깐 힘을 빼는가 싶더니 마차가 아래쪽으로 와르르 흘러내렸다. 뒤미처 노새가 고꾸라지고 연탄 더미가 데구루루 무너졌다. 아버지는 밀려 내려가는 마차를 따라 몇 발짝 뒷걸음질을 치다가 홀랑 물구나무서는 꼴로 나자빠졌다. 나는 얼른 한옆으로 비켜섰기 때문에 아무 일도 없었다. 그러나 정작 일은 그다음에 벌어지고 말았다. 허우적거리며 마차에 질질 끌려가던 노새가 마차가 내박쳐진 자리에서 벌떡 일어서더니 뒤도 안 돌아보고 냅다 뛰기 시작한 것이다. 정확히 말하면 벌떡 일어섰다가 순간적으로 아버지와 내가 있는 쪽을 힐끔 쳐다보고는 이내 뛰어 버린 것이다. 마차가 넘어지면서 무엇이 부러져 몸이 자유롭게 된 모양이었다.

"어어, 내 노새."

아버지는 넘어진 채 그 경황에도 뛰어가는 노새를 쳐다보더니 얼굴이 새하얘졌다. 그러나 그런 망설임도 그때뿐 아버지는 힘들게 일어서자 딴사람이 되어 빠른 걸음으로 노새를 뒤쫓았다.

"내 노새, 내 노새."

아버지는 크게 소리 지르는 것도 아니고 그렇다고 입안엣소리도 아닌, 엉거주춤한 소리로 연방 뇌면서 노새가 달려간 곳으로 뛰어갔다. 나도 얼른 아버지의 뒤를 따랐다. 노새는 10m쯤 앞에 뛰어가고 있었다. 뒤미처 앞쪽에서는 악악 하는 비명 소리가 들려왔다. 어깨에 스케이트 주머니를 메고 오던 아이들 둘이 기겁을 해서 길옆으로 비켜서고, 뒤따라오던 여학생 한 명이 엄마! 하면서 오던 길을 달려갔다. 손자를 업고 오던 할머니 한 분은 이런 이런! 하면서 어쩔 줄 몰라

하다가 그 자리에 폭삭 주저앉고 말았다. 막 옆 골목을 빠져나오던 택시가 찍— 브레이크를 걸더니 덜렁 한바탕 춤을 추고 멎었다. 금세 이 집 저 집에서 사람들이 쏟아져 나와서 골목은 어느 사이 수많은 사람들이 모여 웅성대기 시작했다.

내가 집에 돌아온 것은 밤 열 시도 넘어서였으나 아버지는 그때까지 돌아오지 않고 있었다. 할머니와 어머니는 동네 사람들의 귀띔으로 미리 사건을 알고 있었던지, 내가 들어서자 얼른 뛰어나오며 허겁지겁 물었다.

"찾았니?"

"아버지는 어떻게 되셨어?"

내가 혼자 들어서는 걸 보면 찾지 못한 것을 번연히 알면서도 어머니는 다그쳐 물어 댔다. 어머니는 나에게 밥을 줄 생각도 하지 않고 한숨만 내리쉬고 올려 쉬곤 하였다.

아버지가 돌아온 것은 통행금지 시간이 거의 되어서였다. 예상한 일이지만 아버지는 빈 몸이었고 형편없이 힘이 빠져 있었다. 그때까지 식구들은 아무도 잠들지 않았다. 작은형도 일이 일인지라 기타도 치지 않고 죽은 듯이 방 안에만 처박혀 있었다. 아버지를 보고도 아무도 말을 하지 않았다. 다만 할머니만이 말을 걸었다.

"이제 오니?"

"네."

그뿐, 아버지는 더는 말이 없었다. 그러고는 어머니가 보아 온 밥상을 한옆으로 밀어 놓고는 쓰러지듯 방 한가운데 드러눕고 말았다. 아버지는 지금 내일부터 당장 벌이를 나갈 수 없는 아픔보다도 길들여 키워 온 노새가 가여워서 저러는지도 모를 일이었다. 아버지는 원래가 마부였다. 서울에 올라오기 전 시골에서도 줄곧 말 마차를 끌었다. 어쩌다가 소달구지를 끄는 적도 있기는 했으나 얼마 가지 않아서 도로 말 마차로 바꾸곤 했다. 그런 아버지였으므로 서울에 올라와서는 내내 말 마차 하나로 버텨 나왔었는데 어떻게 마음먹었는지 노새로 바꾸고 만 것이다. 노새나 말이나 요즘은 그놈의 삼륜차 때문에 아버지의 일감이 자칫 줄어드는 듯하기도 했다. 웬만한 오르막길도 끄떡없이 오르고, 웬만한 골목 안 집까지도 드르륵 들이닥치니 아버지의 말 마차가 위협을 느낌직도 했고, 사실 일감을 빼앗기기도 했다. 그런데도 그때마다 아버지는 큰소리였다.

"휘발유 한 방울 안 나오는 나라에서 자동차만 많으면 뭘 해."

마치 애국자처럼 말하는 것이었으나 나는 아버지의 그 말 뒤에 숨은 오기 같은 것을 느낄 수 있었다. 너무 고단해서였을까, 이날 밤 나는 앞뒤를 가릴 수 없을 만큼 깊이 잠에 빠졌던 것 같다.

여느 날보다 다소 늦게 일어난 나는 간밤의 꿈으로 하여 어쩐지 마음이 헛헛했다. 꿈 그대로라면 우리는 다시는 그 노새를 찾지 못할 것이 아닌가. 꿈대로라면 우리 노새는 고속 도로를 따라 멀리멀리 달아나서 우리가 도저히 찾을 수 없는 곳, 상상도 할 수 없는 곳에 가서 있는 것이 아닐까. 우리를 버리고 간 노새, 그는 매일매일 그 무거운, 그 시커먼 연탄을 끄는 일이 지겹고 지겨워서 다시는 돌아오지 못할 자기의 보금자리를 찾아 영 떠나가 버렸는가. 아버지와 내가 집을 나선 것은 사람들이 아직 출근하기도 전인 이른 새벽이었다. 큰길로 나오자 두 사람은 막상 어느 쪽부터 뒤져야 할지 막연하기만 했다. 둘 중 아무도 말을 꺼내지는 않았으나 부자는 잠깐 주춤하다가 동네와는 딴 방향으로 걷기 시작했다. 새벽이라 그런지 사람은 그리 많지 않은데 날씨가 몹시도 찼다. 길은 단단히 얼어붙고 바람은 매웠다. 귀가 따갑게 아려 오는 듯하자 아랫도리로 냉기가 찰싹찰싹 달라붙었다.

아버지와 내가 동물원에 들어간 것은 거의 해가 질 무렵이었다. 어떻게 해서 동물원에 들어오게 되었는지 나는 잘 기억해 낼 수가 없다. 둘 중의 아무도 동물원에 들어가자고 말한 사람은 없었는데 어째서 발길이 이곳으로 돌려졌는지 모른다. 정처 없이 걷다가 마침 닿은 곳이 동물원이어서 그냥 대수롭지 않게 들어왔는지도 모르겠다. 하여튼 나는 희한한 곳엘 다 왔다 싶었다. 내 경우 동물원에 와 본 것은 지금까지 딱 한 번밖에 없었으니까. 그것도 어린이날 무료 공개한다는 바람에 동네 조무래기들과 함께 와 본 것뿐이었다. 그때는 사람들에 치여 제대로 구경도 못했는데 지금 나는 구경꾼도 별로 없는 동물원을 더구나 아버지와 함께 오게 되었으니, 참 가다가는 별일도 있는 것이구나 하였다. 남들 눈에는 한가하게 동물원 구경을 온 다정한 부자로 비칠 것이 아닌가. 동물원 안은 조용하고 을씨년스러웠다. 동물들은 제집에 처박혀 있거나 가느다란 석양이 비치는 곳에 웅크리고 있거나 하였다. 막상 들어온 아버지는 그런 동물들을 별로 눈여겨보지 않았다. 동물들의 우리를 보다가 하늘을 보다가 할 뿐, 눈에 초점이 없었다. 칠면조도 사자도 호랑이도 원숭이도 사슴도 그런 눈으로 건성건성 보고 지나갈 뿐이었다. 그러던 아버지가 잠시 발을 멈춘 곳은 얼룩말이 있는 우리 앞이었다. 얼룩말은 두 마리였다. 아버지는 그러나 그 앞에서도 멍하니 서 있기만 하지 이렇다 할 감정의 표시를 하지 않았다. 나는 그런 아버지를 한 번 쳐다보고, 얼룩말을 한 번 쳐다보고 하였다. 그러다가 아버지의 얼굴이 어쩌면 그렇게 말이나 노새와 닮았는지 모르겠다고 생각하였다. 그렇게 생각하고 보니 꼭 그랬다. 길게 째진, 감정이 없는 눈이며 노상 벌름벌름한 코, 하마 같은 입, 그리고 덜렁하니 큰 귀가 그랬다. 아버지가 너무 오래 말이나 노새를 다뤄 와서 그런 건지, 애당초 말이나 노새 같은 사람이어서 그런 짐승과 평생을 같이해 온 것인지는 알 수 없으나, 막상 얼룩말 앞에 세워 놓은 아버지는 영락없는 말의 형상이었다.

동물원을 나왔을 때 이미 거리는 밤이었다. 이번엔 집 쪽으로 걸었다. 그럴 수밖에 우리는 더 갈 데가 없었던 것이다. 우리 동네가 저만치 보였을 때 아버지는 바로 눈앞에 있는 대폿집에서 발을 멈추었다. 힐끗 나를 돌아보고 나서 다짜고짜 나를 술집으로 끌고 들어갔다. 이런 일도 전에는 없던 일이었다. 술집 안에는 사람들이 가득 차서 왁왁 떠들어 대고 있었다. 돼지고기를 굽는 냄새, 찌개 냄새, 김치 냄새가 집 안에 가득했다. 사람들은 우리를 의아스런 눈초리로 쳐다보았으나 이내 시선을 거두고 자기들의 얘기 속으로 다시 들어갔다. 나는 들어가자마자 그 냄새들을 힘껏 마셨다. 쓰러질 것 같았다. 아버지는 소주 한 병과 안주를 시키더니 안주는 내 쪽으로 밀어 주고 술만 거푸 마셔 댔다. 아버지는 술이 약한 편이어서 저러다가 어쩌나 하고 걱정이 되었다.

"아버지, 고만 드세요. 몸에 해로워요."

"으응."

대답하면서도 아버지는 술잔을 놓지 않았다. 얼마나 지났을까. 안주를 계속 주워 먹었으므로 어느 정도 시장기를 면한 나는 비로소 아버지를 쳐다보았다.

"이제부터 내가 노새다. 이제부터 내가 노새가 되어야지 별수 있니? 그놈이 도망쳤으니까, 이제 내가 노새가 되는 거지."

기분 좋게 취한 듯한 아버지는 놀라는 나를 보고 히힝 한 번 웃었다. 나는 어쩐지 그런 아버지가 무섭지만은 않았다. 그러면 형들이나 나는 노새 새끼고, 어머니는 암 노새고, 할머니는 어미 노새가 되는 것일까? 나도 아버지를 따라 히히힝 웃었다. 어른들은 이래서 술집에 오는 모양이었다. 나는 안주만 집어 먹었는데도 술 취한 사람마냥 턱없이 즐거웠다. 노새 가족— 노새 가족은 우리 말고는 이 세상에 또 없을 것이었다.

그러나 이러한 생각은 아버지와 내가 집에 당도했을 때 무참히 깨어지고 말았다. 우리를 본 어머니가 허둥지둥 달려 나와 매달렸다.

"이걸 어쩌우. 글쎄 경찰서에서 당신을 오래요. 그놈의 노새가 사람을 다치고 가게 물건들을 박살을 냈대요. 이걸 어쩌지."

"노새는 찾았대?"

"찾고나 그러면 괜찮게요? 노새는 간데온데없고 사람들만 다치고 하니까, 누구네 노새가 그랬는지 수소문 끝에 우리 집으로 순경이 찾아왔지 뭐유."

오늘 낮에 지서에서 나온 사람이 우리 노새가 튀는 바람에 여기저기서 많은 피해를 입었으니 도로 무슨 법이라나 하는 법으로 아버지를 잡아넣어야겠다고 이르고 갔다는 것이었다. 아버지는 술이 확 깨는 듯 그 자리에 선 채 한동안 눈만 뒤룩뒤룩 굴리고 서 있더니 힝 하고 코를 풀었다.

그러고는 아무 말 없이 스적스적 문밖으로 걸어 나갔다. 나는,

"아버지."

하고 뒤를 따랐으나 아버지는 돌아보지도 않고 어두운 골목길을 나기고 있었다.

나는 그 순간 또 한 마리의 노새가 집을 나가는 것 같은 착각을 일으켰다. 그러고는 무엇인가가 뒤통수를 때리는 것을 느꼈다. 아, 우리 같은 노새는 어차피 이렇게 비행기가 붕붕거리고, 헬리콥터가 앵앵거리고, 자동차가 빵빵거리고, 자전거가 쌩쌩거리는 대처에서는 발붙이기 어려운 것인가 하는 생각이 들었다. 언젠가 남편이 택시 운전사인 칠수 어머니가 하던 말,

"최소한도 자동차는 굴려야지 지금이 어느 땐데 노새를 부려."

했다는 말이 생각났다. 그러나 그것은 잠깐 동안이고 나는 금방 아버지를 쫓았다. 또 한 마리의 노새를 찾아 캄캄한 골목길을 마구 뛰었다.

작품 해설

갈래 : 단편 소설, 현대 소설
성격 : 현실적, 비극적
배경 : 1970년대 겨울, 서울 변두리 동네
시점 : 1인칭 관찰자 시점
제재 : 노새
특징 : · '노새'라는 소재를 통해 아버지의 삶을 상징적으로 보여줌
· '나'라는 어린아이의 시선을 통해 아버지의 고된 삶을 객관화하여 보여줌
· 대조된 공간을 설정하여 주제 의식을 강조함
주제 : 급변하는 시대 상황에 적응하지 못하는 도시 하층민의 고통스러운 삶

11 운수 좋은 날 _ 현진건

새침하게 흐린 품이 눈이 올 듯하더니, 눈은 아니 오고 얼다가 만 비가 추적추적 내리었다.

이날이야말로 동소문 안에서 인력거꾼 노릇을 하는 김 첨지에게는 오래간만에도 닥친 운수 좋은 날이었다. 문안에(거기도 문밖은 아니지만) 들어간답시는 앞집 마나님을 전찻길까지 모셔다 드린 것을 비롯하여 행여나 손님이 있을까 하고 정류장에서 어정어정하며, 내리는 사람 하나하나에게 거의 비는 듯한 눈길을 보내고 있다가, 마침내 교원인 듯한 양복쟁이를 동광 학교(東光學校)까지 태워다 주기로 되었다.

첫째 번에 삼십 전, 둘째 번에 오십 전 — 아침 댓바람에 그리 흉하지 않은 일이었다. 그야말로 재수가 옴 붙어서, 근 열흘 동안 돈 구경도 못 한 김 첨지는 십 전짜리 백통화 서 푼 또는 다섯 푼이 찰깍하고 손바닥에 떨어질 제 거의 눈물을 흘릴 만큼 기뻤었다. 더구나 이 날 이 때에 이 팔십 전이라는 돈이 그에게 얼마나 유용한지 몰랐다. 컬컬한 목에 모주 한잔도 적실 수 있거니와, 그보다도 앓는 아내에게 설렁탕 한 그릇도 사다 줄 수 있음이다.

그의 아내가 기침으로 쿨룩거리기는 벌써 달포가 넘었다. 조밥도 굶기를 먹다시피 하는 형편이니 물론 약 한 첩 써 본 일이 없다. 구태여 쓰려면 못 쓸 바도 아니로되, 그는 병이란 놈에게 약을 주어 보내면 재미를 붙여서 자꾸 온다는 자기의 신조(信條)에 어디까지 충실하였다. 따라서 의사에게 보인 적이 없으니 무슨 병인지는 알 수 없으나, 반듯이 누워 가지고 일어나기는새로에 모로도 못 눕는 걸 보면 중증은 중증인 듯, 병이 이대도록 심해지기는 열흘 전에 조밥을 먹고 체한 때문이다. 그 때도 김 첨지가 오래간만에 돈을 얻어서 좁쌀 한 되와 십 전짜리 나무 한 단을 사다 주었더니, 김 첨지의 말에 의하면, 그년이 천방지축으로 냄비에 대고 끓였다. 마음은 급하고 불길은 달지 않아, 채 익지도 않은 것을 그년이 숟가락은 고만두고 손으로 움켜서 두 뺨에 주먹 덩이 같은 혹이 불거지도록 누가 빼앗는 듯이 처박질하더니만 그 날 저녁부터 가슴이 땅긴다, 배가 켕긴다 하고 눈을 홉뜨고 지랄병을 하였다. 그때 김 첨지는 열화와 같이 성을 내며,

"에이, 조랑복은 할 수가 없어, 못 먹어 병, 먹어서 병, 어쩌란 말이야! 왜 눈을 바루 뜨지 못

해!"
하고 김 첨지는 앓은 이의 빰을 한 번 후려갈겼다. 홉뜬 눈은 조금 바루어졌건만 이슬이 맺히었다. 김 첨지의 눈시울도 뜨끈뜨끈한 듯하였다.

이 환자가 그러고도 먹는 데는 물리지 않았다. 사흘 전부터 설렁탕 국물이 마시고 싶다고 남편을 졸랐다.

"이런, 조밥도 못 먹는 년이 설렁탕은……. 또, 처먹고 지랄을 하게."
라고 야단을 쳐 보았건만, 못 사 주는 마음이 시원치는 않았다.

인제 설렁탕을 사 줄 수도 있다. 앓는 어미 곁에서 배고파 보채는 개똥이(세 살먹이)에게 죽을 사 줄 수도 있다. — 팔십 전을 손에 쥔 김 첨지의 마음은 푼푼하였다.

그러나 그의 행운은 그걸로 그치지 않았다. 땀과 빗물이 섞여 흐르는 목덜미를 기름 주머니가 다 된 광목 수건으로 닦으며, 그 학교 문을 돌아 나올 때였다. 뒤에서 "인력거!" 하고 부르는 소리가 났다. 자기를 불러 멈춘 사람이 그 학교 학생인 줄 김 첨지는 한번 보고 짐작할 수 있었다. 그 학생은 다짜고짜로,

"남대문 정거장까지 얼마요?"
라고 물었다. 아마도 그 학교 기숙사에 있는 이로 동기 방학을 이용하여 귀향하려 함이로다. 오늘 가기로 작정은 하였건만, 비는 오고 짐은 있고 해서 어찌할 줄 모르다가 마침 김 첨지를 보고 뛰어나왔음이리라. 그렇지 않으면 왜 구두를 채 신지 못해서 질질 끌고, 비록 '고꾸라' 양복일망정 노박이로 비를 맞으며 김 첨지를 뒤쫓아 나왔으랴.

"남대문 정거장까지 말씀입니까?"
하고 김 첨지는 잠깐 주저하였다. 그는 이 우중에 우장도 없이 그 먼 곳을 철벅거리고 가기가 싫었음일까? 처음 것, 둘째 것으로 고만 만족하였음일까? 아니다. 결코 아니다. 이상하게도 꼬리를 맞물고 덤비는 이 행운 앞에 조금 겁이 났음이다.

그리고 집을 나올 제, 아내의 부탁이 마음에 켕기었다. 앞집 마마한테서 부르러 왔을 제 병인은 그 뼈만 남은 얼굴에 유일의 생물 같은 유달리 크고 움푹한 눈에다 애걸하는 빛을 띠며,

"오늘은 나가지 말아요. 제발 덕분에 집에 붙어 있어요. 내가 이렇게 아픈데……."
라고 모깃소리같이 중얼거리며 숨을 걸그렁걸그렁하였다. 그 때에 김 첨지는 대수롭지 않은 듯이,

"압다, 젠장맞을. 빌어먹을 소리를 다 하네. 맞붙들고 앉았으면 누가 먹여 살릴 줄 알아?"
하고 훌쩍 뛰어나오려니까, 환자는 붙잡을 듯이 팔을 내저으며

"나가지 말라도 그래. 그러면 일찍이 들어와요."
하고 목멘 소리가 뒤를 따랐다.

정거장까지 가잔 말을 들은 순간에 경련적으로 떠는 손, 유달리 큼직한 눈, 울 듯한 아내의 얼굴이 김 첨지의 눈앞에 어른어른하였다.

"그래, 남대문 정거장까지 얼마란 말이오?"

하고 학생은 초조한 듯이 인력거꾼의 얼굴을 바라보며 혼자말같이,

"인천 차가 열한 점에 있고, 그 다음에는 새로 두 점이던가?"

라고 중얼거린다.

"일 원 오십 전만 줍시요."

이 말이 저도 모를 사이에 불쑥 김 첨지의 입에서 떨어졌다. 제 입으로 부르고도 스스로 그 엄청난 돈 액수에 놀랐다. 한꺼번에 이런 금액을 불러라도 본 지가 그 얼마 만인가! 그러자 그 돈 벌 용기가 병자에 대한 염려를 사르고 말았다. 설마 오늘 안으로 어떠랴 싶었다. 무슨 일이 있더라도 제일 제이의 행운을 곱친 것보다도 오히려 갑절이 많은 이 행운을 놓칠 수 없다 하였다.

정거장까지 끌어다 주고 그 깜짝 놀란 일 원 오십 전을 정말 제 손에 쥠에 제 말마따나 십 리나 되는 길을 비를 맞아 가며 질퍽거리고 온 생각은 안 하고, 거저나 얻은 듯이 고마웠다. 졸부나 된 듯이 기뻤다. 제 자식뻘밖에 안 되는 어린 손님에게 몇 번 허리를 굽히며,

"안녕히 다녀옵시오."

라고 깍듯이 재우쳤다.

전차는 왔다. 김 첨지는 원망스럽게 전차 타는 이를 노리고 있었다. 그러나 그의 예감은 틀리지 않았다. 전차가 빡빡하게 사람을 싣고 움직이기 시작하였을 제, 타고 남은 손 하나가 있었다. 굉장하게 큰 가방을 들고 있는 걸 보면 아마 붐비는 차 안에 짐이 크다 하여 차장에게 밀려 내려온 눈치였다. 김 첨지는 대어 섰다.

"인력거를 타시랍시오?"

한동안 값으로 승강이를 하다가 육십 전에 인사동까지 태워다 주기로 하였다. 인력거가 무거워지매 그의 몸은 이상하게도 가벼워졌다. 그리고 또, 인력거가 가벼워지니 몸은 다시금 무거워졌건만, 이번에는 마음조차 초조해 온다. 집의 광경이 자꾸 눈앞에 어른거리어 이젠 요행을 바랄 여유도 없었다. 나뭇등걸이나 무엇 같고 제 것 같지도 않은 다리를 연해 꾸짖으며 갈팡질팡 뛰는 수밖에 없었다. '저놈의 인력거꾼이 저렇게 술이 취해 가지고 이 진 땅에 어찌 가노?' 라고, 길 가는 사람이 걱정을 하리만큼 그의 걸음은 황급하였다. 흐리고 비 오는 하늘은 어둠침침한 게 벌써 황혼에 가까운 듯하다. 창경원 앞까지 다다라서야 그는 턱에 닿은 숨을 돌리고 걸음도 늦추잡았다. 한 걸음 두 걸음 집이 가까워 올수록 그의 마음은 괴상하게 누그러졌다. 그런데 이 누그러

짐은 안심에서 오는 게 아니요, 자기를 덮친 무서운 불행을 빈틈없이 알게 될 때가 박두한 것을 두려워하는 마음에서 오는 것이다.

그는 불행이 닥치기 전 시간을 얼마쯤이라도 늘리려고 버르적거렸다. 기적에 가까운 벌이를 하였다는 기쁨을 할 수 있으면 오래 지니고 싶었다. 그는 두리번두리번 사면을 살피었다. 그 모양은 마치 자기 집, — 곧 불행을 향하고 달려가는 제 다리를 제 힘으로는 도저히 어찌할 수가 없으니 누구든지 나를 좀 잡아 다고, 구해 다고 하는 듯하였다.

그럴 즈음에 마침 길가 선술집에서 그의 친구 치삼이가 나온다. 그의 우글우글 살찐 얼굴에 주홍이 돋는 듯, 온 턱과 뺨을 시커멓게 구레나룻이 덮었거든, 노르댕댕한 얼굴이 바짝 말라서 여기저기 고랑이 파이고 수염도 있대야 턱 밑에만 마치 솔잎 송이를 거꾸로 붙여 놓은 듯한 김 첨지의 풍채하고는 기이한 대상을 짓고 있었다.

"여보게, 김 첨지. 자네 문안 들어갔다 오는 모양일세그려. 돈 많이 벌었을 테니 한 잔 빨리게."

뚱뚱보는 말라깽이를 보던 맡에 부르짖었다. 그 목소리는 몸집과 딴판으로 연하고 싹싹하였다. 김 첨지는 이 친구를 만난 게 어떻게 반가운지 몰랐다. 자기를 살려 준 은인이나 무엇같이 고맙기도 하였다.

"자네는 벌써 한잔한 모양일세그려. 자네도 재미가 좋아 보이."
하고 김 첨지는 얼굴을 펴서 웃었다.

"아따, 재미 안 좋다고 술 못 먹을 낸가? 그런데 여보게, 자네 온몸이 이쩨 물독에 빠진 새앙쥐 같은가? 어서 이리 들어와 말리게."

선술집은 훈훈하고 뜨뜻하였다.

김 첨지는 연해 코를 들이마시며,

"우리 마누라가 죽었다네."

"뭐, 마누라가 죽다니, 언제?"

"이놈아, 언제는? 오늘이지."

"예끼 미친놈, 거짓말 마라."

"거짓말은 왜, 참말로 죽었어, 참말로……. 마누라 시체를 집에 뻐들쳐 놓고 내가 술을 먹다니, 내가 죽일 놈이야, 죽일 놈이야."
하고 김 첨지는 엉엉 소리를 내어 운다.

치삼은 흥이 조금 깨어지는 얼굴로,

"원, 이 사람이, 참말을 하나, 거짓말을 하나? 그러면 집으로 가세, 가."

하고 우는 이의 팔을 잡아당기었다.

치삼의 잡는 손을 뿌리치더니, 김 첨지는 눈물이 글썽글썽한 눈으로 싱그레 웃는다.

"죽기는 누가 죽어."

하고 득의양양…….

"죽기는 왜 죽어, 생때같이 살아만 있단다. 그년이 밥을 죽이지. 인제 나한테 속았다. 인제 나한테 속았다."

하고 어린애 모양으로 손뼉을 치며 웃는다.

"이 사람이 정말 미쳤단 말인가? 나도 아주먼네가 앓는단 말은 들었는데."

하고 치삼이도 어떤 불안을 느끼는 듯이 김 첨지에게 또 돌아가라고 권하였다.

"안 죽었어, 안 죽었대도 그래."

김 첨지는 화증을 내며 확신 있게 소리를 질렀으되, 그 소리엔 안 죽은 것을 믿으려고 애쓰는 가락이 있었다. 기어이 일 원어치를 채워서 곱빼기 한 잔씩 더 먹고 나왔다. 궂은비는 의연히 추적추적 내린다.

김 첨지는 취중에도 설렁탕을 사 가지고 집에 다다랐다. 집이라 해도 물론 셋집이요, 또 집 전체를 세든 게 아니라 안과 뚝 떨어진 행랑방 한 칸을 빌려 든 것인데, 물을 길어 대고 한 달에 일 원씩 내는 터이다. 만일, 김 첨지가 주기를 띠지 않았던들 한 발을 대문 안에 들여놓았을 제 그곳을 지배하는 무시무시한 정적(靜寂) — 폭풍우가 지나간 뒤의 바다 같은 정적에 다리가 떨렸으리라. 쿨룩거리는 기침 소리도 들을 수 없다. 그르렁거리는 숨소리조차 들을 수 없다. 다만, 이 무덤 같은 침묵을 깨뜨리는 — 깨뜨린다느니보담 한층 더 침묵을 깊게 하고 불길하게 빡빡 하는 그윽한 소리 — 어린애의 젖 빠는 소리가 날 뿐이다. 만일, 청각이 예민한 이 같으면, 그 빡빡 소리는 빨 따름이요, 꿀떡꿀떡하고 젖 넘어가는 소리가 없으니, 빈 젖을 빤다는 것도 짐작할는지 모르리라.

혹은, 김 첨지도 이 불길한 침묵을 짐작했는지도 모른다. 그렇지 않으면 대문에 들어서자마자 전에 없이,

"남편이 들어오는데 나와 보지도 않아, 이년."

이라고 고함을 친 게 수상하다. 이 고함이야말로 제 몸을 엄습해 오는 무시무시한 증을 쫓아 버리려는 허장성세인 까닭이다.

하여간, 김 첨지는 방문을 왈칵 열었다. 구역을 나게 하는 추기 — 떨어진 삿자리 밑에서 나온 먼지내, 빨지 않은 기저귀에서 나는 똥내와 오줌내, 가지각색 때가 켜켜이 앉은 옷내, 병인의 땀 섞은 내가 섞인 추기가, 무딘 김 첨지의 코를 찔렀다.

방 안에 들어서며 설렁탕을 한 구석에 놓을 사이도 없이 주정꾼은 목청을 있는 대로 다 내어

호통을 쳤다.

"이년, 주야장천 누워만 있으면 제일이야! 남편이 와도 일어나지를 못해?"

라는 소리와 함께 발길로 누운 이의 다리를 몹시 찼다. 그러나 발길에 차이는 건 사람의 살이 아니고 나뭇등걸과 같은 느낌이 있었다. 이때에 빽빽 소리가 응아 소리로 변하였다. 개똥이가 물었던 젖을 빼어 놓고 운다. 운대도 온 얼굴을 찡그려 붙여서 운다는 표정을 할 뿐이라, 응아 소리도 입에서 나는 게 아니고 마치 뱃속에서 나는 듯하였다. 울다가 울다가 목도 잠겼고, 또 울 기운조차 시진한 것 같다.

발로 차도 그 보람이 없는 걸 보자, 남편은 아내의 머리맡으로 달려들어 그야말로 까치집 같은 환자의 머리를 겨들어 흔들며,

"이년아, 말을 해, 말을! 입이 붙었어?"

"……."

"으응, 이것 봐, 아무 말이 없네."

"……."

"이년아, 죽었단 말이냐, 왜 말이 없어?"

"……."

"응으, 또 대답이 없네, 정말 죽었나 보이."

이러다가 누운 이의 흰창이 검은창을 덮은, 위로 치뜬 눈을 알아보자마자

"이 눈깔! 이 눈깔 왜 나를 바루 보지 못하고 천장만 바라보느냐, 응?"

하는 말끝엔 목이 메었다. 그러자 산 사람의 눈에서 떨어진 닭똥 같은 눈물이 죽은 이의 뻣뻣한 얼굴을 어룽어룽 적시었다. 문득 김 첨지는 미친 듯이 제 얼굴을 죽은 이의 얼굴에 비비대며 중얼거렸다.

"설렁탕을 사다 놓았는데 왜 먹지를 못하니? 왜 먹지를 못하니……? 괴상하게도 오늘은 운수가 좋더니만……."

작품 해설

갈래 : 현대 소설, 사실주의 소설, 단편 소설
성격 : 현실 고발적, 사실적, 비극적, 반어적
배경 : 일제 강점기(1920년대), 비 오는 겨울날, 서울 동소문 주변
시점 : 전지적 작가 시점
제재 : 인력거꾼의 하루
특징 :
- 묘사와 서술, 대화 등을 통하여 사실성을 부여하고 있음
- 말과 행동을 통해 등장인물의 내면 심리를 묘사하고 있음
- 구체적이고 사실적인 묘사로 사건을 현실감 있게 표현하고 있음
- 비속한 말과 욕설 등 당대 하층민의 생활상을 보여 주는 구체적인 어휘를 적절하게 구사하고 있음

주제 : 일제 강점하의 하층민의 비참한 삶

12 기억 속의 들꽃 _ 윤흥길

한 떼거리의 피난민들이 머물다 떠난 자리에 소녀는 마치 처치하기 곤란한 짐짝처럼 되똑하니 남겨져 있었다. 정갈한 청소부가 어쩌다가 실수로 흘린 쓰레기 같기도 했다. 하얀 수염에 붉은 털옷을 입고 주로 굴뚝으로 드나든다는 서양의 어느 뚱뚱보 할아버지가 간밤에 도둑처럼 살그머니 남기고 간 선물 같기도 했다.

어느 마을이나 다 사정이 비슷했지만 특히 우리 마을로 유난히 피난민들이 많이 몰리는 것은 만경강 다리 때문이었다. 북쪽에서 다리를 건너 남쪽으로 내려오다 보면 자연 우리 마을을 통과하도록 되어 있었다. 우리가 알기로는 세상에서 가장 긴 그 다리가 폭격에 의해 아깝게 끊어진 뒤에도 피난민들은 거룻배를 이용하여 계속 내려왔다. 인민군한테 당할 때까지 피난민들의 발길은 그치지 않고 있었다.

어른들은 피난민을 별로 달가워하지 않았다. 난생 처음 들어보는 별의별 이상한 사투리를 쓰는 그들이 사랑방이나 헛간이나 혹은 마을 정자에서 묵다 떠나고 나면 으레 집안에서 없어지는 물건이 생긴다는 것이었다. 굶주린 어린애를 앞세워 식량을 애원하는 그들 때문에 뒤주 속에 쌀바가지를 넣었다 꺼내는 어머니의 인심이 날로 얄팍해져갔다.

그러나 우리 어린애들은 전혀 달랐다. 어른들 마음과는 아무 상관없이 누나와 나는 피난민들을 마냥 부러워하고 있었다. 세상의 저쪽 끝에서 와서 다른 저쪽 끝까지 가려는 사람들 같았다. 무거운 짐을 들고 불편한 몸을 이끌며 길을 떠나는 그들의 모습이 오히려 우리들 눈에는 새의 깃털만큼이나 가벼워 보였다. 그들처럼 마음 내키는 대로 세상을 여기저기 떠돌아다니지 않고 우리는 왜 마을에 붙박혀 살아야 하는지 도무지 이해할 수가 없었다. 그래서 우리도 피난을 떠나자고 아버지한테 조르기로 작정했다.

내가 소녀를 맨 처음 발견한 것은 한나절로 끝나 버린 그 우스꽝스런 피난길에서 돌아온 바로 그 이튿날이었다.

아침이었다. 마을엔 벌써 낯선 깃발이 펄럭이고 있었다. 마을 사람들이 재 너머 학교를 향해 몰려가고 있었다. 나는 삽짝을 젖히고 골목길을 나섰다.

"얘."

생판 모르는 녀석이 간드러진 소리로 나를 부르고 있었다. 주제 꼴은 꾀죄죄해도 곱살스런 얼굴에 꼭 계집애처럼 생긴 녀석이었다. 우선 생김새에서 풍기는 어딘지 모르게 도시 아이다운 냄새가 나를 당황하도록 만들었다. 더구나 사람을 부르는 방식부터가 우리하고는 딴판이었다. 그처럼 교과서에서나 보던 서울 말씨로 나를 부르는 아이는 아직껏 마을에 한 명도 없었던 것이다.

"왜 놀래니? 내가 무서워 보이니?"

조금도 무섭지가 않았다. 다만 약간 얼떨떨한 기분일 뿐이었다. 피난민이 줄을 잇는 동안 갖가지 귀에 선 말씨들을 들어왔으나 녀석처럼 그렇게 착 감기는 목소리에 겁 없는 눈짓을 던지는 아이는 처음이었다. 녀석은 토박이 아이들이 피난민 아이들한테 부리는 텃세가 조금도 두렵지 않은 모양이었다.

"너희 엄마 집에 계시지?"

내가 잠시 어물거리는 사이에 녀석은 계속해서 계집애같이 앵앵거리면서 앞으로 다가왔다. 나는 얼김에 고개를 끄덕였다.

"엊저녁부터 굶었더니 배고파 죽겠다. 엄마한테 가서 밥 좀 달래자."

오히려 녀석이 앞장을 서고 내가 그 뒤를 따랐다. 나는 녀석의 바짓주머니가 불룩한 것을 보았다. 걸음을 옮길 적마다 불룩한 주머니가 연방 덜럭거리고 있었다. 틀림없이 간밤에 누구네 밭에서 서리를 한 설익은 참외 아니면 감자가 그 속에 들어 있을 것이었다.

"엄니! 엄니!"

마당에 들어서면서 어머니를 거푸 불렀다. 부엌에서 기명을 부시던 어머니가 무심코 마당을 내다보다가 내 등뒤에서 쏙 볼 가져 나오는 녀석을 발견하고는 대번에 질겁잔망을 했다.

"아줌마, 안녕하세요?"

녀석은 천연스럽게 인사를 챙겼다.

"아아니, 요 작것이!"

어머니가 소맷부리를 걷으며 단숨에 내달아 나왔다. 참외서리나 하고 다니는 피난민 아이한테 어머니가 이제 곧 본때 있게 손찌검을 하려나 보다고 나는 지레짐작을 하였다. 그런데 웬걸, 어머니는 녀석 대신 내 귀를 잡아끌고는 뒤란으로 향하는 것이었다.

"요 원수야, 지 발로 들어와도 냉큼 쫓아내야 헐 놈을 어쩌자고, 어쩌자고……."

어머니는 내 머리통에 대고 거듭 군밤을 쥐어박았다. 도대체 어떻게 된 영문인지 전혀 깜깜 이라서 울음보를 터뜨릴 수도 없는 노릇이었다.

"니가 상각(상객)으로 뫼셔왔으니께 니가 멕여살리거라!"

어머니는 다시 군밤을 먹이려다가 뒤란까지 따라온 서울 아이를 발견하고는 갑자기 손을 거두었다.

"아침상 퍼얼서다 치웠다. 따른 집에나 가 봐라."

어머니는 얼음처럼 차갑게 말했다.

"사나 새끼가 똑 지집맹키로 생긴 것이 영락없는 물빤드기고만……."

혼잣말을 구시렁거리며 어머니는 한껏 야멸찬 표정을 하고 도로 부엌으로 들어가려 했다.

"아줌마!"

이때 녀석이 또 예의 그 계집애처럼 간드러진 소리로 어머니를 불러 세웠다.

"따른 집에나 가보라니께!"

"아줌마한테 요걸 보여줄려구요."

녀석은 엄지와 인지를 붙여 동그라미를 만들어 보였다. 그 동그라미 위에 다른 또 하나의 작은 동그라미가 노란 빛깔을 띠면서 날름 올라앉아 있었다. 뒤란 그늘 속에서도 그것은 충분히 반짝이고 있었다. 그걸 보더니 어머니의 눈에 환하게 불이 켜졌다.

"아아니, 너 그거 금가락지 아니냐!"

말이 채 끝나기도 전에 금반지는 어느새 어머니의 손에 건너가 있었다. 솔개가 병아리를 채듯이 서울 아이의 손에서 금반지를 낚아채어 어머니는 한참을 칩떠보고 내립떠보는가 하면 혓바닥으로 침을 묻혀 무명 저고리 앞섶에 싹싹 문질러 보다가 나중에는 이빨로 깨물어 보기까지 했다. 마침내 어머니의 얼굴에 만족스런 미소가 떠올랐다.

"아가, 너 요런 것 어디서 났냐?"

옷고름의 실밥을 뜯어 그 속에 얼른 금반지를 넣고 웅숭깊은 저 밑바닥까지 확실히 닿도록 두어 번 흔들고 나서 어머니는 서울 아이한테 물었다. 놀랍게도 어머니의 목소리는 서울아이의 그것보다 훨씬 더 간드러지게 들렸다.

"땅바닥에서 줏었어요. 숙부네가 떠난 담에 그 자리에 가 봤더니 글쎄 요게 떨어져 있잖아요."

녀석이 이젠 아주 의기양양한 태도로 당당하게 대답했다. 그 말을 어머니는 별로 귀담아 듣는 기색이 아니었다. 어머니는 연신 벙글벙글 웃어 가며 녀석의 잔등을 요란스레 토닥거리고 쓰다듬어 주는 것이었다.

"아가, 요담 번에 또 요런 것 생기거들랑 다른 누구 말고 꼬옥 이 아줌마한테 가져와야 된다.

알었냐?"

"네 그렇게 하겠어요."

"어서어서 방안으로 들어가자. 어린것이 전리 타관시 부모 잃고 식구 놓치고 얼매나 배고프고 속이 짜겄냐."

이런 곡절 끝에 명선이는 우리 집에서 살게 되었다.

어느 날 명선이는 부모가 죽던 순간을 나에게 이야기했다. 피난길에서 공습을 만나 가까운 곳에 폭탄이 떨어졌는데 한참 정신을 잃었다가 깨어나 보니 어머니의 커다란 몸뚱이가 숨도 못 쉴 정도로 전신을 무겁게 덮어 누르고 있더라는 것이었다.

"그래서 마구 소릴 지르면서 엄마를 떠밀었단다. 난 그때 엄마가 죽은 줄도 몰랐어."

그리고 명선이는 숙부네가 저를 버리고 도망치던 때의 이야기도 들려주었다.

"실은 말이지, 숙부가 날 몰래 버리고 도망친 게 아니라 내가 숙부한테서 도망친 거야. 숙부는 기회만 있으면 날 죽일라구 그랬거든."

숙부가 널 죽이려 한 이유가 뭐냐는 내 질문에 그 애는 무심코 대답하려다 말고 갑자기 입을 꾹 다물더니만 언제까지고 나를 경계하는 눈으로 잔뜩 노려보고 있었다.

오래시 않아 명선이를 머슴으로 부리려던 속셈을 어머니는 깨끗이 포기했다. 괜히 말썽이나 부리고 펀둥펀둥 놀면서 삼시 세끼 밥이나 축내는 그 뒤퉁거리를 어떻게 하면 내쫓을 수 있을까 하고 궁리하는 게 어머니의 일과였다. 아버지 앞에서 어머니는 그동안 먹여주고 재워준 값과 금반지 한 개의 값어치를 면밀히 따지기 시작했다.

"천지신명을 두고 허는 말이지만 가한티 죄로 가지 않을 만침 헌다고 혔구만요."

"허기사 난리 때 금가락지 한 동쫑은 똥가락지여. 금 먹고 금똥 싼다면 혹 몰라도…… 쌀톨이 금쪽보다 귀헌 세상인디……."

"그러니 저 작것을 어쩌지요?"

"밥을 굶겨 봐. 지가 배고프고 허기지면 더 있으라도 지발로 나가겄지."

"워너니 갸가 나가겄소. 물빤드기마냥 빤들거림시나 무신 수를 써서라도 절대 안 굶을 아요."

어머니의 판단이 전적으로 옳았다. 끼니때만 되면 눈알을 딱 부릅뜨고 부엌 사정을 낱낱이 감시하다가 염치 불구하고 밥상머리를 안 떠나는 명선이를 두고 우리는 차마 밥덩이를 목구멍으로 넘길 수가 없었다.

갈수록 밥 얻어먹는 설움이 심해지자 하루는 또 명선이가 금반지 하나를 슬그머니 내밀어 왔다. 먼젓번 것보다 약간 굵어 보였다. 찬찬히 살피고 나더니 어머니는 한 돈 하고도 반짜리라고 조심스럽게 결론을 내렸다.

"길에서 줏었었다니까요."

어머니의 다그침에 명선이는 천연스럽게 대꾸했다.

"거 참 요상도 허다. 따른 사람은 눈을 까뒤집어도 안 뵈는 노다지가 어째서 니 눈에만 유독이 들어온 다냐?"

그러나 어머니는 명선이가 지껄이는 말을 하나도 믿으려 하지 않았다. 명선이가 처음 금반지를 주워 왔을 때처럼 흥분하거나 즐거워하는 기색도 아니었다. 명선이의 얼굴을 유심히 들여다보는 어머니의 눈엔 크고 작은 의심들이 호박처럼 올망졸망 매달려 있었다.

그날 밤에 아버지는 명선이를 안방으로 불러 아랫목에 앉혀 놓고 밤늦도록 타일러도 보고 으름장을 놓아 보았다. 하지만 명선이의 대답은 한결같았다.

"거짓말이 아니라구요. 참말이라구요. 길에서 놀다가……."

"너 이놈, 바른 대로 대지 못헐까!"

아버지의 호통소리에 명선이는 비죽비죽 울기 시작했다. 우는 명선이를 아버지는 또 부드러운 말로 달래기 시작했다.

"말은 안 혔어도 너를 친자식 진배없이 생각혀왔다. 너 같은 어린것이 그런 물건을 갖고 있으며는 덜 좋은 법이다. 이 아저씨가 잘 맡아 놨다가 후제 크면 줄 테니까 어따 숨겼는지 바른 대로 대거라."

아무리 달래고 타일러도 소용이 없자 아버지는 마침내 화를 버럭 내면서 명선이의 몸뚱이를 뒤지려 했다. 아버지의 손이 옷에 닿기 전에 명선이는 미꾸라지처럼 빠져나가 자취를 감추어 버렸다. 그리고 그날 밤 끝내 우리 집에 돌아오지 않았다.

낮더위가 한풀 꺾이고 어둠 발이 켜켜이 내려앉을 무렵에야 명선이는 당산 숲속에서 발견되었다. 우리가 그 애를 찾아낸 것이 아니라 그 애가 돼지 멱따는 소리로 한바탕 비명을 질러 사람들을 불러모은 결과였다. 이 나무 저 나무 옮아 다니는 매미처럼 당산 숲속을 팔모로 헤집고 다니며 거듭거듭 내지르는 비명 소리를 듣고서 맨 처음 달려간 사람들 축에 아버지도 끼여 있었다.

"너그 놈들이 누구누군지 내 다 안다아! 어디 사는 누군지 내 다 봐뒀으니께 날만 샜다 허면 물꼬를 낼 것이다아!"

해뜩해뜩 뒷모습을 보이며 당산 골짜기 어둠 속으로 꽁지가 빠지게 달아나는 남자들을 향해 아버지는 길길이 뛰며 입에 거품을 물었다.

“아가, 이자 아모 염려 없다. 어서 내려오니라, 어서.”

한걸음 뒤늦어 득달같이 달려온 어머니가 소나무 위를 까마득히 올려다보며 한 것 보드라운 말씨로 달랬다. 소나무 등지에 딱정벌레처럼 달라붙어 꼼짝도 않는 하얀 궁둥이가 보였다. 놀랍게도 명선이는 시원스런 알몸뚱이로 있었다. 어느 겨를에 어떻게 거기까지 기어올라갔는지 명선이는 가마득한 높이에 매달려 홀랑 벌거벗은 채 흐느끼고 있었다. 아무리 내려오라고 타일러도 반응이 없자 아버지가 팔소매를 걷어붙이고 올라가 위험을 무릅쓰고 곡예라도 하듯이 그 애를 등에 업고 내려왔다.

“오매 오매, 자갸 지집애 아녀!”

명선이를 달아나지 못하게 감시하는 새로운 임무가 나한테 주어졌다. 우리 식구 모두는 상전을 모시듯이 명선이에게 한결같이 친절했다. 동네 사람 어느 누구도 감히 넘볼 마음을 못 먹도록 뚝심 좋은 아버지는 그 애의 주위에 이중 삼중으로 보호의 울타리를 쳐 놓고도 언제나 안심하지 못했다. 나는 그 애의 그림자 노릇을 착실히 했다. 그러나 금반지를 어디가 감춰 뒀는지 그것만은 차마 묻지를 못했다. 시간이 흐를수록 그 애는 내 사투리를 닮아 가고 나는 반대로 그 애의 서울말을 어색하게 흉내내기 시작했다.

어느 날 나는 명선이하고 단둘이서만 다리에 간 일이 있었다. 그때도 그 애는 나한테 시합을 걸어왔다. 나는 남자로서의 위신을 걸고 명선이의 비아냥거림 앞에서 최선의 노력을 다해 봤으나 결국 강바닥에 깔린 뽕나무밭이 갑자기 거대한 팽이가 되어 어찔어찔 맴도는 걸보고 뒤로 물러서지 않을 수 없었다. 이제 명선이한테서 겁쟁이라고 꼼짝없이 수모를 당할 차례였다.

“야아, 저게 무슨 꽃이지?”

그런데 그 애는 놀림 대신 갑자기 뚱딴지같은 소리를 질렀다. 말타듯이 철근 뭉치에 올라앉아서 그 애가 손바닥으로 가리키는 곳을 내려다보았다. 거대한 교각 바로 위 무너져내리다만 콘크리트 더미에 이전에 보이지 않던 꽃송이 하나가 피어 있었다. 바람을 타고 온 꽃씨 한 알이 교각 위에 두껍게 쌓인 먼지 속에 어느새 뿌리를 내린 모양이었다.

“꽃이름이 뭔지 아니?”

난생 처음 보는 듯한, 해바라기를 축소해 놓은 모양의 동전 만한 들꽃이었다.

“쥐바라숭꽃…….”

나는 간신히 대답했다. 시골에서 볼 수 있는 거라면 명선이는 내가 뭐든지 다 알고 있다고 믿는 눈치였다. 쥐바라숭이란 이 세상엔 없는 꽃이름이었다. 엉겁결에 어떻게 그런 그림을 지어낼 수 있었는지 나 자신 어리벙벙할 지경이었다.

"쥐바라숭꽃…… 이름처럼 정말 이쁜 꽃이구나. 참 앙증맞게두 생겼다."

또 한바탕 위험한 곡예 끝에 기어코 그 쥐바라숭이꽃을 꺾어 올려 손에 들고는 냄새를 맡아보다가 손바닥 사이에 넣어 대궁을 비벼서 양산처럼 뱅글뱅글 돌리다가 끝내는 머리에 꽂는 것이었다. 다시 이쪽으로 건너오려는데 이때 바람이 휙 불어 명선의 치맛자락이 훌렁 들리면서 머리에서 꽃이 떨어졌다. 나는 해바라기 모양의 그 작고 노란 쥐바라숭이꽃 한 송이가 바람에 날려 싯누런 흙탕물이 도도히 흐르는 강심을 향해 바람개비처럼 맴돌며 떨어져내리는 모양을 아찔한 현기증으로 지켜보고 있었다.

우리가 명선이한테서 순순히 얻어낸 금반지는 두 번째 것으로 마지막이었다. 아버지와 어머니가 온갖 지혜를 짜내어 백방으로 숨겨 둔 장소를 알아내려 안간힘을 다해 보았으나 금반지 근처에만 얘기가 닿아도 명선이는 입을 굳게 다문 채 침묵 속의 도리질로 완강히 버티곤 했다.

날이 가고 달이 갔다. 어느덧 초가을로 접어드는 날씨였다. 남쪽에서 쳐 올라오는 국방 군에 밀려 인민군이 북쪽으로 쫓겨가기 시작한다는 소문이 돌았다. 생각보다 전쟁이 일찍 끝나 남쪽으로 피난 갔던 숙부가 어느 날 불쑥 마을에 다시 나타날 경우를 생각하면서 어머니는 딱할 정도로 조바심을 치기 시작했다. 내가 벌써 귀띔을 해 주어서 어른들은 명선이가 숙부로부터 버림받은 게 아니라 스스로 도망쳤다는 사실을 이미 알고 있었다. 전쟁이 끝나기 전에 어떻게든 명선이의 입을 열게 하려고 아버지는 수단 방법을 안 가릴 자세였다.

그날도 나는 명선이와 함께 부서진 다리에 가서 놀고 있었다. 예의 그 위험천만한 곡예 장난을 명선이는 한창 즐기는 중이었다. 콘크리트 부위를 벗어나 그 애가 앙상한 철근을 타고 거미처럼 지옥의 가장귀를 향해 조마조마하게 건너갈 때였다. 이때 우리들 머리 위의 하늘을 두 쪽으로 가르는 굉장한 폭음이 귀뺨을 갈기는 기세로 갑자기 울렸다. 푸른 하늘 바탕을 질러 하얗게 호주기 편대가 떠가고 있었다. 비행기의 폭음에 가려 나는 철근 사이에서 울리는 비명을 거의 듣지 못하였다. 다른 것은 도무지 무서워할 줄 모르면서도 유독 비행기만은 병적으로 겁을 내는 서울 아이한테 얼핏 생각이 미쳐 눈길을 하늘에서 허리가 동강이 난 다리로 끌어냈을 때 내가 본 것은 강심을 겨냥하고 빠른 속도로 멀어져가는 한 송이 쥐바라숭꽃이었다.

명선이가 들꽃이 되어 사라진 후 어느 날 한적한 오후에 나는 그때까지 한 번도 성공한 적이 없는 모험을 혼자서 시도해 보았다. 겁쟁이라고 비웃는 사람이 아무도 없으니까 의외로 용기가 나고 마음이 차갑게 가라앉은 것이었다. 나는 눈에 띄는 그 즉시 거대한 팽이로 둔갑해 버리는 까마득한 강바닥을 보지 않으려고 생땀을 흘렸다. 엿가락으로 흘러내리다가 가로지르는 선에 얽혀 다시 오르막을 타는 녹슨 철근의 우툴두툴한 표면만을 무섭게 응시하면서 한뼘 한뼘 신중히 건너갔다. 철근의 끝에 가까이 갈수록 강바람을 맞는 몸뚱이가 사정없이 까불렸다. 그러나 나는 천신만고 끝에 마침내 그 일을 해내고 말았다. 이젠 어느 누구도, 제 아무리 쥐바라숭꽃일지라도 나를 비웃을 수는 없게 되었다.

지옥의 가장귀를 타고 앉아 잠시 숨을 고른 다음 바로 되돌아 나오려는데 이때 이상한 물건이 얼핏 시야에 들어왔다. 낚시바늘 모양으로 꼬부라진 철근의 끝자락에다 끝으로 칭칭 동여맨 자그만 헝겊 주머니였다. 명선이가 들꽃을 꺾던 때보다 더 위태로운 동작으로 나는 주머니를 어렵게 손에 넣었다. 가슴을 잡죄는 긴장 때문에 주머니를 열어 보는 내 손이 무섭게 경풍하고 있었다. 그리고 그 주머니 속에서 말갛게 빛을 발하는 동그라미 몇 개를 보는 순간 나는 손에 든 물건을 송두리째 강물에 떨어뜨리고 말았다.

작품 해설

갈래 : 현대 소설, 단편 소설
성격 : 사실적, 비극적, 회상적
배경 : 1950년대 6.25 전쟁 중, 만경강 다리 근처의 어느 시골 마을
시점 : 1인칭 관찰자 시점
제재 : 피난민 소녀의 비극적 죽음
특징 : · 과거를 회상하는 형식임
· 어린 아이의 눈을 통해 전쟁의 비극성을 부각함
· 사투리와 비속어로 향토성과 사실성을 높임
주제 : 전쟁으로 인한 인간성 상실의 비극

04 고전 소설

1 고전 소설

19세기 이전에 창작된 소설로, 현대 소설과 구분하여 이르는 말

2 고전 소설의 특징

1) **주제** : 권선징악 - 착한 사람은 복을 받고 나쁜 사람은 벌을 받는다.

2) **구성** : 일대기적 구성 - 인물이 태어나서부터의 이야기를 시간의 흐름에 따라 전개함

3) **결말** : 행복한 결말

4) **사건** :
- 비현실적 - 현실에서 일어나기 어려운 사건들이 전개됨
- 우연적 - 이야기의 앞뒤 사건이 어떠한 이유 없이 우연히 맞아떨어지는 방식으로 전개됨

5) **인물** :
- 전형적 인물 - 한 계층을 대표하는 인물
- 평면적 인물 - 이야기의 처음부터 끝까지 성격이 변하지 않는 인물

6) **시점** : 3인칭 전지적 작가 시점

3 고전 소설과 현대 소설의 비교

구분	고전 소설	현대 소설
주제	권선징악	다양함
구성	일대기적 구성	다양함
사건	우연적, 비현실적	필연적
인물	전형적, 평면적	개성적, 입체적
배경	막연하고 비현실적	구체적이고 사실적
문체	운문체, 문어체	산문체, 구어체
시점	전지적 작가 시점	다양함
결말	행복한 결말	다양함

1 홍길동전 _ 허균

앞부분의 줄거리

조선 세종 임금 시절 명망이 높던 홍 판서에게는 정실부인 유씨가 낳은 아들 인형과 여종 춘섬이 낳은 둘째 아들 길동이 있었다. 홍 판서는 영웅호걸의 기상을 지닌 길동이 서자(庶子)의 신분인 것을 한탄하였다.

길동이 점점 자라 여덟 살이 되자, 총명하기가 보통이 넘어 하나를 들으면 백 가지를 알 정도였다. 그래서 공은 길동을 더욱 귀여워하면서도 길동의 출생이 천하여, 길동이 '아버지' 나 '형' 이라고 부르면, 즉시 꾸짖어 그렇게 하지 못하게 하였다. 그래서 길동은 열 살이 넘도록 감히 부형을 부르지 못하고 종들로부터 천대받는 것을 뼈에 사무치도록 한탄하면서 마음 둘 바를 몰랐다.

어느 가을 9월 보름께가 되자, 달빛은 처량하게 비치고 맑은 바람은 쓸쓸히 불어와 사람의 마음을 울적하게 하였다. 길동은 서당에서 글을 읽다가 문득 책상을 밀치고 탄식하기를,

"대장부가 세상에 나서 공맹을 본받지 못할 바에야, 차라리 병법이라도 익혀, 대장인을 허리춤에 비스듬히 차고 동정서벌하여 나라에 큰 공을 세우고 이름을 만대에 빛내는 것이 장부의 통쾌한 일이 아니겠는가! 나는 어찌하여 일신이 적막하고, 부형이 있는데도 아버지를 '아버지' 라 부르지 못하고 형을 '형' 이라고 부르지 못하니, 심장이 터질지라. 이 어찌 통탄할 일이 아니겠는가!"

하고, 뜰에 내려와 검술을 익히고 있었다.

그때 마침, 공이 또한 달빛을 구경하다가, 길동이 서성거리는 것을 보고 즉시 불러 물었다.

"너는 무슨 흥이 있어서 밤이 깊도록 잠을 자지 않느냐?"

길동이 공경하는 자세로 대답했다.

"소인은 마침 달빛을 즐기는 중입니다. 그런데 만물이 생겨날 때부터 오직 사람이 귀한 존재인 줄 아옵니다만 소인에게는 귀함이 없사오니 어찌 사람이라 하겠습니까?"

공은 그 말의 뜻을 짐작은 했지만, 일부러 책망하는 체하며,

"너 그게 무슨 말이냐?"

했다. 길동이 절하고 말씀드리기를,

"소인이 평생 서러워하는 바가 있나이다. 소인이 대감의 정기를 받아 당당한 남자로 태어났고, 또 낳아서 길러 주신 어버이의 은혜를 입었음에도 불구하고 아버지를 '아버지'라 못 하옵고 형을 '형'이라 못 하오니, 어찌 사람이라 하겠습니까?"

하고, 눈물을 흘리며 적삼을 적셨다.

공이 듣고 나자 비록 불쌍하다는 생각은 들었으나 그 마음을 위로하면 방자해질까 염려되어 크게 꾸짖어 말했다.

"재상 집안에 천한 종의 몸에서 태어난 자식이 너뿐이 아닌데, 네가 어찌 이다지도 방자하냐? 앞으로 이런 말을 하면 내 눈앞에 서지도 못하게 하겠다."

이렇게 꾸짖으니, 길동은 감히 한마디도 더 하지 못하고 다만 땅에 엎드려 눈물을 흘릴 뿐이었다. 공이 물러가라 하자 그제서야 길동은 침소로 돌아와 슬퍼해 마지않았다.

길동이 본래 재주가 뛰어나고 도량이 활달한지라, 마음을 가라앉히지 못해 밤이면 잠을 이루지 못하곤 했다.

하루는 길동이 어머니의 침소에 가 울면서 아뢰었다.

"소자가 모친과 더불어 전생의 연분이 중하여 이번 세상에 모자가 되었으니, 그 은혜가 지극하옵니다. 그러나 소자의 팔자가 사나워서 천한 몸이 되었으니, 품은 한이 깊사옵니다. 장부가 세상에 살면서 남의 천대를 받는 것이 불가한지라, 소자는 자연히 설움을 억제하지 못하여 모친 슬하를 떠나려 하오니, 엎드려 바라건대 모친께서는 소자를 염려하지 마시고 귀체를 잘 돌보시옵소서."

길동의 어머니가 듣고, 크게 놀라 말했다.

"재상가의 천한 출생이 너뿐이 아닌데, 어찌 마음을 좁게 먹어 어미의 간장을 태우느냐?"

길동이 대답했다.

"옛날, 장충의 아들 길산은 천한 출생이지만 열세 살에 그 어머니와 이별하고 운봉산에 들어가 도를 닦아 아름다운 이름을 후세에 전하였습니다. 소자도 그를 본받아 세상을 벗어나려 하오니, 모친은 안심하고 후일을 기다리시옵소서. 근간에 곡산댁의 눈치를 보니 상공의 사랑을 잃을까 하여 우리 모자를 원수같이 알고 있습니다. 큰 화를 입을까 하오니 모친께서는 소자가 나감을 염려하지 마시옵소서."

하니 그 어머니 또한 슬퍼하더라.

원래 곡산댁은 곡산 지방의 기생으로 상공의 첩이 되었던 것인데, 이름은 초란이었다. 아주 교만하고 자기 마음에 맞지 않으면 공에게 고자질을 하기에, 집안에 폐단이 무수하였다. 자신은 아들이 없는데, 춘섬은 길동을 낳아 상공으로부터 늘 귀여움을 받게 되자, 속으로 불쾌하여 길동을 없애 버릴 마음만 먹고 있었다.

생략된 내용 : 곡산댁 '초란'은 자객을 매수하여 '길동'을 죽이려고 한다. '길동'은 자객을 죽이고 '홍 판서'에게 하직 인사를 한 후, 집을 떠난다. '홍 판서'는 떠나는 '길동'에게 호부호형을 허락한다. '길동'은 집을 떠나 도적들의 집단인 활빈당의 우두머리가 되어 탐관오리의 재물을 빼앗아 백성을 돕는다. 임금은 '길동'의 아버지인 '홍 판서'와 형인 '인형'을 불러 '길동'을 잡을 것을 명한다. 경상감사로 임명된 '인형'이 '길동'에게 자수할 것을 권하는 글을 써 붙이자 '길동'은 스스로 '인형'을 찾아와 잡히고, '인형'은 '길동'을 서울로 호송한다.

이때, 팔도에서 다 길동을 잡아 올리니, 조정과 서울 사람들이 어찌 된 영문인지를 아무도 몰랐다. 임금이 놀라서 온 조정의 신하들을 모으고, 몸소 죄인을 다스리는데, 여덟 명의 길동을 잡아 올리니 그들이 서로 다투면서 말하기를,

"네가 진짜 길동이지 나는 아니다."

하며 서로 싸우니, 어느 것이 진짜 길동인지 분간할 수가 없었다. 임금이 괴이히 여겨 즉시 홍 판서에게 말했다.

"자식을 알아보는 데는 아비만 한 자가 없다 하니, 저 여덟 중에서 경의 아들을 찾아내라."

홍 판서가 황공하여 머리를 조아리면서 아뢰었다.

"신의 천한 자식 길동은 왼편 다리에 붉은 혈점이 있사오니, 그것으로써 알 수 있을 것입니다."

또 여덟 길동을 꾸짖기를,

"지척에 임금님이 계시고 아래로 아비가 있는데, 네가 이렇듯 천고에 없는 죄를 지었으니 죽기를 아끼지 말라."

하고 피를 토하면서 엎어져 기절을 하였다. 임금이 크게 놀라 궐내의 약국에 지시해 치료하게 하였으나, 효엄이 없었다. 여덟 길동이 이를 보고 일시에 눈물을 흘리면서 주머니에서 환약 한 개씩을 내어 입에 드리우니, 홍 판서가 잠시 후 정신을 차렸다. 길동 등이 임금에게 아뢰었다.

"신의 아비가 나라의 은혜를 많이 입었사온데, 신이 어찌 감히 나쁜 짓을 하오리까마는, 신은

본래 천한 종의 몸에서 났는지라, 그 아비를 아비라 못 하옵고 그 형을 형이라 못 하와, 평생 한이 맺혔기에 집을 버리고 도적의 무리에 참여하였사옵니다. 그러나 백성을 추호도 범하지 않고 각 읍 수령이 백성들을 들볶아 착취한 재물만 빼앗았을 뿐입니다. 이제 십 년이 지나면 조선을 떠나 갈 곳이 있사오니, 엎드려 빌건대 성상께서는 근심하지 마시고 신을 잡으라는 공문을 거두어 주십시오."

하고, 말을 마치며 여덟 명이 한꺼번에 넘어지므로, 자세히 보니 다 풀로 만든 허수아비였다. 임금이 더욱 놀라며 진짜 길동을 잡으라는 공문을 다시 팔도에 내렸다. 길동은 허수아비를 없애고 두루 다니다가 사대문에 글을 써 붙였는데, 그 글에

"소신 길동은 아무리 하여도 잡지 못할 것이오니, 병조 판서 벼슬을 내리시면 잡히겠습니다."

고 하였다. 임금이 그 글을 보고 신하들을 모아 의논하니, 여러 신하들이 말했다.

"이제 그 도적을 잡으려 하다가 잡지 못하고 도리어 병조 판서를 제수하심을 이웃 나라에도 창피스러운 일입니다."

임금이 옳다고 여기고 다만 경상 감사에게 길동 잡기를 재촉하니, 경상 감사가 왕명을 받고는 황공하고 죄송하여 어쩔 줄을 몰랐다.

하루는 길동이 공중으로부터 내려와 절하고 말했다.

"제가 지금은 진짜 길동이오니, 형님께서는 아무 염려 마시고 결박하여 서울로 보내십시오."

감사가 이 말을 듣고는 손을 잡고 눈물을 흘리면서 말했다.

"이 철없는 아이야. 너도 나와 동기인데 부형의 가르침을 듣지 않고 온 나라를 떠들썩하게 하니, 어찌 애달프지 않으랴. 네가 이제 진짜 몸이 와서 나를 보고 잡혀가기를 자원하니 도리어 기특한 아이로다."

하고, 급히 길동의 왼쪽 다리를 보니, 과연 혈점이 있었다. 즉시 팔다리를 단단히 묶어 죄인 호송용 수레에 태운 뒤, 건장한 장교 수십 명을 뽑아 철통같이 싸고 풍우같이 몰아가도, 길동의 안색은 조금도 변치 않았다. 여러 날 만에 서울에 다다랐으나, 대궐 문에 이르러 길동이 한 번 몸을 움직이자, 쇠사슬이 끊어지고 수레가 깨어져, 마치 매미가 허물 벗듯 공중으로 올라가며, 나는 듯이 운무에 묻혀 가 버렸다. 장교와 모든 군사가 어이없어 다만 공중만 바라보며 넋을 잃을 따름이었다. 어쩔 수 없이 이 사실을 보고하니, 임금이 듣고,

"천고에 이런 일이 어디 있으랴."

하며, 크게 근심을 했다. 이에 여러 신하 중 한 사람이 아뢰기를,

"길동의 소원이 병조 판서를 한 번 지내면 조선을 떠나겠다는 것이라 하오니, 한번 제 소원을 풀면 저 스스로 은혜에 감사하오리니, 그때를 타 잡는 것이 좋을까 하옵니다."

고 했다. 임금이 옳다 여겨 즉시 길동에게 병조 판서를 제수하고 사대문에 글을 써 붙였다. 그때 길동이 이 말을 듣고 즉시 고관의 복장인 사모관대에 서띠를 띠고 덩그런 수레에 의젓하게 높이 앉아 큰길로 버젓이 들어오면서 말하기를,

"이제 홍 판서 사은하러 온다."

고 했다. 병조의 하급 관리들이 맞이해 궐내에 들어간 뒤, 여러 관원들이 의논하기를,

"길동이 오늘 사은하고 나올 것이니 도끼와 칼을 쓰는 군사를 매복시켰다가 나오거든 일시에 쳐 죽이도록 하자."

하고 약속을 하였다. 길동이 궐내에 들어가 엄숙히 절하고 아뢰기를,

"소신의 죄악이 지중하온데, 도리어 은혜를 입사와 평생의 한을 풀고 돌아가면서 전하와 영원히 작별하오니, 부디 만수무강하소서."

하고 말을 마치며 몸을 공중에 솟구쳐 구름에 싸여 가니, 그 가는 곳을 알 수가 없었다. 임금이 보고 도리어 감탄을 하기를,

"길동의 신기한 재주는 고금에 드문 일이로다. 제가 지금 조선을 떠나노라 하였으니, 다시는 폐 끼칠 일이 없을 것이요, 비록 수상하기는 하나 일단 대장부다운 통쾌한 마음을 가졌으니 염려 없을 것이로다."

하고, 팔도에 사면의 글을 내려 길동 잡는 일을 그만두었다.

작품 해설

갈래 : 고전 소설, 한글 소설, 사회 소설, 영웅 소설
성격 : 현실 비판적, 전기적(傳奇的-기이하여 세상에 전할 만한 이야기)
배경 : 조선시대
시점 : 전지적 작가 시점
제재 : 적서 차별 제도
특징 : · 서술자가 작중에 직접 개입함
· 사회 제도의 불합리성을 비판하고 그에 대한 저항 정신을 드러냄
· 영웅 일대기라는 서사적 구조가 드러나며, 전기적 요소가 강함
· 우연적, 비현실적 사건이 발생함
주제 : 적서 차별에 대한 저항과 입신양명의 의지

2 심청전 _ 작자 미상

하루는 중국 남경으로 다니며 장사하는 뱃사람들이 열다섯 살 난 처녀를 사려고 한다는 소문이 들렸다. 심청은 귀덕이네를 사이에 넣어 그 뱃사람들이 사람을 사려고 하는 까닭을 물었다.

"우리가 장사를 떠날 때 인당수라는 깊은 바다를 지나가게 되는데, 그때 제물을 바치면 넓고 거친 바다를 무사히 건널 수 있소. 특히 열다섯 살 되는 처녀를 바치면 장사에서도 수만금 이익을 낼 수 있기 때문에, 몸을 팔려는 그 나이의 처녀가 있으면 값을 아끼지 않고 사려 하오."

심청이 이 말을 새겨듣고 그날로 뱃사람들을 찾아가서 말하였다.

"공양미 삼백 석을 바치고 지성으로 빌면 앞 못 보는 우리 아버지가 눈을 뜨게 된다고 해서 쌀 삼백 석을 마련하려 합니다. 집안 형편이 어려워 마련할 길이 없는데, 저 같은 사람도 사시는지요?"

뱃사람들이 이 말을 듣고 눈물을 머금으며 탄식하였다.

"효성이 참으로 갸륵하구나. 불쌍한지고!"

그리고 즉시 쌀 삼백 석을 몽운사로 날라다 주겠다고 하였다.

"그러면 화주승께 표를 받아 저에게 갖다 주십시오."

"그것은 염려 말고, 오는 보름날이 배 떠나는 날이니 차질 없도록 하오."

"큰 값을 받고 팔린 몸이 어찌 약속을 어기오리까. 그 또한 염려하지 마소서."

심청은 집으로 돌아와서 아버지에게 공양미 삼백 석을 몽운사로 보낼 것이니 걱정하지 말라고 여쭈었다.

심 봉사가 깜짝 놀라서 물러나 앉으며 물었다.

"너, 그 말이 웬 말이냐?"

심청은 어쩔 수 없이 아버지에게 거짓말을 하였다.

"건넛마을 장 정승 댁 부인께서 지난달에 저를 수양딸로 삼으려 하셨는데, 그때 분명히 대답을 못 했습니다. 지금 우리 형편으로는 공양미를 마련할 길이 없어, 노부인께 말씀드려 쌀 삼백

석에 수양딸로 가기로 하였습니다."

심 봉사는 아무것도 모르고 그 말만 반겨 듣고 좋아하였다.

"이렇게 고마울 데가 있느냐. 한 나라 재상을 지낸 분의 부인이라 역시 다르구나. 복을 참 많이 받으시겠구나. 그러면 언제 그 댁으로 가느냐?"

"오는 보름날 데려간다 합니다."

"어허, 거 참 날도 잘 잡았구나. 여봐라, 청아! 그러면 나는 어쩐다고 하더냐?"

"아버지도 함께 모셔 간다 합니다."

"그럼 그렇지. 그런 분이 눈먼 나를 혼자 남겨 두겠느냐? 참으로 잘 되었다. 가만있자, 너는 가마를 태워 데려갈 것이다마는, 나는 무얼 타고 갈까? 김 생원 댁 암소나 얻어 타고 갈까?"

그날부터 심청은 눈 어두운 아버지를 영 이별할 일과 사람으로 세상에 나서 열다섯 살에 죽을 일에 정신이 아득하였다. 심청은 일에도 뜻이 없고, 밥 먹는 것에도 뜻이 없고, 하루하루를 근심에 싸여 지냈다.

그러나 이미 엎질러진 물이요, 시위를 떠난 화살이었다. 심청은 정해진 날짜가 점점 가까워 오자,

'이러다간 안 되겠다. 떠나기 전에 아버지 의복이나 깨끗이 챙겨 두리라.'

생각하였다. 그리고 그날부터 춘하추동 사철 옷을 각기 지어 보에 싸서 농에 넣고, 갓과 망건도 새로 지어 벽에 걸어 놓았다.

모든 준비를 다 마치자 배 떠날 날이 겨우 하루밖에 남지 않았다.

그날 밤 심청은 촛불 앞에 무릎을 꿇고 머리를 숙인 채 한숨을 길게 내쉬었다. 아무리 하늘이 낸 효녀라도 죽음 앞에서 마음이 온전할 리가 없었다.

그러나 심청은 다시 마음을 다잡았다. 밤이 깊어 은하수도 이미 기울어진 뒤였다.

'아버지 버선이나 마지막으로 지으리라.'

바늘에 실을 꿰어 드니, 다시 가슴이 답답하고 두 눈이 침침하고 정신이 아득하였다. 가슴 속에서 하염없는 울음이 솟아 올라왔다. 그러나 아버지가 깰까 하여 크게 울지도 못하고 입을 앙다물고 흐느꼈다. 아버지의 얼굴에 자기 얼굴을 대어 보기도 하고, 아버지의 손발을 찬찬히 만져 보기도 하였다.

'내가 죽으면 누굴 믿고 사실까? 내가 철들고 나서 밥 빌기를 그만두셨는데, 내일부터 또다시 동네 거지가 되게 생겼으니 눈치인들 오죽하며 멸시인들 오죽할까. 내일 아침 돋는 해를 뜨지 못하게 매어 두면 가련하신 우리 아버지 좀 더 모시련만, 지는 달 뜨는 해를 뉘라서 막을쏘냐.'

이윽고 닭이 울었다. 심청은 다시 하염없이 눈물을 흘렸다.

"닭아 닭아, 울지 마라. 제발 덕분에 울지 마라. 네가 울면 날이 새고, 날이 새면 나 죽는다. 나 죽기는 서럽지 않으나, 의지할 데 없는 우리 아버지 홀로 두고 어찌 간단 말이냐?"

날이 차차 밝아 오니, 심청이 아버지에게 마지막 진지를 지어 드리려고 문을 열고 나섰다.

뱃사람들은 벌써 사립문 밖에 와서 서성거리고 있었다.

"오늘이 배 떠나는 날이오."

심청은 그 말을 듣자 얼굴이 창백해지며 손발에 맥이 탁 풀렸다. 목이 메고 머리가 어지러웠다.

심청은 뱃사람들을 겨우 불러 마음을 다잡고 말하였다.

"오늘이 떠나는 날인 줄 나도 알고 있소. 그러나 내가 팔린 것을 우리 아버지는 아직 모르시오. 마지막 진지나 지어 드리고, 말씀 여쭙고 떠나지요."

"그렇게 합시다."

뱃사람들이 선선히 대답하였다.

심청은 눈물로 밥을 지어 아버지께 올리고, 상머리에 마주앉아 자반도 떼어 입에 넣어 드리고 김도 싸서 수저에 놓아 드렸다.

"진지 많이 잡수셔요."

아무것도 모르는 심 봉사가 밥을 먹으며 말하였다.

"아가, 오늘 아침은 왜 이렇게 이르냐? 반찬도 유난히 좋구나. 뉘집 제사 지냈느냐?"

"제가 바느질 품 판 돈으로 고기를 좀 샀습니다."

심 봉사는 목이 메었다.

"네 어머니가 살았을 때는 네 어머니 바느질 품삯으로 고기를 먹었는데, 이제는 네 바느질 품삯으로 고기를 먹는구나. 이 모진 놈의 목숨이 죽지도 않고 이 고기를 먹는구나."

"아버지, 많이 드셔요."

심청은 눈물이 복받쳐 더 말을 잇지 못하고 다시 맛난 반찬만 떼어 입에 넣어 드렸다.

"어허, 이거 너무 지나치구나. 빌어먹는 사람이 이렇게 잘 먹으면 죄를 받지 않을까 무섭구나. 먹기는 좋다마는 다시는 그러지 마라."

심 봉사는 밥과 반찬을 맛나게 씹으며 다시 말을 이었다.

"아가, 그런데 참 이상한 일도 있더구나. 간밤 꿈에 네가 큰 수레를 타고 먼 곳으로 한없이 가더구나. 수레라는 것이 귀한 사람이 타는 것인데, 우리 집에 무슨 좋은 일이 있으려나 보다. 그렇지 않으면 장 정승 댁에서 너를 가마 태워 가려나 보다."

심청은 저 죽을 꿈인 줄 짐작하면서도 둘러대었다.

"아버지, 그 꿈 참 좋네요."

"좋고말고. 옳아, 그래. 어서 상 물려라. 오늘부터는 정승 댁에 가서 잘 먹자구나."

심 봉사는 어린아이처럼 숟가락을 탁 놓고 물러나 앉았다. 그러나 심청은 아버지가 다 먹고 나서도 눈에서 눈물이 자꾸 솟아나고 정신이 아득하여 밥을 먹을 수가 없었다.

심청은 밥상을 물리고 부엌으로 들어가서 혼자 흐느껴 울었다. 이제 더는 아버지를 속일 수 없게 된 것이다.

심청은 비틀비틀 부엌에서 걸어 나와 마루에 앉아 있는 아버지에게 우루루 달려가 목을 끌어안고,

"아이고, 아버지!"

하더니 그만 그 자리에 쓰러져 딱 기절을 해 버렸다.

아무것도 모르는 심 봉사는 마음 놓고 앉아 있다가 깜짝 놀라 심청을 흔들어 깨웠다.

"아가, 청아! 이게 웬일이냐? 오늘 아침 반찬이 너무 좋더니 무얼 먹고 체했느냐? 아이고, 이거 기절을 했네. 정신 차려라, 청아! 애고, 답답하다. 정신 차리고 말을 하여라."

심청이 한참 만에 겨우 정신을 차리고 무릎을 꿇고 앉아 아버지께 여쭈었다.

"아이고, 아버지! 제가 아버지를 속였소. 공양미 삼백 석을 누가 그냥 주겠소. 남경 가는 뱃사람들에게 인당수 제물로 몸을 팔아 오늘이 떠나는 날입니다. 아버지, 어서 눈을 뜨고 청이를 마지막으로 보셔요."

심 봉사는 그 말을 듣고 허옇게 먼 눈을 위로 번쩍 추어올렸다가 아래로 내렸다가 어쩔 줄을 몰라 하며 한참 동안 말문이 막혀 버렸다.

그러다가는 이내 심청의 손을 잡고 미친 듯이 펄펄 뛰었다.

"아이고, 이것이 웬 말이냐! 여봐라, 청아! 무엇이 어쩌고 어째! 너 그 말 참 잘했다. 세상에 어느 아비가 자식을 팔아 눈을 뜬단 말이냐? 네가 살고 내가 눈을 뜨면 그것이 마땅히 할 일이지만, 자식 죽여 눈을 뜬들 그게 차마 할 일이냐, 이 철없는 자식아! 내 아무리 눈이 어둡지만 너를 눈으로 알고 네 어머니 죽은 뒤에 걱정 없이 살았더니, 이게 무슨 소리냐? 안 된다! 너하고 나하고 함께 죽자! 못한다! 그렇게는 못한다!"

그때 뱃사람들이 물때 늦어 간다고 재촉을 하였다.

그 말을 들은 심 봉사는 문을 벌컥, 우당탕 열어젖히고 신발 꿸 정신도 없이 엎어지고 자빠지며 달려나가 악을 쓴다.

"이 뱃놈들, 어디 있느냐! 네 이놈, 독한 상놈들아! 장사도 좋다마는 사람 사다 제사 지내는 것을 어디서 보았느냐? 네놈들은 천벌을 받을 것이다. 눈먼 놈의 무남독녀 철모르는 어린 것을 나 모르게 유인하여 돈을 주고 산단 말이냐? 돈도 싫고 쌀도 싫고, 눈 뜨기도 나는 싫다, 네 이 상놈

들아. 내 딸 못 데려간다! 못 데려가!"

심 봉사는 가슴을 쾅쾅 치고, 발을 동동 구르고, 머리를 바닥에 탕탕 찧어 가며 죽기로 덤벼들었다.

"여보시오, 동네 사람들! 저런 놈들을 그냥 두고 본단 말이오? 악독한 저 뱃놈들을 내 손에 잡혀 주시오. 이놈들을 죽이고 나도 즉시 죽을 것이오. 이보시오, 동네 사람들! 제발 이놈들한테 몰매 좀 놓아 주시오. 무남독녀 내 딸 청이를 좀 살려 주시오! 이 눈먼 놈을 좀 살려 주시오!"

심청은 미쳐 날뛰며 우는 아버지를 붙들고 울면서 위로하였다.

"아버지, 할 수 없어요. 저는 이제 죽지마는 아버지는 눈을 떠서 밝은 세상 보시고, 착한 아내를 맞아 아들 낳고 딸 낳고 행복하게 사셔요. 이 못난 딸자식은 생각하지 말고 오래오래 평안히 사셔요."

작품 해설

갈래 : 고전 소설, 판소리계 소설
성격 : 교훈적, 비현실적, 환상적
배경 : 송나라 말년 황해도 도화동
시점 : 전지적 작가 시점
제재 : '심청'의 효
특징 : · 설화로 구전되다가 판소리로 가창되었고 이후 고전 소설로 정착된 작품임
· 유교적 덕목인 효를 강조함
· 현실 세계를 중심으로 전개되는 전반부와 환상적인 이야기를 중심으로 전개되는 후반부로 내용이 구분됨
주제 : 부모에 대한 지극한 효심과 인과응보

3 토끼전 _ 작자 미상

앞부분의 줄거리

어느 날, 북해 용왕은 우연히 병을 얻게 된다. 그래서 병을 낫게 해 줄 약을 백방으로 찾았지만, 효험이 있는 약은 어느 곳에도 없고 용왕의 병세는 날이 갈수록 심해지기만 한다. 그러던 어느 날, 홀연히 한 도사(道士)가 나타나 용왕의 병에는 토끼의 간이 특효약임을 알려 주자, 용왕은 육지로 나가 토끼를 잡아 올 신하를 찾는다. 여러 신하가 모인 중에 별주부(자라)가 앞으로 나서며 자기가 토끼를 잡아 올 것임을 아뢰자, 용왕은 크게 기뻐하며 그의 충성심을 칭찬한다. 이리하여 육지에 올라온 별주부는 토끼를 만나, 아름다운 용궁의 경치와 풍성한 먹을거리를 자랑하기도 하고, 육지에서 살다가는 언제 어떻게 죽을지 모른다고 협박도 하면서, 자기와 함께 용궁으로 가자고 토끼를 꼬드긴다. 결국, 토끼는 별주부의 꼬임에 넘어가 지난해에 새로 맞이한 아내와 작별 인사도 하지 않은 채 용궁으로 가기로 마음을 먹는다.

토끼는 별주부와 함께 물가로 내려와 별주부의 등에 올라앉았다. 그러고는 두 눈을 꼭 감았다. 잠시 후, 몸이 두둥실 뜨는가 싶더니만 어느새 바닷속으로 빠져들었다. 눈을 떠 보니 오색구름이 찬란하게 궁궐을 휘감고 있었는데, 문 위에는 '북해 용궁' 이란 현판이 걸려 있었다. 용궁 문 앞에는 많은 졸개들이 삼엄하게 늘어서 있었다.

별주부가 토끼에게 이르기를,

"내 잠깐 들어갔다 올 것이니 여기서 잠시만 기다리게."

하고는, 용왕 앞에 나아가 토끼 잡아 온 사연을 아뢰었다.

수궁 신하들은 만세를 부르고, 병든 용왕은 크게 기뻐하며 토끼를 바삐 잡아들이라 분부하였다. 금부도사(禁府都事)가 나졸을 거느리고 나가 보니, 토끼는 홀로 앉아 별주부 돌아오기만을 기다리고 있었다. 뜻밖에 금부도사가 나타나 어명을 전하고, 나졸들은 좌우로 달려들어 토끼를 옴짝달싹 못하게 묶었다. 그러고는 바람같이 급히 몰아 용왕 앞에 무릎을 꿇렸다. 토끼가 겨우 정신을 차려 고개를 들어 보니, 앞에는 우뚝한 관을 쓰고 비단옷을 걸친 용왕이 앉아 있고, 좌우에는 온갖 신하들이 빽빽하게 지키고 서 있었다.

용왕이 토끼에게 가로되,

"과인(寡人)은 수궁의 으뜸인 임금이요, 너는 산중의 조그마한 짐승이라. 과인이 우연히 병을 얻어 고생한 지 오래되었도다. 네 간이 약이 된다는 말을 듣고 특별히 별주부를 보내어 너를 데려왔으니, 너는 죽는 것을 한스럽게 여기지 마라. 너 죽은 후에 비단으로 몸을 싸고 구슬로 장식한 관에 넣어 천하의 명당자리에 묻어 줄 것이니라. 또한, 과인의 병이 낫게 되면, 마땅히 사당을 세워 너의 공을 표하겠노라. 이것이 산중에서 살다가 호랑이나 솔개의 밥이 되거나 사냥꾼에게 잡혀 죽는 것보다 어찌 영화로운 일이 아니겠느냐? 과인의 말은 결코 거짓이 아니니, 너는 죽은 혼이 되더라도 조금도 나를 원망하지 말지어다."
하고는 즉시 토끼의 간을 꺼내 오라고 명령을 내렸다. 그러자 뜰아래에 늘어서 있던 나졸들이 토끼의 배를 가르려 일시에 달려들었다.

이때, 토끼는 용왕의 말을 듣고 난데없는 날벼락을 맞은 듯 정신이 아득해졌다.

'부귀영화를 누리게 해 준다는 별주부의 말에 속아 가족과 고향을 버리고 이렇게 왔으니, 어찌 이런 재앙이 없을쏘냐? 이제는 날개가 있어도 능히 하늘로 날아가지 못할 것이요, 축지법을 쓸지라도 여기서 능히 벗어나지 못하리니 어찌하리오?'

토끼는 절망감에 빠져들었다. 그러다가 다시 생각하되,

'옛말에 이르기를 호랑이 굴에 들어가도 정신만 차리면 산다고 하였으니, 어찌 죽기만 생각하고 살아날 방책을 헤아리지 아니하리오?'
하더니 문득 한 묘한 꾀를 생각해 냈다.

이에, 얼굴빛을 태연스럽게 하고 고개를 들어 용왕을 우러러보며 가로되,

"제가 비록 죽을지라도 한 말씀 아뢰리다. 용왕님은 수궁의 임금이시요, 저는 산중의 하찮은 짐승일 따름이옵니다. 만일, 제 간으로 용왕님의 병환을 낫게 할 수만 있다면, 어찌 한낱 간 따위를 아끼겠나이까? 게다가 죽은 뒤에 후하게 장사를 지내 주고 사당까지 세워 주신다고 하시니, 그 은혜는 하늘과 같이 넓고 크나이다. 비록 지금 죽는다고 한들 어찌 조금이라도 여한이 있겠사옵니까? 다만 애달픈 바는 제가 비록 하찮은 짐승이오나 보통 짐승과 달라, 지금은 간이 없나이다. 저는 본래 하늘의 정기를 타고 태어난 까닭에 아침이면 옥 같은 이슬을 받아 마시며 밤낮으로 향기로운 풀을 뜯어 먹고 사옵니다. 제 간이 영약(靈藥)이 되는 것은 그런 까닭입니다. 그래서 세상 사람은 저를 만날 때마다 간을 달라고 심히 보채지요. 저는 이런 간절한 부탁을 매번 거절하기 어려워 간을 염통과 함께 꺼내 맑은 계곡물에 여러 번 씻어 높은 산, 깊은 바위틈에 감

춰 두고 다닌답니다. 그러다가 우연히 별주부를 만나 여기에 따라온 것이니, 만일 용왕님의 병환이 이러한 줄 알았던들 어찌 가져오지 아니하였겠나이까?"
하며 도리어 자라를 꾸짖었다.

"네 진정 임금을 위하는 정성이 있을진대, 어이 이러한 사정을 일언반구(一言半句)도 말하지 아니하였는가?"

용왕이 이 말을 듣고 크게 노하여 꾸짖었다.

"너야말로 진실로 간사한 놈이로다. 천지간에 어느 짐승이 간을 내고 들일 수가 있단 말인가? 네가 얕은꾀로 살기를 도모하나, 과인이 어찌 허무맹랑한 거짓에 속으리오? 네가 과인을 기만하고 있는 죄 더욱 크도다. 너의 간을 내어 과인의 병을 고침은 물론이요, 임금을 속이려 한 죄를 엄한 벌로 다스리리라."

용왕의 지엄한 꾸짖음을 들은 토끼는 정신이 아득하고 가슴이 답답해졌다. 이젠 속절없이 죽을 수밖에 없다며 곰곰이 앉아 생각하다가, 다시 웃으며 아뢰었다.

"용왕님은 제 말씀을 자세히 들으시고 깊이 생각하시옵소서. 제 배를 갈라 간이 있다면 다행이겠지만, 만약 없으면 용왕님의 병환도 고치지 못하고 부질없이 저만 죽을 따름이오니 어찌 다시 간을 얻겠나이까? 그때는 후회해도 소용없을 것이오니, 바라옵건대 용왕님은 깊이 헤아리소서."

용왕이 토끼의 말을 듣고 보니 그럴 듯도 하거니와, 또 토끼의 얼굴색이 태연한 것을 보고 심히 의아해졌다.

"네 말과 같을진대, 간을 들이고 내는 표가 과연 있는가?"
토끼가 이 말을 듣고 마음속으로 크게 기뻐하며 생각하되,

'이제는 내 살아날 방도가 생겼도다.'
하며 바로 여쭈었다.

"이 세상의 온갖 날짐승, 길짐승 가운데 저만 홀로 특별히 간을 들이고 내는 곳이 있사옵니다."

용왕이 더욱 의심하여 말하였다.

"네가 간을 들이고 낼 수 있다 하니, 뱃속에 간이 있는데 혹시 착각하고 있는 것은 아닌가? 그렇다면 배를 갈라 보아야 하지 않겠는가?"

토끼가 다시 여쭈었다.

"제가 비록 간을 들이고 낼 수 있으나, 그 또한 정해진 때가 있사옵니다. 매달 초하루부터 보름까지는 뱃속에 넣어 해와 달의 정기를 받아 천지의 기운을 온전히 간직하고, 보름부터 그믐까

지는 배에서 꺼내 옥처럼 깨끗한 계곡물에 씻어 소나무와 대나무가 우거진 깨끗한 바위틈에 아무도 모르게 감춰 둔답니다. 그렇기에 제 간을 두고 세상 사람들이 모두 영약이라고 하는 것이지요. 별주부를 만난 때는 곧 오월 하순이었습니다. 만일, 별주부가 용왕님의 병환이 이렇듯 위급함을 미리 말했더라면 며칠 기다렸다 간을 가져왔을 것이니, 이는 모두 별주부의 미련한 탓이로소이다."

대개 수궁은 육지의 사정에 밝지 못한 까닭에 용왕은 토끼의 말을 묵묵히 듣고 있다가 속으로 헤아리되,

'만일 저 말과 같을진대, 배를 갈라 간이 없으면 애써 잡은 토끼만 죽일 따름이요, 다시 누구에게 간을 얻을 수 있으리오? 차라리 살살 달래어 육지에 나가 간을 가져오게 함이 옳도다.'

하고, 좌우에 명하여 토끼의 결박을 풀고 자리를 마련해 편히 앉도록 했다. 토끼가 자리에 앉아 황공함을 이기지 못하거늘, 용왕이 가로되,

"토 선생은 과인의 무례함을 너무 탓하지 마시게."

하고, 옥으로 만든 술잔에 귀한 술을 가득 부어 권하며 재삼 위로하니, 토끼가 공손히 받아 마신 후 황송함을 아뢰었다.

그때, 한 신하가 문득 앞으로 나와 아뢰었다.

"신이 듣자오니 토끼는 본디 간사한 짐승이라 하옵니다. 바라옵건대 토끼의 간사한 말을 곧이 듣지 마시고 바삐 간을 내어 옥체를 보중하옵소서."

모두 바라보니, 간언(諫言)을 잘하는 자가사리였다. 하지만 토끼의 말을 곧이듣게 된 용왕은 기꺼워하지 않으며 말하였다.

"토 선생은 산중의 점잖은 선비인데, 어찌 거짓말로 과인을 속이겠는가? 경은 부질없는 말을 내지 말고 물러가 있으라."

결국 자가사리가 분함을 못 이기고 하릴없이 물러났다.

용왕이 이에 크게 잔치를 열어 토끼를 대접하였다. 온갖 귀한 음식이 옥으로 만든 쟁반에 쌓여 있고, 세상에 보기 드문 귀한 술이 잔마다 가득하고, 흥겨운 음악을 연주하는 미녀들은 쌍쌍이 춤추고 노래하였다. 토끼가 술에 흠뻑 취해 속으로 생각하되,

'내 간을 줄지라도 죽지 아니할 것 같으면 이곳에서 평생 살고 싶구나.'

하였다.

용왕이 다시 토끼에게 말하였다.

"과인은 수궁에 거하고 그대는 산중에 살아 물과 땅으로 나뉘어 있더니, 오늘 이렇게 만나게 됨은 참으로 기이한 인연이라. 그대가 과인을 위하여 간을 가져온다면, 과인이 어찌 그대의 두터

운 은혜를 저버리리오? 후하게 보답할 뿐만 아니라 마땅히 부귀를 함께 누리게 할지니, 그대는 깊이 생각할지어다."

토끼가 웃음을 참지 못하나, 조금도 얼굴색을 바꾸지 아니하고 기쁜 듯이 대답하였다.

"대왕은 너무 염려하지 마옵소서. 분에 넘치는 용왕님의 너그러움 덕택에 보잘것없는 목숨이 살아났으니, 그 은혜를 어찌 생각지 아니하겠나이까? 하물며 저는 간이 없더라도 죽고 사는 것에는 관계가 없으니 어찌 아끼겠나이까?"

이에 용왕이 크게 기뻐하였다.

잔치를 마친 후, 용왕이 곁에 선 신하에게 명하여 토끼를 모셔다가 편히 쉬도록 하였다. 토끼가 따라 들어가 보니 영롱한 빛을 발하는 병풍과 진주로 엮은 주렴이 사방에 드리워져 있었고, 저녁 식사를 받고 보니 인간 세상에서는 듣지도 보지도 못하던 진수성찬이었다. 그러나 토끼는 마치 바늘방석에 앉은 듯 불안하기만 했다. '내 비록 잠시 속임수로 용왕을 속였지만, 여기에 오래 머무를 수는 없겠지.' 하는 생각에 밤새 잠을 이루지 못하고, 이튿날 용왕을 뵙고 아뢰었다.

"용왕님의 병환이 심상치 않은 지 이미 오래되었습니다. 하루라도 빨리 육지에 나가 간을 가져오고자 하오니, 바라옵건대 저의 작은 정성을 굽어살피시옵소서."

용왕은 크게 기뻐하며 즉시 별주부를 불러들였다.

"그대는 수고를 아끼지 말고, 다시 토 선생과 함께 인간 세상에 나갔다 오라."

하니, 별주부는 하는 수 없이 머리를 조아려 명을 받들었다. 용왕은 다시 토끼에게 당부하기를,

"그대는 속히 다녀오라."

하고 진주 이백 개를 주어 말하였다.

"이것이 비록 변변치 않으나 과인의 정성을 표하기 위해 우선 주노라."

토끼가 공손히 받은 후 용왕에게 하직하고 나오니, 수궁의 모든 신하들이 대궐 문밖에까지 나와 전송하였다. 그러나 자가사리만은 그 자리에 나오지 아니하였다.

그리하여 토끼는 다시 별주부의 등에 올라앉아 너른 바닷물을 건너 육지에 이르렀다. 별주부가 토끼를 내려놓으니, 토끼는 기쁨에 겨워 노래하되,

"이는 진실로 그물을 벗어난 새요, 함정에서 도망 나온 범이로다. 만일 나의 묘한 꾀가 아니었더라면, 어찌 고향 산천을 다시 볼 수 있었으리오?"

하며 사방으로 팔짝팔짝 뛰놀았다.

별주부가 토끼의 이런 모습을 보고 말하였다.

"우리의 갈 길이 바쁘니, 그대는 속히 돌아갈 일을 생각하라."

토끼가 큰 소리로 웃으며,

"미련한 자라야, 뱃속에 든 간을 어이 들이고 낼 수 있겠느냐? 이는 잠시 나의 묘한 꾀로 미련하고 어리석은 너희 용왕과 수국 신하들을 속인 말이로다. 또 너희 용왕이 병든 것이 나와 무슨 관계가 있다는 말이냐? 예로부터 전해지는 풍마우불상급(風馬牛不相及)이란 말은 이를 두고 이름이라. 그리고 이놈, 별주부야! 아무 걱정 없이 산속에서 한가로이 지내던 나를 유인하여 너의 공을 이루려 하였으니, 수궁에서 죽을 뻔한 일을 생각하면 아직도 머리털이 꼿꼿이 서는 듯하다. 너를 죽여 나의 분을 풀어야 마땅하겠지만, 네가 나를 업고 만리창파 너른 바닷길을 왕래한 수고를 생각하여 목숨만은 살려 주겠노라. 죽고 사는 일은 모두 하늘의 명에 달린 것이니, 속히 돌아가 다시는 부질없는 생각을 내지 말라고 용왕에게 전하여라. 나는 청산으로 돌아가노라."
하고는 소나무 우거진 숲 속으로 자취를 감추어 버렸다.

이때, 별주부는 토끼가 간 곳을 바라보며 길게 탄식하여 가로되,

"충성이 부족한 탓에 간특한 토끼에게 속아 빈손으로 돌아가게 되었으니 무슨 면목으로 우리 용왕과 신하들을 대하리오? 차라리 이곳에서 죽는 것만 같지 못하도다."
하고 토끼에게 속은 사연을 적어 바위에 붙이고, 머리를 바위에 부딪쳐 죽었다.

별주부가 떠난 뒤 소식이 없자 용왕은 거북을 보내어 자세한 사정을 알아 오라 분부했다. 거북이 즉시 물가에 이르러 살펴보니, 바위 위에 글이 붙어 있고, 곁에 별주부의 시체가 있었다.

거북이 돌아와 용왕에게 아뢰니, 용왕이 별주부를 불쌍히 여겨 후하게 장사를 지내 주었다. 그 후, 여러 신하들은 산중의 하찮은 토끼가 수궁의 군신을 속인 죄를 묻기 위해서 토끼를 잡아들여야 한다며 용왕에게 상소를 올렸다. 하지만 용왕이 이르기를,

"여러 신하들의 말은 옳지 않다. 과인이 하늘의 명을 모르고 무고한 토끼의 목숨을 빼앗으려 하였으니 어찌 현명하다 하겠느냐? 그대들은 다시 아무 말도 하지 마라."
하고는 태자에게 자리를 물려주고 죽으니, 그때 용왕의 나이 일천팔백 세였다. 태자와 여러 신하들은 애통해하며 성대하게 장사를 치르니, 그 광경이 매우 엄숙하였다.

작품 해설

갈래 : 고전 소설, 판소리계 소설, 우화 소설
성격 : 해학적, 풍자적, 우화적, 교훈적
배경 : 시간적 – 뚜렷하지 않음(조선 시대로 짐작) / 공간적 – 용궁, 바닷속, 산속
시점 : 전지적 작가 시점
제재 : 토끼의 간
특징 : · 동물을 의인화하여 인간 사회를 풍자한 우화적 수법을 사용함
· 창작 당시의 사회적 배경을 바탕으로 민중의 비판 의식이 반영됨
주제 : 표면적 – 위기를 극복하는 지혜, 임금에 대한 충성심, 헛된 욕심에 대한 경계
이면적 – 봉건적 지배 계층에 대한 비판과 풍자

4 양반전 _ 박지원

'양반' 은 사족(士族)을 높여서 부르는 말이다. 강원도 정선 고을에 한 양반이 살고 있었는데, 그는 성품이 어질고 글 읽기를 좋아하였다. 그래서 군수가 새로 부임할 때마다 반드시 그 집에 몸소 나아가서 경의를 표하였다.

그러나 그는 살림이 가난해서 해마다 관가에서 환자(還子)를 타 먹었다. 그렇게 여러 해가 쌓이고 보니, 천 석이나 되었다. 관찰사가 여러 고을을 돌아다니다가 이곳에 이르러 관청 쌀의 출납을 검사하고는 매우 노하였다.

"어떤 놈의 양반이 군량을 이렇게 축냈단 말이냐?" 하고 명령을 내려 그 양반을 잡아들이게 하였다. 군수는 그 양반이 가난해서 갚을 길이 없는 것을 불쌍히 여겼다. 차마 가두고 싶지 않았지만, 그렇다고 가두지 않을 수도 없었다. 양반은 밤낮으로 훌찍거리며 울었지만 아무런 대책도 나지 않았다. 그러자 그의 아내가 이렇게 욕하였다.

"당신이 한평생 글 읽기를 좋아했지만, 관가의 환자를 갚는 데 아무런 도움도 못 되는구려. 쯧쯧. 양반, 양반 하더니 한 푼어치도 못 되는구려."

그 마을에 부자가 있었는데, 가족들과 서로 의논하였다.

"양반은 아무리 가난해도 언제나 존경을 받지만, 우리는 아무리 부자가 되어도 언제나 하대를 받고 천하거든. 감히 말을 탈 수도 없고, 양반만 보면 저절로 기가 죽어서 굽실거리며 엉금엉금 기어가서 뜰 밑에서 절해야 하지. 코가 땅에 닿도록 무릎으로 기다시피 하면서 우리네는 줄곧 이렇게 창피를 당해야 하거든. 마침 저 양반이 가난해서 환자를 갚지 못해 몹시 곤란해질 모양이야. 참으로 그 양반이라는 자리도 지닐 수 없는 형편이 되었지. 그렇다면 내가 그것을 사서 가져야겠어."

부자는 곧 양반의 집을 찾아가서 환자를 대신 갚겠다고 청하였다. 양반은 크게 기뻐하면서 허락하였다. 부자는 곧바로 곡식을 관가에 보내어 갚았다. 군수는 매우 놀라면서도 이상하게 생각하였다. 직접 양반을 찾아가 위로하면서 환자를 갚은 사정을 물으려고 하였다. 그러자 양반은 벙

거지를 쓰고 베잠방이를 입은 채 길바닥에 엎드려 '쇤네' 라고 칭하면서 감히 올려다보지를 못하였다.

군수가 깜짝 놀라 내려가서 그를 부축하며 "선생께서 어찌 이다지도 스스로를 욕되게 하시는지요?" 하였다. 양반은 더욱 황송하여 어쩔 줄 몰라 하며 머리를 조아리고 엎드렸다.

"황송하옵니다. 쇤네가 감히 일부러 이런 짓을 하는 것은 아니옵니다. 쇤네는 벌써 스스로 양반을 팔아 환자를 갚았으니, 마을의 부자가 바로 양반이옵니다. 쇤네가 어찌 다시금 뻔뻔스럽게 옛날처럼 양반 행세를 하면서 스스로 높이겠습니까?"

군수가 감탄하면서 말하였다.

"군자답구려, 부자시여! 양반답구려, 부자시여! 부유하면서도 아끼지 않으니 정의롭고, 남의 어려움을 돌봐 주니 어질도다. 낮은 신분을 싫어하고 높은 자리를 그리워하니 슬기롭도다. 이야말로 참된 양반이로다. 아무리 그렇더라도 소송이 일어날 꼬투리가 되리다. 내가 그들과 더불어 고을 사람들을 모아 놓고 증인을 세운 뒤에, 증서를 만들어 주리다. 군수인 내 자신이 마땅히 서명해야지."

군수가 곧 동헌(東軒)으로 돌아와서 온 고을 사족과 농민 · 공장(工匠) 장사치까지 모두 불러 뜰에 모았다. 부자는 향소(鄕所)의 오른쪽에 앉히고 양반은 공형(公兄) 아래 세운 뒤 바로 증서를 작성하였다.

"건륭(乾隆) 10년 9월 며칠에 아래와 같이 문권에 밝힌다. 양반을 팔아서 관가의 곡식을 갚은 일이 생겼는데, 그 곡식은 천 섬이나 된다. 이 양반의 이름은 여러 가지이다. 글만 읽으면 '선비'라 하고, 정치에 종사하면 '대부(大夫)'라 하며, 착한 덕이 있으면 '군자(君子)'라고 한다. 무관은 조정에서 서쪽에 서고, 문관은 동쪽에 서며, 이들을 통틀어 '양반'이라고 한다. 이 여러 가지 양반 가운데서 그대 마음대로 골라잡되, 오늘부터는 지금까지 하던 야비한 일들을 깨끗이 끊어 버리고 옛사람을 본받아 뜻을 고상하게 가져야 한다.

오경(五更)이 되면 언제나 일어나서 성냥을 그어 등불을 켜고, 정신을 가다듬어 눈으로 코끝을 내려다보며, 두 발뒤축을 한데 모아 볼기를 괴고 앉아서, "동래박의(東萊博義)"처럼 어려운 글을 얼음 위에 박 굴리듯이 외워야 한다. 굶주림을 참고 추위를 견디며, 가난하다는 말을 입 밖에 내지 말아야 한다. 이를 두드리며 손가락으로 뒤통수를 튕긴다. 침을 가늘게 뿜어 만든 진액을 삼키고 털 감투를 쓸 때에는 소맷자락으로 털어서 물결무늬가 생겨나게 한다. 세수할 때에는 주먹의 때를 비비지 말 것이며, 입을 양치질해서 입 냄새를 없앤다. 긴 목소리로 '아무개야' 하고 계집종을 부르고, 느리게 걸으면서 뒤축을 끌어야 한다.

"고문진보(古文眞寶)"나 "당시품휘(唐詩品彙)" 같은 책들을 깨알처럼 가늘게 베껴 쓰되, 한 줄에 백 자씩 써야 한다. 손에 돈을 지니지 말 것이며, 쌀값을 묻지도 말아야 한다. 날씨가 더워도 버선을 벗지 말며, 밥을 먹을 때도 맨상투 꼴로 앉지 말아야 한다. 식사하면서 국물부터 먼저 마셔 버리지 말며, 마시더라도 훌쩍거리는 소리를 내지 말아야 한다. 젓가락을 내려놓을 때 밥상을 찧어 소리 내지 말며, 생파를 씹지 말아야 한다. 막걸리를 마신 뒤에 수염을 빨지 말며, 담배를 태울 때에도 볼이 오목 파이도록 빨아들이지 말아야 한다.

아무리 분하더라도 아내를 치지 말며, 화가 나더라도 그릇을 차지 말아야 한다. 맨주먹으로 아녀자들을 때리지 말며, 종들이 잘못하더라도 족쳐 죽이지 말아야 한다. 말이나 소를 꾸짖으면서 팔아먹은 주인을 들추지 말아야 한다. 병이 들어도 무당을 불러오지 말고, 제사 지내면서 중을 불러다 재(齋)를 올리지 말아야 한다. 화롯불에 손을 쬐지 말며, 말할 때 침이 튀게 하지 말아야 한다. 소백정 노릇을 하지 말며, 돈치기 놀이도 하지 말아야 한다.

이러한 여러 가지 행위 가운데 부자가 한 가지라도 어기면, 양반은 이 증서를 가지고 관청에 와서 송사하여 바로잡을 수 있다."

이렇게 쓰고 성주 정선 군수가 화압을 하고 좌수와 별감이 모두 서명을 하니, 통인이 관인을 찍었다. 뚜욱뚜욱 하는 그 소리는 마치 엄고 치는 소리 같았고, 그 찍어 놓은 모습은 마치 북두칠성이 세로 놓인 듯, 삼성이 가로 놓인 듯 보였다. 호장이 읽기를 마치자, 부자가 한참이나 멍하게 있다가 말했다.

"양반이 겨우 요것뿐이란 말씀이오? 나는 '양반은 신선과 같다.'고 들었지요. 정말 이것뿐이라면 너무 억울하게 곡식만 빼앗긴 거지유. 아무쪼록 좀 더 이롭게 고쳐 주시오."

그래서 다시 증서를 만들었다.

"하늘이 백성을 낳으실 때에 그 갈래를 넷으로 나누셨다. 이 네 갈래 백성들 가운데 가장 존귀한 이가 선비이고, 이 선비를 양반이라고 부른다. 이 세상에서 양반보다 더 큰 이익을 주는 것은 없다. 그들은 농사짓지도 않고 장사하지도 않는다. 옛글이나 역사를 대략만 알면 과거를 치르는데, 크게 되면 문과(文科)요 작게 이르더라도 진사(進士)이다.

문과의 홍패(紅牌)는 두 자도 채 못 되지만, 온갖 물건이 이것으로 갖추어지니 돈 자루나 다름없다. 진사는 나이 서른에 첫 벼슬을 하더라도 오히려 이름난 음관(蔭官)이 될 수 있다. 훌륭한 남인(南人)에게 잘 보인다면, 수령 노릇을 하느라고 귓바퀴는 일산바람에 희어지고, 배는 동헌 사령들의 '예이!' 하는 소리에 살찌게 되는 법이다. 방 안에서 귀고리로 기생이나 놀리고, 뜰 앞에 곡식을 쌓아 학을 기른다.

(비록 그렇지 못해서) 궁한 선비로 시골에 살더라도 마음대로 행동할 수 있다. 이웃집 소를 몰아다가 내 밭을 먼저 갈고 동네 농민을 잡아내어 내 밭을 김매게 하더라도, 어느 놈이 감히 나

를 괄시하랴. 네 놈의 코에 잿물을 따르고 상투를 잡고 흔들며 수염을 뽑더라도 원망조차 못하리라."

부자가 그 증서 만들기를 중지시키고 혀를 빼면서 말하였다.

"그만두시오. 제발 그만두시오. 참으로 맹랑합니다그려. 당신네가 나를 도둑놈으로 만들 작정이시오?" 하고는 머리채를 흔들면서 달아났다. 그 뒤부터 그는 죽을 때까지 '양반'이란 소리를 입에 담지도 않았다.

작품 해설

갈래 : 고전 소설, 풍자 소설, 단편 소설
성격 : 풍자적, 현실 비판적
배경 : 시간적 – 조선 후기 / 공간적 – 강원도 정선군
시점 : 전지적 작가 시점
제재 : 양반 신분의 매매
특징 : · 양반 신분의 매매 사건을 통해 양반들의 위선적인 모습을 풍자함
· 신분 질서가 흔들리는 조선 후기의 사회상을 사실적으로 드러냄
주제 : 양반들의 허례허식과 무능함, 위선에 대한 비판

5 박씨전 _ 작자 미상

앞부분의 줄거리

조선 인조 때, 이 상공(相公)의 아들 이시백은 어려서부터 매우 총명하고 용맹하여 그 이름을 널리 떨쳤다. 어느 날 박 처사(處士)가 이시백의 집에 찾아가 이시백과 자신의 딸을 정혼시키자고 청하고, 박 처사의 신비한 재주를 보고 감탄한 이 상공은 둘의 혼인을 허락한다. 그러나 박 처사의 딸과 혼인한 이시백은 박씨의 용모가 천하의 박색(薄色)임을 알고 실망하여 박씨를 대면조차 하지 않는다. 박씨는 이 상공에게 청하여 후원에 초당(草堂)을 짓고 시비 계화와 함께 지낸다.

시절이 태평하고 농사는 풍년이 들어 백성들의 삶이 더욱 편안해졌다. 이때 나라에서는 인재를 구하고자 과거를 보게 되었는데, 시백 역시 이 과거를 치르기로 하였다.

시백이 과거를 보기로 한 날 밤, 박씨는 꿈 하나를 꾸었다. 뒤뜰 연못 가운데 꽃이 활짝 피어 있는데, 그 꽃 위로는 벌과 나비가 날아오르고 꽃 아래에는 백옥으로 만든 연적이 놓여 있었다. 그런데 갑자기 그 연적이 청룡으로 변하더니 푸른 바다 위를 노닐다가 여의주를 얻어 구름을 타고 백옥경(白玉京)으로 올라갔다. 놀란 박씨가 잠에서 깨어나니 한바탕 꿈이었다.

잠에서 깨어난 박씨는 더 이상 잠을 이루지 못하고 이런저런 생각에 잠겨 있었다. 어느덧 동방이 밝아 오는 것을 보고 박씨는 급히 밖으로 나왔다. 연못에 다가가니 과연 꽃 아래에 연적이 놓여 있는데, 꿈속에서 본 바로 그 연적이었다. 반가운 마음에 연적을 방에 갖다 놓고 계화를 불렀다.

"급히 가서 서방님을 모셔 오너라."

시백은 연적을 품에 안고 과거장에 들어가 글제가 내리기를 기다렸다. 잠시 후 '강구(康衢)에 문동요(聞童謠)' 라는 글제가 내렸다. 시백이 박씨가 준 연적의 물을 부어 먹을 갈아 황모무심필

(黃毛無心筆)을 반쯤 흠뻑 적신 후 한달음에 써 내려가니 가히 고칠 것이 없었다. 제일 먼저 글을 바치고 방이 내리기를 기다렸다. 잠시 후 방이 걸렸는데, '한성부에 사는 이득춘의 아들 시백' 이라 쓰여 있었다. 장원 급제였다.

집에 돌아와서는 다시 풍악을 갖추고 잔치를 크게 베풀었다. 잔치에 참석한 여러 재상이 너도 나도 상공에게 축하 인사를 드렸고, 상공도 술잔을 돌리며 마음껏 즐거움을 누렸다. 이윽고 날이 저물어 파연곡(罷宴曲) 소리가 울려 퍼지고 손님들은 모두 집으로 돌아갔다.

상공이 시백과 함께 내당(內堂)으로 들어가 촛불을 밝히고 낮을 이어 즐기려 했지만, 얼굴에 나타난 서운한 빛을 감출 수는 없었다. 얼굴 못난 며느리가 손님 보기를 부끄러워하여 피화당에서 나오지 않았기 때문이었다. 상공이 서운해하는 모습을 본 부인이 물었다.

"오늘 이 경사는 평생에 두 번 보지 못할 경사입니다. 이런 날, 대감의 낯빛이 좋지 않은 것은 무슨 까닭입니까? 추악한 박씨가 이 자리에 없어서 그런 것입니까? 참으로 우습습니다."

상공은 즉시 얼굴빛을 고치고 엄숙하게 말했다.

"부인의 소견이 아무리 얕고 짧다고 한들, 어찌 그렇게 가벼운 말을 하는 것이오? 며느리의 신통한 재주는 옛날 제갈공명(諸葛孔明)의 부인 황씨를 누를 것이고, 뛰어난 덕행은 주나라의 임사(妊姒)에 비할 것이오. 우리 가문에 과분한 며느리이거늘, 부인은 다만 생김새만 보고 속에 품은 재주는 생각하지 않으시니 그저 답답할 따름이오."

어느 날, 박씨가 상공에게 말했다.

"제가 출가한 이후 오래도록 친가 소식을 알지 못하고 있습니다. 오랜만에 부친을 찾아뵙고자 하오니, 잠깐 다녀올 수 있도록 허락해 주시기 바랍니다."

"이곳에서 금강산까지는 수백 리 험한 길이라 남자들도 자주 출입하기 어렵다. 하물며 규중 여자의 몸으로 어찌 가겠느냐?"

"험한 길 다니기가 어려운 줄 알지만, 부득이 가 볼 일이 있습니다. 염려 마시고 허락해 주십시오."

"네 뜻이 그렇다면 말리지는 못하겠구나. 내일 채비를 해 줄 테니 부디 무사히 다녀오너라."

"채비는 차릴 것 없습니다. 저 혼자 며칠 내로 다녀올 것이오니 번거로운 말씀 마십시오."

상공이 며느리의 재주를 알고 허락은 했지만, 속으로는 걱정이 되어 잠자리가 편안하지 않았다.

다음 날, 날이 밝자마자 박씨는 집을 나섰다. 피화당 뜰에 나와 두어 걸음을 걷는가 싶더니 어느새 몸을 날려 구름을 타고 자취를 감추었다. 잠깐 만에 금강산에 다다라 부친께 절을 하고 문안을 드리니, 처사가 박씨의 손을 잡고 반겼다.

"너를 시가에 보낸 후 너의 기박한 운명을 생각하며 눈물 흘리지 않은 날이 없었다. 하지만 이는 하늘에 매인 바요, 사람의 힘으로 어찌하지 못하는 것이다. 이제 너의 액운(厄運)은 다하였다. 앞으로는 네 앞날에 행복만이 무한할 것이니, 너무 슬퍼하지 말고 잠깐만 쉬다 가거라. 내 이달 십오 일에 너의 시댁으로 갈 것이니라."

박씨는 금강산에서 며칠을 머문 뒤 다시 구름을 타고 잠깐 만에 피화당으로 돌아왔다. 그 길로 상공을 뵙고 문안 인사를 드리니, 상공은 놀라움과 기쁨을 감추지 못했다.

"너의 신기한 술법은 귀신도 측량하지 못하겠구나. 네 아버님은 편히 계시더냐?"

"아직은 한결같으십니다. 아버님께서 이달 십오 일에 이곳으로 오신다고 합니다."

이 말을 들은 상공은 처사가 오기만을 손꼽아 기다렸다.

처사가 오기로 한 날이 되었다. 상공은 집 안을 정결하게 하고 옷을 단정하게 입은 뒤 홀로 바깥채에 앉아 박 처사를 기다렸다. 오래지 않아 오색구름이 영롱해지며 맑은 옥피리 소리가 구름 밖에서 들려왔다. 상공이 창에 기대어 멀리 바라보니, 한 신선이 백학을 타고 오색구름 사이로 내려왔다. 자세히 보니 그가 바로 박 처사였다.

상공이 옷깃을 여미고 뜰아래 내려가 처사를 맞았다. 시백 역시 의관을 갖추고 처사에게 문안을 드렸다. 처사가 시백의 손을 잡고 상공에게 축하 인사를 건넸다.

"영랑(令郎)이 뛰어난 재주로 과거에 급제하였으니 이 같은 경사는 다시 없을 줄 압니다. 그간 제가 시골에 있는 관계로 아직 축하 인사를 드리지 못했습니다."

하루는 처사가 후원으로 들어가 딸을 불러 앉혔다.

"너의 액운이 다 끝났으니 누추한 허물을 벗어라."

허물을 벗고 변화하는 술법을 딸에게 가르친 뒤 말하였다.

"허물을 벗거든 버리지 말고 시아버지에게 옥으로 된 함을 짜 달라고 해서 그 속에 넣어 두어라."

그러고는 딸과 함께 정담을 나누다가 밖으로 나와 상공에게 작별 인사를 드렸다. 상공이 못내 섭섭해하며 만류했지만 처사는 듣지 않았다. 할 수 없이 한잔 술로 작별을 고하고 문밖으로 나가 전송하였다.

"지금 헤어지면 다시 만나기 어려울 것입니다. 늘 건강하시고 복을 누리시기 바랍니다."

상공이 깜짝 놀라며 물었다.

"그것이 무슨 말씀이십니까?"

"이제 상공과 이별하고 산에 들어가면 다시 속세로 나오지 못할 듯하여 드리는 말씀입니다."

상공이 슬프게 작별 인사를 하니, 처사는 학을 타고 공중에 올라가 오색구름을 헤치며 나아갔다. 잠시 후 구름이 걷혔는데 처사가 간 곳은 보이지 않았다.

그날 밤, 박씨는 몸을 깨끗이 씻은 뒤 둔갑술을 부려 허물을 벗었다.

날이 밝은 후, 박씨는 계화를 불렀다. 계화가 들어가 보니 전에 없던 절세가인(絶世佳人)이 방안에 앉아 있었다. 여인의 얼굴은 아름답기 그지없었으며, 그 태도는 너무도 기이했다. 월궁항아(月宮姮娥)나 무산 선녀(巫山仙女)라도 따르지 못할 듯했고, 서시와 양귀비도 미치지 못할 정도였다.

중간 부분의 줄거리

이시백은 그동안 박씨를 박대했던 것을 뉘우치고, 부부 간의 정은 날로 깊어 간다. 병조 판서를 지내던 이시백은 임경업과 함께 청나라를 위협하던 가달국을 물리치고, 그 공으로 우의정의 벼슬을 받게 된다. 그러나 날이 갈수록 세력이 커진 청나라는 그 은혜를 잊고 조선을 침범한다. 조선은 임경업을 피해 동쪽으로 쳐들어온 청나라의 용골대, 용울대 형제에게 속수무책으로 당하고, 결국 임금은 남한산성으로 피신한다. 박씨는 피화당을 침범한 용울대의 목숨을 빼앗고, 청나라 군사를 물리친다.

이때 임금이 있는 남한산성에는 오랑캐들이 물밀듯 밀려와 공격을 퍼부었다. 창칼 부딪치는 소리가 산성을 뒤흔들었다. 임금과 모든 신하가 산성에 갇혀 꼼짝 못할 지경에 이르자 이조 판서 최명길이 임금에게 말했다.

"아뢰옵기 황송하오나, 항복을 하는 것이 좋을 듯하옵니다."

사태가 어려워졌음을 깨달은 임금은 피가 끓는 듯한 아픔으로 항복의 글을 써 오랑캐에게 전했다. 오랑캐들은 바로 산성으로 들어와 왕비와 세자, 그리고 대군을 사로잡아 장안으로 돌아갔다.

용골대는 항서(降書)를 받아 한양 성내로 들어갔다. 그때 장안을 지키던 군사가 급히 보고를 했다.

"용 장군이 여자의 손에 죽었습니다."

이 말을 들은 용골대는 대성통곡을 했다.

"내 이미 조선 왕의 항복을 받았거늘, 누가 감히 내 아우를 해쳤단 말인가? 이 땅은 이제 내 손안에 있으니 원수를 갚기는 어렵지 않을 것이다. 어서 그 집으로 가자."

"나무를 둘러싸고 불을 놓아라."

용골대의 명령에 군사들은 불을 놓기 위해 집을 에워쌌다. 그러자 갑자기 오색구름이 자욱한 가운데 나무들이 무수한 군사로 변하더니 북소리, 고함 소리가 천지를 진동했다. 수많은 용과 호랑이는 서로 머리를 맞대고 바람과 구름을 크게 일으키며 오랑캐 군사들을 겹겹이 에워쌌다. 천지가 아득한 가운데 나뭇가지와 잎은 깃발과 창칼로 변했다. 하늘에서는 신장(神將)들이 긴 창과 큰 칼을 들고 내려와 적군을 몰아쳤다. 사면에 울음소리가 낭자하여 산천이 무너지는 듯했다. 오랑캐 군사들은 신장의 호령 소리에 넋을 잃고 허둥거리다 밟혀 죽는 자가 그 수를 알 수 없을 정도였다.

당황한 용골대는 급히 군사를 뒤로 물렸다. 그제야 하늘이 맑아지며 살벌한 소리가 그치고 신장들이 사라졌다.

오랑캐 장수와 군사들이 정신을 수습하여 다시 칼을 들고 쳐들어가려 했다. 그러자 이번에는 맑은 날이 순식간에 다시 어두워지며 구름과 안개가 자욱하여 지척을 분간하지 못할 지경이 되었다. 상황이 이쯤 되자 용골대 역시 감히 집 안으로 들어가지는 못하고 용울대의 머리만 쳐다보며 탄식할 뿐이었다.

이때 나무 사이로 한 여자가 나타났다.

"어리석은 용골대야! 네 동생 용울대가 내 칼에 놀란 혼이 되었는데, 너까지 내 칼에 죽고 싶어 이렇게 찾아왔느냐?"

용골대는 이 말을 듣고 분을 참을 수 없었다.

"대체 어떤 계집이 감히 장부를 희롱하느냐? 불행하게도 내 동생이 네 손에 죽었지만, 나는 이미 조선 임금의 항서를 받은 몸이다. 이제 너희도 우리나라 백성인데, 어찌 우리를 해치려 하느냐? 나라가 무엇인지도 모르는 여자로구나. 살려 두어도 쓸데가 없으니 나와서 내 칼을 받아라."

계화가 들은 척도 하지 않고 계속해서 용울대의 머리만 가리키면서 조롱을 하였다.

"나는 충렬 부인의 시비 계화다. 너야말로 참으로 가련한 사내로구나. 네 동생 용울대도 내 손에 죽었는데, 너 역시 나같이 연약한 여자 하나 당하지 못해 그렇듯 분통해하느냐? 참으로 가련한 놈이로다."

용골대는 끓어오르는 화를 참지 못하고, 쇠로 만든 활에 왜전(矮箭)을 먹여 쏘았다. 하지만 계화를 맞히기는커녕 예닐곱 걸음 앞에 가 떨어져 버렸다. 화가 머리끝까지 치밀어 오른 용골대가 다시 군사를 몰아쳤다.

용골대가 군사들에게 명령하여 일시에 불을 지르니, 화약 터지는 소리가 산천을 무너뜨릴 것 같았다. 사면에서 불이 일어나 불빛이 하늘을 가득 메웠다.

이때, 박씨 부인이 옥으로 된 발을 걷고 나와 손에 옥화선을 쥐고 불을 향해 부쳤다. 그러자 갑자기 큰바람이 불면서 불기운이 오히려 오랑캐 진영을 덮쳤다. 오랑캐 장졸들이 불꽃 한가운데에서 천지를 분별하지 못한 채 넋을 잃고 허둥거리다가 무수히 짓밟혀 죽었다. 순식간에 피화당 근처는 아수라장이 되었다.

용골대는 크게 놀라 급히 물러났다.

"한 번의 싸움에 이겨서 항복을 받았으니 이미 큰 공을 세웠거늘, 부질없이 조그마한 계집을 시험하다가 장졸들만 다 죽이게 되었구나. 이런 절통(切痛)하고 분한 일이 어디 있단 말인가?"

통곡을 하며 몸부림쳤지만 더 이상 어찌할 도리가 없었다.

"우리 임금이 장졸을 전장에 보내시고 칠 년 가뭄에 비 기다리듯 기다리실 텐데, 무슨 면목으로 임금을 뵙는단 말인가? 우리 재주로는 도저히 감당을 못할 듯하니 이제라도 그냥 돌아가는 것이 좋겠구나."

모든 장수와 군사가 용골대의 말에 살길을 찾은 듯 안도의 한숨을 내쉬었다.

용골대가 모든 장졸을 뒤로 물린 후, 왕비와 세자, 대군을 모시고 장안의 재물과 미녀를 거두어 돌아갈 채비를 꾸렸다. 오랑캐에게 잡혀가는 사람들의 슬픈 울음소리가 장안을 진동했다.

박씨가 계화를 시켜 용골대에게 소리쳤다.

"무지한 오랑캐 놈들아! 내 말을 들어라. 조선의 운수가 사나워 은혜도 모르는 너희에게 패배를 당했지만, 왕비는 데려가지 못할 것이다. 만일 그런 뜻을 둔다면 내 너희를 몰살할 것이니 당장 왕비를 모셔 오너라."

하지만 용골대는 오히려 코웃음을 날렸다.

"참으로 가소롭구나. 우리는 이미 조선 왕의 항서를 받았다. 데려가고 안 데려가고는 우리 뜻에 달린 일이니, 그런 말은 입 밖에 내지도 마라."

오히려 욕설만 무수히 퍼붓고 듣지 않자 계화가 다시 소리쳤다.

"너희의 뜻이 진실로 그러하다면 이제 내 재주를 한 번 더 보여 주겠다."

계화가 주문을 외자 문득 공중에서 두 줄기 무지개가 일어나며 모진 비가 천지를 뒤덮을 듯 쏟아졌다. 뒤이어 얼음이 얼고 그 위로는 흰 눈이 날리니, 오랑캐 군사들의 말발굽이 땅에 붙어 한 걸음도 옮기지 못하게 되었다. 그제야 용골대는 사태가 예사롭지 않음을 깨달았다.

"당초 우리 왕비께서 분부하시기를 장안에 신인(神人)이 있을 것이니 이시백의 후원을 범치 말라 하셨는데, 과연 그것이 틀린 말이 아니었구나. 지금이라도 부인에게 빌어 무사히 돌아가는 편이 낫겠다."

용골대가 갑옷을 벗고 창칼을 버린 뒤 무릎을 꿇고 애걸하였다.

"소장이 천하를 두루 다니다 조선까지 나왔지만, 지금까지 무릎을 꿇은 적은 한 번도 없었습니다. 이제 부인 앞에 무릎을 꿇어 비나이다. 부인의 명대로 왕비는 모셔 가지 않을 것이니, 부디 길을 열어 무사히 돌아가게 해 주십시오."

무수히 애원하자 그제야 박씨가 발을 걷고 나왔다.

"원래는 너희의 씨도 남기지 않고 모두 죽이려 했었다. 하지만 내 사람 목숨 죽이는 것을 좋아하지 않기에 용서하는 것이니, 네 말대로 왕비는 모셔 가지 마라. 너희가 부득이 세자와 대군을 모셔 간다면 그 또한 하늘의 뜻이기에 거역하지 못하겠구나. 부디 조심하여 모셔 가라. 그렇게 하지 않으면 신장과 갑옷 입은 군사를 몰아 너희를 다 죽인 뒤, 너희 국왕을 사로잡아 분함을 풀고 무죄한 백성까지 남기지 않을 것이다. 나는 앉아 있어도 모든 일을 알 수 있다. 부디 내 말을 명심하여라."

뒷부분의 줄거리

박씨는 용골대에게 임경업 장군을 뵙고 가라고 명령하고, 임경업 장군은 의주로 온 용골대 일행을 무찌른다. 조정으로 돌아온 임금은 동쪽을 지켜 적의 침입에 대비하라는 박씨의 말을 듣지 않은 것을 크게 뉘우치며 박씨에게 정경부인의 칭호를 내린다. 박씨의 덕행은 온 나라에 울려 퍼지고 그 이름은 후세에 길이 전해졌다.

작품 해설

갈래 : 고전 소설, 역사 소설, 영웅 소설, 군담 소설
성격 : 전기적, 비현실적, 영웅적
배경 : 조선 인조 때 병자호란
시점 : 전지적 작가 시점
제재 : '박씨' 부인의 영웅적 재주와 기상
특징 : · 남성보다 뛰어난 영웅적 면모를 지닌 여성 주인공을 내세움
· 전기적, 비현실적 요소를 지님
· 실존 인물을 등장시켜 현실감을 부여함
주제 : 병자호란의 패배에 대한 굴욕감 극복과 민족적 자존심의 회복

6 사계절의 땅 원천강 오늘이 _ 지은이 모름 / 신동훈 옮김

아득한 옛날, 적막한 들에 여자아이 하나가 나타났다. 옥처럼 고운 아이였다. 그 아이를 발견한 사람들이 물었다.

"너는 어떠한 아이냐? 이름은 무엇이고 어디에서 왔느냐?"

"저는 부모님도 모르고 이름도 성도 나이도 모릅니다. 그냥 이 들에서 태어나 여기서 살아왔습니다."

"지금까지 혼자 어떻게 살아왔단 말이냐?"

"하늘에서 학이 날아와 한쪽 날개를 바닥에 깔아주고, 다른 쪽 날개로 저를 덮어 주었습니다. 그리고 먹을 것을 가져다줘서 이렇게 살 수 있었습니다."

"그렇다면 네가 오늘 우리를 만났으니 오늘을 생일로 삼고 이름도 오늘이라 하자꾸나."

이렇게 하여 오늘이라는 이름을 얻게 된 아이는 사람들을 따라 마을에 들어와 살았다. 사람들이 너나없이 가족과 함께 사는데 오늘이만 외톨이였다.

'나의 부모님은 어떤 분일까? 어디에 계실까?'

어느 날 오늘이를 친손주처럼 돌보아 주던 백씨 부인이 오늘이를 불러 말했다.

"애야, 부모님이 보고 싶지 않으냐?"

"어찌 보고 싶지 않겠습니까? 부모님을 한 번만 뵐 수 있다면 죽어도 한이 없습니다."

"어젯밤 꿈에 네 부모님을 만났다. 네 부모님은 지금 신관과 선녀가 되어 원천강을 지키고 계신다."

"원천강은 어느 곳인가요? 어떻게 그곳에 갈 수 있나요?"

"거기는 사람이 갈 수 없는 멀고 먼 곳이다만……."

"꼭 부모님을 만나고 싶습니다. 가는 길을 알려 주세요."

"정히 그렇거든 남쪽으로 흰모래 마을을 찾아가 별층당에서 글을 읽고 있는 도령한테 길을 물어보거라."

"고맙습니다."

오늘이는 바로 길을 나섰다. 남쪽으로 길을 잡아 하루 종일 걸으니 흰모래가 펼쳐진 곳에 우뚝 선 별층당이 있었고 그 안에서 글 읽는 소리가 들려왔다. 사람을 찾으니 푸른 옷을 입은 노령이 나왔다.

"저는 오늘이라고 합니다. 부모님을 찾아서 원천강으로 가는 중입니다. 원천강 가는 길을 알려 주세요."

"저는 장상이랍니다. 원천강은 아주 먼 곳이지요. 서쪽으로 연화못을 찾아 연못가의 연꽃 나무에게 길을 물어보면 가는 길을 알 수 있을 거예요."

그러면서 장상이는 한 가지 부탁을 덧붙였다.

"원천강에 가시거든 제 사연도 좀 알아봐 주세요. 왜 밤낮 여기에 앉아서 글만 읽어야 하고 집 밖으로 나갈 수 없는지를요."

"꼭 알아다 드릴게요."

그날 밤을 별층당 빈방에서 묵은 오늘이는 다음 날 아침 일찍 서쪽으로 길을 떠났다. 한참을 가다 보니 맑은 연못이 있는데, 연못가에 탐스러운 꽃 한 송이를 피우고 서 있는 연꽃 나무가 있었다.

"연꽃 나무님, 저는 원천강을 찾아가는 오늘이랍니다. 어디로 가야 원천강에 갈 수 있나요?"

"원천강에는 무엇하러 가나요?"

"그곳에 우리 부모님이 계시다기에 만나러 가는 길이랍니다."

"저 아랫길로 곧장 가다 보면 청수 바닷가에 큰 뱀이 하나 구르고 있을 테니 그한테 이야기해 보세요. 그리고 원천강에 가시거든 내 신세를 좀 알아봐 주세요. 저는 겨울에 뿌리에 움이 들어 정월이면 몸속에 들고 이월이면 가지로 옮겨 가고 삼월이면 꽃이 피는데 언제나 맨 윗가지에만 꽃이 피고 다른 가지에는 피지 않으니 어찌 된 일인지 알 수가 없답니다."

"꼭 알아다 줄게요."

오늘이가 다시 길을 나서서 한나절을 걸으니 푸른 물이 넘실거리는 청수 바다가 펼쳐지는데 모래밭에 큰 뱀 한 마리가 뒹굴고 있었다. 오늘이가 다가가서 원천강 가는 길을 물으니 뱀이 말했다.

"원천강 가는 길을 인도하기는 어렵지 않으나 내 부탁 하나만 들어주오. 다른 뱀은 여의주를 하나만 물고도 용이 되어 올라가는데 나는 여의주를 셋이나 물고서도 용이 못 되고 있으니 어쩌면 좋겠는지 알아봐 주세요."

"꼭 알아다 주지요."

그러자 큰 뱀은 오늘이를 등에 태우고서 청수 바다로 스며들었다. 물 바깥으로 얼마를 가고 물속으로 얼마를 갔는지 길고도 험한 여행 끝에 오늘이는 어느 낯선 땅에 이르렀다. 인적이 없는 낯선 땅을 한참을 걸어가다 보니 길가의 외딴 별층당에서 한 처녀의 글 읽는 소리가 들려왔다.

"저는 멀리 바다를 건너온 오늘이라고 합니다. 부모님을 찾아서 원천강에 가고 있어요. 원천강은 어디에 있나요?"

"이 길을 한참 가다보면 우물에서 물을 긷고 있는 선녀들이 있을 거예요. 그 선녀들한테 물어보면 알려 줄겁니다."

그러더니 자기 사연을 덧붙였다.

"나는 매일이라고 합니다. 하늘에서 벌을 받아 여기서 매일 글을 읽게 되었지요. 원천강에 이르거든 언제나 이 신세를 면할 수 있는지 알아봐 주세요."

오늘이가 매일이에게 작별을 고하고 다시 길을 나서서 가다 보니 갈래 길 옆 우물에서 젊은 여자들이 슬피 울고 있는 모습이 보였다. 오늘이가 다가가서 물었다.

"왜 이렇게 슬피 울고 계시나요?"

"우리는 하늘나라의 선녀들이랍니다. 천하궁에서 물 긷는 일을 소홀히 한 죄로 여기서 물을 푸고 있지요. 이 우물물을 다 퍼야 하늘로 돌아갈 수 있는데 두레박에 큰 구멍이 뚫려서 아무리 애를 써도 물을 퍼낼 수가 없어요."

오늘이는 두레박을 받아 들더니 댕댕이덩굴을 으깨어 뭉쳐서 구멍을 막고 나서 송진을 녹여서 틈을 막았다. 송진이 굳은 뒤에 두레박으로 물을 푸게 하니 물이 한 방울도 새지 않았다. 금방 우물물을 다 퍼내고 기뻐하는 선녀들에게 오늘이가 말했다.

"저는 부모님을 찾아 원천강으로 가고 있답니다. 어느 길로 가야 하나요?"

"걱정 말아요. 우리들이 함께 가 드릴게요."

선녀들이 앞장서서 길을 잡아서 한참을 가다 보니 멀리 궁궐 같은 커다란 별당이 보였다.

"저기가 원천강이랍니다. 꼭 부모님을 만나세요."

선녀들은 오늘이의 앞길을 축원해 주고서 하늘로 올라갔다.

오늘이가 별당에 다가가 보니 집 둘레에 장성을 높게 둘렀는데 험상궂게 생긴 문지기가 성문을 막고 서 있었다.

"저는 인간세상에서 부모님을 만나러 온 오늘이입니다. 문을 열어 주세요."

"안 된다. 여긴 아무나 들어갈 수 있는 곳이 아니야."

오늘이가 아무리 사정해도 문지기는 막무가내였다. 오늘이는 눈앞이 캄캄해져서 땅에 주저앉아 통곡하기 시작했다.

서럽게 흐느끼니 돌 같은 문지기의 마음에도 동정심이 생겨났다. 문지기가 안으로 들어가 그 사실을 고하니 이미 울음소리를 들은 신관이 아이를 안으로 들이라 하였다. 오늘이가 꿈인 듯 생시인 듯 안으로 들어가 신관 앞에 섰다.

"너는 어떤 아이인데 여기를 왔느냐?"

오늘이는 빈 들에서 학의 날개에 깃들어 홀로 살던 일부터 수만 리 길을 헤치고 부모를 찾아온 사정을 하나하나 이야기하기 시작했다. 단 위에 앉아 있던 신관과 선녀가 이야기가 다 끝나기 전에 눈물을 지으며 뛰어 와서 오늘이를 감싸 안았다.

"그 먼 길을 어찌 찾아서 여기를 왔단 말이냐. 얘야, 우리가 너의 부모로다. 너를 낳던 날 옥황상제께서 우리를 불러 이곳을 지키라 하니 어느 명령이라 거역할까? 몸은 비록 떠나왔으나 마음은 그곳에 남겼으니 너를 돌봐 준 학은 우리가 보낸 것이었단다."

"어머니, 아버지……"

오늘이와 부모님이 두 손을 꼭 잡고서 지나온 이야기를 하자니 그 사연이 끝이 없었다.

다음날 부모님은 오늘이에게 원천강을 구경시켜 주었다. 높은 담장이 둘러쳐진 곳에 문이 네 개나 있는데, 첫 번째 문을 열어 보니 봄바람이 따스하게 부는 가운데 진달래, 개나리, 매화꽃, 영산홍 등 갖은 봄꽃이 피어 있었다. 두 번째 문을 열고 보니 뜨거운 햇살 속에 보리와 밀 같은 곡식과 채소가 무성했다. 세 번째 문을 열어 보니 들판에 누런 벼가 황금빛으로 물결쳤다. 네 번째 문을 열어 보니 찬바람이 부는 가운데 흰 눈이 세상을 하얗게 뒤덮고 있었다. 이 세상 사계절이 여기에서 흘러나오는 것이었다. 구경을 마친 오늘이가 말했다.

"이렇게 부모님을 만났으니 제 소원을 이루었습니다. 여기에 오는 길에 부탁받은 일이 많으니 이제 돌아가렵니다."

오늘이가 원천강에 오면서 부탁받은 이야기를 하자 부모님은 하나씩 답을 해주었다. 그리고 오늘이를 문밖까지 배웅해 주었다.

오늘이는 먼저 별층당에서 글을 읽고 있는 매일이를 만났다.

"부모님을 만나뵙고 매일이님의 일도 알아 왔습니다. 저와 함께 가시면 소원이 이루어질 거예요"

오늘이가 매일이를 이끌고 길을 떠나 전날의 바닷가에 이르니 큰 뱀이 여의주 세 개를 입에 넣은 채 뒹굴고 있었다.

"왜 용이 못 되는지 알아 왔습니다. 바다를 건네주면 알려 주지요."

큰 뱀은 기뻐하면서 오늘이와 매일이를 등에 태우고 수만리 물길을 헤엄쳐 청수 바닷가에 이르렀다.

"하늘에 못 오르는 건 여의주를 세 개나 물었기 때문이랍니다. 하나만 물면 용이 될 수 있지요."

그러자 뱀은 얼른 여의주 두 개를 뱉어서 오늘이에게 주고 하나만 입에 문 채 몸을 뒤틀었다. 뱀은 힘찬 소리와 함께 용이 되어 하늘로 날아 올라갔다.

다음은 연화못의 연꽃 나무.

"윗가지에 핀 꽃을 처음 보는 사람에게 주면 가지마다 꽃이 핀답니다."

연꽃 나무는 얼른 윗가지에 핀 꽃을 꺾어서 오늘이에게 주었다. 그러자 가지마다 꽃봉오리가 맺히면서 탐스러운 꽃이 송이송이 피어나기 시작했다.

오늘이와 매일이는 다시 길을 걸어 흰모래 마을 별층당에 이르렀다. 장상이가 예전처럼 글을 읽고 있었다.

"원천강에서 장상이님의 일을 알아 왔습니다. 장상이님처럼 몇 년간 홀로 글만 읽어 온 처녀를 만나 배필로 맞으시면 만년 영화를 누리실 수 있답니다."

"세상에 그런 처녀가 어디에 있을까요?"

"여기 모셔 왔습니다. 매일이님이지요. 두 분이 부부의 연을 맺으면 행복해지실 거예요."

장상이와 매일이는 서로를 마주 보며 손을 꼭 잡았다.

오늘이는 전에 자기가 살던 마을로 가서 백씨 부인을 찾아갔다. 백씨 부인에게 부모님과 만난 일과 오가면서 겪은 일을 다 이야기하고 뱀한테서 받은 여의주 한 개를 드렸다. 백씨 부인은 어느새 어른이 된 오늘이를 꼭 안아 주었다. 그 뒤 오늘이는 옥황상제의 부름으로 하늘나라 선녀가 되어 원천강을 돌보며 사계절의 소식을 세상에 전하는 일을 맡게 되었다. 한 손에 여의주를, 또 한 손에 연꽃을 든 채로.

작품 해설

갈래 : 설화(신화)
성격 : 신성성, 상징성
배경 : 아득한 옛날, 원천강으로 가는 길
시점 : 전지적 작가 시점
제재 : 오늘이의 여행담
특징 : 사건이 시간의 흐름과 공간의 이동에 따라 전개되며, 문제와 문제 해결의 구조가 나타남
주제 : 오늘이의 성장 과정과 여행담

05 극

1 희곡

무대 상연을 목적으로 하는 연극의 대본

2 희곡의 특성

1) 무대 상연을 전제로 함
2) 막과 장을 기본 단위로 함
3) 시간과 공간, 등장인물의 수에 제약을 받음
4) 등장인물의 대사와 행동을 통해 사건이 전개됨
5) 대립과 갈등을 중심으로 이야기가 전개되는 산문 문학임
6) 현재화된 인생의 표현

3 희곡의 구성 요소

<table>
<tr><td rowspan="6">형식적 요소</td><td colspan="2">해설</td><td>희곡의 첫머리에서 등장인물, 때와 장소 등을 설명하는 부분</td></tr>
<tr><td rowspan="3">대사</td><td>대화</td><td>등장인물 사이에 주고받는 말</td></tr>
<tr><td>독백</td><td>한 명의 등장인물이 상대역 없이 혼자 하는 말</td></tr>
<tr><td>방백</td><td>상대역에게는 들리지 않고 관객에게만 들리는 것으로 약속하고 하는 말</td></tr>
<tr><td rowspan="2">지시문</td><td>무대 지시문</td><td>무대 장치, 분위기, 효과음, 조명 등을 지시함</td></tr>
<tr><td>동작 지시문</td><td>등장인물의 행동, 표정, 심리, 말투 등을 지시함</td></tr>
</table>

4 희곡의 구성 단계

발단	인물과 배경을 소개하고 사건의 실마리를 제시함
전개	사건이 진행되고 인물 간의 대립과 갈등이 점차 심화됨
위기	갈등이 최고조에 이르며 극적인 장면이 나타남
절정	갈등 해결의 실마리가 보이며 극의 긴장이 빠르게 풀어짐
대단원	갈등이 해소되고 사건이 마무리되며 인물의 운명이 결정됨

5 시나리오

영화나 드라마 제작을 목적으로 하여 쓴 대본

6 시나리오의 특성

1) 영화나 드라마 상영을 전제로 함
2) 장면(Scene)을 기본 단위로 함
3) 시간과 공간, 등장인물의 수에 제약이 거의 없음
4) 촬영을 고려한 특수 용어가 사용됨
5) 등장인물의 대사와 행동을 통해 사건이 전개됨
6) 대립과 갈등이 있음
7) 현재화된 인생 표현

7 주요 시나리오 용어

S#(Scene Number)	장면 번호
F.I.(Fade In)	어두운 화면이 점점 밝아지는 기법
F.O.(Fade Out)	밝은 화면이 점점 어두워지는 기법
Ins.(Insert)	화면과 화면 사이에 다른 화면을 끼워 넣는 것
O.L.(Over Lap)	한 화면에 다른 화면을 겹쳐서 장면을 전환하는 것
C.U.(Close Up)	어떤 특정 부분을 강조하기 위해 크게 확대해 찍는 것
E.(Effect)	효과음. 주로 화면 밖에서의 음향이나 대사에 의한 효과
NAR.(Narration)	화면 밖에서 들리는 설명 형식의 대사
Montage	여러 장면을 적절히 떼어 붙여서 새로운 장면을 만드는 것. 사건의 진행을 축약해서 보여 주는 효과가 있음

8 희곡, 시나리오, 소설의 비교

구분	희곡	시나리오	소설
개념	무대 상연을 목적으로 쓴 연극의 대본	영화나 드라마 상영을 목적으로 쓴 대본	현실에 있음직한 일을 작가가 상상력을 발휘하여 쓴 허구의 이야기
구성 단위	막, 장	장면(S#)	없음
등장인물	무대에 오를 수 있는 등장인물의 수에 제약이 많음	등장인물의 수에 제약이 적음	등장인물의 수에 제약이 없음
장면의 전환	시간과 공간의 제약이 많아 장면의 전환이 자유롭지 않음	시간과 공간의 제약이 적어 장면의 전환이 자유로움	시간과 공간의 제약이 없어 장면의 전환이 매우 자유로움
표현 방식	주로 대사와 지시문으로 표현됨		묘사, 서술, 대화 등 다양한 방법으로 표현됨
서술자	없음		있음
공통점	작가가 꾸며 낸 허구의 이야기로 갈등과 대립의 문학임. 인물, 사건, 배경으로 구성됨		

1 챔피언 _ 홍자람

지금까지의 이야기

옥림의 반인 8반은 무엇이든 잘하는 7반과 늘 비교를 당한다. 어느 날, 7반에게 꼴찌 반이라는 놀림을 당한 8반 아이들은 학교 체육 대회에서 무조건 7반을 이기자고 다짐한다. 초등학교 6학년 때 욱은 전국 축구 대회에서 자신이 핸들링을 한 것을 인정했다. 그 때문에 학교 축구부는 경기에서 지고, 욱은 착한 어린이 상을 받았는데, 이 일로 욱은 친구들에게 '양심 소년'이라고 놀림을 받았다. 7반 주장이 그때의 일을 다시 꺼내며 욱을 놀리고 7반과의 여자 발야구 경기에서 8반이 실격패를 한다. 7반이 먼저 반칙을 했는데 실격패한 것이 억울한 8반 아이들은 남자 농구 경기에서는 반드시 7반을 이겨야 한다고 생각한다.

S# 17. 체육관(낮)

급하게 체육관으로 뛰어 들어오는 옥림, 윤정, 정민. 22 대 20으로 8반이 앞서고 있다.

보비 (점수를 보고 감격해서) 야, 니들 왜 이제 왔어! 지금 우리 반 애들 장난 아냐!

세리 (감격하여 거의 울부짖는) 저건 우리 반 애들이 아냐! 너무 잘해! 너무 잘 해! 순신아, 너무 멋있어!

욱이 7반 선수에게서 공을 빼앗아 순신에게 패스하고, 순신이 드리블해 슛을 성공시킨다. 흥분하며 기뻐하는 8반 아이들. 옥림이 "어떡해, 어떡해." 하며 윤정과 좋아 하다가 무엇인가 생각난 듯 카메라를 꺼내 경기 장면을 찍기 시작한다. 경기는 엎치락뒤치락 팽팽하게 진행되고, 7반과 8반 아이들은 목이 터져라 응원한다. 옥림, 초조한 마음으로 경기를 보다 시계를 본다. 남은 시간 40여 초. 점수는 38 대 38. 욱이 공을 드리블해 상대편 골대로 가고 있다.

내레이션 (아이들과 같이 흥분해서 소리 지르고 있는 옥림 위로) 이제 남은 건 40초! 이것만 성공시키면 우리 반이 진짜로……. 진짜로…….

욱에게서 공을 받은 순신이 하림에게 공을 패스하려는 순간, 7반 주장이 공을 빠르게 빼앗아 드리블해 그대로 슛을 성공시킨다. 옥림, 세리, 윤정 등 8반 여학생들이 거의 울 듯한 표정으로 주저앉는다. 그때 욱이 포기하지 않고 공을 드리블해 간다. 7반 주장이 욱을 따라잡자 순신에게 패스하는 욱. 골대 앞까지 드리블해 간 순신이 상대 선수에게 막혀 헤매다 가까스로 욱에게 패스한다. 3점 슛 선에 있던 욱이 노 마크 상황에서 던지려다 다시 자세를 잡고 그대로 슛한다. 체육관의 모든 시선이 공에 쏠리고, 공이 그대로 그물 안으로 들어간다. 전광판 숫자 41 대 40. 순간 경기 종료를 알리는 호루라기 소리가 들리고, 8반 아이들이 감동에 벅차 "이겼다! 와!" 하며 경기장으로 뛰어 들어와 욱을 감싸고 쓰러진다.

S# 18. 체육관

8반 아이들이 신난 표정으로 걸어 나오고 있다.

세리 야, 우리 잔치하자! 우리도 이번에 떡 하는 거야!

옥림 (좋으면서도) 아직 1등은 못 했잖아.

세리 7반이 제일 센데 걔들 꺾은 우리가 1등인 거지. 떡 하자, 떡.

멈칫하는 세리. 7반 아이들이 체육 선생님에게 항의하고 있다. 그 뒤로 욱과 순신 등이 어이없는 듯 서 있다. 옥림 등이 궁금해서 다가간다.

7반 농구부원 분명히 선 밟았단 말예요! 본 사람이 얼마나 많은데요!

7반 반장 맞아요, 저도 봤어요! 저희 너무 억울해요. 재경기해야 돼요.

체육 선생님 (약간 짜증이 난 말투로) 경기 다 끝나고 이러면 어떡해? 아까까진 가만있다가 말야. 다들 들어가, 들어가! (간다.)

7반 아이들이 재경기해야 한다고 요구하며 체육 선생님을 따라가고, 옥림을 비롯한 8반 아이들이 그 모습을 기막힌 듯 지켜본다.

S# 20. 피시방(밤)

옥림을 비롯한 8반 아이들이 동영상을 다시 돌려 보고 있다. 슛하는 욱이 선을 밟은 것이 보인다. 옥림과 함께 있는 하림, 윤정, 용우, 세리, 보비 모두 멍하니 말 없이 컴퓨터 화면만 바라보고 있다.

하림 (멍해서) 이게 어떡하다 찍힌 거라고?

옥림 내가 잘못 눌러서 녹화를 한 건데…….

일동 (모두 할 말을 잃고 정지된 화면만 보며 멍하니 있다.)

하림 (눈치를 힐끔 보고서) 잘못 찍혔다? (어색하게 웃으며 조심스레) 그럼, 잘못 찍힌 거……. 이건 그럼 버려도 되는 거 아냐? 어?

일동 (하림을 본다.)

하림 찍으려고 찍은 게 아니라며. 경기도 끝났겠다, 어? 중요한 건 그거거든.

일동 (같은 마음에 합세해서) 그치? 그치, 끝났지.

하림 (아이들의 반응에 더 크게) 솔직히 이거 있으나 없으나 변할 거 있어? 우리가 잘못한 건 없거든. 호루라기 소리 들리면 그걸로 끝이야.

일동 (같은 마음으로 더 열심히 "그럼, 그럼.", "당연하지." 하며 수긍한다.)

하림 (주위를 빨리 살피고는 빠르고 작게) 야, 그럼 넌 일단 카메라 안에 그거 다 지우고, (옥림, 바로 지우기 시작한다.) 이건 우리만 알고 있는 거야. 다들 입조심하고. 특히 장욱! 그 자식한텐 절대 비밀이야.

세리 (작고 빠르게) 서정민도. 걔 괜히 혼자 꼿꼿한 척하는 거 있거든. 걔한테도 말하면 안 돼. 알았지?

옥림, 윤정 (결연한 표정으로 고개를 끄덕이며) 응!

일동, 주위를 살피며 책가방을 들고 빠르게 빠져나간다. 이때 반대편 칸에서 누군가가 스윽 일어난다. 7반 반장이 8반 아이들이 나간 쪽을 바라보며 서 있다.

S# 21. 학교 게시판 앞(아침)

놀란 표정으로 멍하게 벽보를 보고 있는 옥림, 세리, 하림. 학교 게시판에 붙은 대자보 앞에 아이들이 엄청나게 몰려 있다. '8반과의 재경기를 요구한다! 8반은 동영상을 공개하라!' 는 벽보가 보인다.

S# 28. 교정 한쪽(낮)

욱이 7반 주장을 불러내 나란히 선다.

7반 주장 졸려 죽겠고만. 뭐야 진짜. 나 점심시간에 잠 못 자면…….

욱 (말을 끊으며) 아까 그거 무슨 말이야?

7반 주장 (궁금해하며) 뭐가? (하다가) 경기 끝났다는 거 말야? (뚱한 표정으로) 말 그대로야. 너희가 이겼다고.

욱 괜히 나 위하는 척하지 마. 너도 내가 거짓말하고 있다고 생각하는 거잖아.

7반 주장 (멍하게 있다가 어이없다는 듯) 내가 미쳤냐? 널 위해서 그런 말을 하게? 난 사실을 사실 그대로 말한 것뿐이야. 너, 선 안 밟았잖아.

욱 …….

7반 주장 다른 애들이 안 밟았다고 하면 안 믿는데, 네가 그랬다면 믿어. 옛날에 그 중요한 경기 때에도 넌 그랬으니까. (하고 가 버린다.)

S# 29. 동네 농구 골대(저녁)

공을 던지는 욱. 공이 들어가지 않는다. 링에 맞아 떨어진 공을 다시 잡아 던져 보지만 또 들어가지 않는다. 튕겨 나오는 공을 줍지 않고 가만히 보다가 욱이 털썩 앉는다.

멈칫해서 서는 옥림. 욱 얼굴을 보더니 그냥 욱 옆에 가서 털썩 주저앉는다. 잠시 침묵.

욱 (불쑥) 너 지금 내가 되게 유별나게 군다고 생각하지?

옥림 잘 아네. (하다가 걱정이 되어 열심히 달래는) 그냥 싹 잊어버려. 이번 경기, 우리가 반칙을 한 것도 아니고, 또 일부러 선 밟은 것도 아니고, 너도 모르고 한 건데…….

욱 알고 있었어.

옥림 (멈칫하며 욱을 본다.)

욱 (잠시 갈등하다) 슛할 때부터 알고 있었다고.

옥림 (놀란다.)

욱 (담담한 표정으로) 마지막 슛을 하려고 하는데 너무 골대가 멀다 싶었거든. (쓰게 웃으며) 하지만 그렇게 많이 밟은 줄은 나도 몰랐어.

옥림 (놀라서 아무 말 못한 채 욱을 바라본다.)

욱 (피식 웃으며) 많이 놀랐나 보다?

옥림 (멍해서) 어, 솔직히 놀랍긴 하다 ……. (하다가 달래는 듯이) 야, 근데 변하는 게 당연하지. 2년 전엔 초등학생이고 지금은 중학생인데 …….

욱 (한숨을 쉬며) 내년엔 또 어떨까.

옥림 (욱을 본다.)

욱 난 그게 겁나. 이렇게 한 발 물러나고, 나중에 또 하나 넘어가고 하다 보면 난 어떻게 되어 있을까……. 나중엔 얼마나 뻔뻔스럽게 될까 …….

옥림이 욱을 보면, 욱이 아득히 먼 산을 보며 있다.

S# 32. 8반 교실(낮)

특별 활동 시간. 세리가 안건과 결정된 사항을 적고 있고, 욱이 사회를 보고 있다. 아이들, 시루해서 몸을 뒤틀고 있다.

욱 자, 그럼 이상으로…….

아이들, 끝나서 일어서려는데 욱이 말없이 가만히 고민하듯 서 있다. 아이들, 궁금한 표정으로 욱을 지켜본다.

욱 (망설이다 결심한 듯) 마지막으로 긴급 안건을 하나 제안할 게 있는데요.

아이들 (궁금해한다.)

욱 7반과 농구 시합을 다시 했으면 합니다.

정민을 비롯하여 사실을 몰랐던 반 아이들이 웅성거리고, 정민이 멍하니 욱을 본다. 옥림, 걱정스러운 표정으로 욱을 지켜본다.

세리 (당황해서 못 박듯 욱에게) 야, 너 반장이라고 뭐든지 네 맘대로 해도 된다고 생각하나 본데, 왜 이러셔? 나도 부반장이야! 너 혼자 7반 가서 사과하고, 시합하고, 나 그 꼴 못 봐. 아니, 안 봐.

욱 그러니까 지금 너희들한테 동의를 구하는 거 아냐.

용우 (흥분해서) 동의? 그래, 너 말 잘했다. 우린 동의 못해! 절대 못해!

보비 우리가 얼마나 힘들게 이긴 건데, 그걸 걔네한테 그냥 갖다 바쳐!

욱 그냥 엎자는 말이 아냐. 선 밟은 거 인정하고 재경기를 하자고.

정민 솔직히 말해서 7반 애들 반칙한 거, 팔꿈치로 용우랑 하림이 칠 때도 그렇고 체육 선생님 7반 애들 반칙 못 보고 놓친 거 많아. 그렇게 하나하나 따지기 시작하면 완벽한 경기란 거, 세상에 없는 거 아냐?

욱 (정민 향해 열심히 말하는) 하지만 세상엔 멋진 경기도 있어. 우리 그런 경기 보면 기분 좋잖아. 최소한 그렇게 하려고 노력은 해야 되는 거 아냐?

정민 (욱을 보다가 좋게 말하는) 니가 너무 맘이 불편해서 양심선언을 꼭 하고 싶다면 그건 말릴 생각 없어. 하지만 그런다고 세상이 바뀌거나 하지는 않아. 다시 말해서 네가 깨끗해지고 싶다는 건 그냥 자기만족이나 결벽증 같은 거야.

욱 (말 못하고 있다.)

세리 (기선을 잡았다는 듯이) 그래, 결벽증! 너 혼자만 깨끗해서 뭘 어떻게 하겠다고 그러냐?

보비 (삐죽이며) 맞아! 흙탕물에 생수 한 병 붓는다고 물이 깨끗해져? 계속 흙탕물이지.

정민의 말로 반 분위기가 완전히 기울어진 듯 아이들이 욱에게 마구 말을 쏟아 낸다. 그때,

옥림 그래도…… 흙탕물이 묽어지긴 하잖아.

8반 아이들 (멈칫해서 옥림을 본다.)

옥림 (더듬더듬) 계속 그렇게 쏟아붓다 보면 물도 깨끗해질 테고, 좀 시간은 오래 걸리겠지만. 우리가 선 밟았다고 얘기하면 7반 애들도 딴 반이랑 깨끗하게 경기할지도 모르고…… 또…….

하림 (답답해하며) 아, 걔네는 그럴 애들이 아니라니까 그러네.

옥림 아니, 딱히 7반이 아니더라도, 다른 애들이 감동받아서 한 번쯤 그렇게 할지도 모르고…….

8반 아이들 (옥림을 본다.)

옥림 (아이들의 시선을 느끼며 수습하려 하나 버벅거리며) 계속 그러다 보면 부메랑처럼 돌고 돌아서, 그니까 물도 깨끗해지고, 어? 물은 깨끗한 물이 좋으니까, 그니까…….

세리 (퉁명스럽게) 아, 그래서 결론이 뭔데? 재경기하자고, 말자고?

옥림 (어설프게 웃으며 얼버무리듯) 그냥…… 투표로 결정할래, 우리?

S# 33. 8반 교실(낮)

교실에 작은 박스로 만든 투표함이 돌고 있다. 아이들, 각자 적은 쪽지를 넣고 있다. 투표 중이다.

내레이션 투표로 결정하자고 하긴 했지만 결과는 불을 보듯 뻔하다.

칠판에 '1. 경기는 이미 끝났다. 우리가 이긴 거다.'와 '2. 선 밟은 거 인정하고 재경기하자.'는 글이 쓰여 있다. 투표가 끝나고 투표함을 건네받는 욱. 세리, 옆에서 감시하듯 서 있다.

내레이션 양심을 지키면 언젠가는 부메랑처럼 돌아올 거라니. 언젠가는 맑아질 흙탕물이라니. 난 아직도 의심이 든다. 내가 너무 약은 걸까?

욱이 개표를 시작하고, 세리가 그 옆에서 감시하듯 보며 결과를 적고 있다.

욱 (하나씩 펼쳐 읽는다.) 1번. (넘기고) 1번……. 2번……. 1번……. 1번…….

조마조마해서 보는 옥림과 윤정. 그와 달리 결과를 낙관한 듯 담담히 혹은 웃으며 투표 결과를 지켜보는 순신, 정민, 보비, 하림, 세리 등.

내레이션 (한숨) 그래도 설마 다섯 표는 넘겠지? 아아, 무엇보다 욱이가 너무 상처받으면 어떡해, 정말…….

시간 경과. 아이들, 입이 떡 벌어져 칠판을 보고 있다. 1번 아홉 표, 2번 서른한 표. 아이들, 서로 믿기지 않는지 서로의 얼굴을 보며 멍하니 칠판을 바라보고 있다.

하림 (멍하니 보다가 아이들을 향해 어이없어 하며) 야, 이거 뭐야? 니들 제대로 찍은 거야? 1번이 재경기 안 한다야, 어?

세리 (당황하여) 야, 혹시 잘못 찍은 사람 손 들어 봐! 수정해 줄게. 어? 어?

서로만 두리번거리며 보던 아이들. 조금씩 미소가 배어 나온다.

내레이션 결정은 번복되지 않았다. 오히려 아이들은 자신들이 그런 결과를 만들어 냈다는 데 대해 살짝 감동까지 먹은 눈치였다.

작품 해설

갈래 : 드라마 대본(시나리오)
성격 : 허구적, 교훈적
제재 : 반 대항 체육 대회
특징 : · 승부에 민감한 청소년들의 심리를 잘 드러냄
· 갈등의 원인과 진행 과정이 뚜렷하게 드러남
· '챔피언'이라는 제목이 주제를 상징함
주제 : 진정한 챔피언은 경기의 승자가 아니라 양심을 지키며 떳떳한 경기를 한 사람이다.

2 들판에서 _ 이강백

등장인물 : 형, 아우, 측량 기사, 조수들, 사람들
장소 : 들판

무대 뒤쪽에 들판의 풍경을 그린 커다란 걸개그림이 걸려 있다. 샛노란 민들레꽃, 빨간 양철 지붕의 집, 한가롭게 풀을 뜯는 젖소들이 동화책의 아름다운 그림을 연상시킨다.

막이 오른다. 형과 아우, 들판에서 그림을 그리고 있다. 형은 오른쪽에서, 아우는 왼쪽에서 수채화를 그린다. 둘 다 즐거운 표정으로, 휘파람을 불거나 노래를 부른다. 형, 아우에게 다가가서 그림을 바라본다.

형 야. 멋신네! 아주 멋지게 그렸어!

아우 경치가 좋으니까 그림이 잘 그려져요.

형 넌 정말 솜씨가 훌륭해!

아우 형님 솜씨가 더 훌륭하지요.

형 아냐, 난 너만큼 잘 그리지 못하는걸.

아우 (형의 그림이 있는 곳으로 와서 감탄한다.) 형님 그림이 훨씬 멋있어요!

형 (기뻐하며) 오, 그래?

아우 그럼요. 푸른 들판, 시냇물과 오솔길, 샛노랗게 피어 있는 민들레꽃, 한가롭게 풀을 뜯는 젖소들……. 참 아름답고 평화로운 풍경이군요.

형 난 아직 집은 못 그렸어. 그런데 너는 벌써 우리가 사는 집까지 그렸구나. 들판 한가운데 빨간색 양철 지붕과 하얀 연기가 피어오르는 굴뚝 …….

아우 난 이곳에서 평생토록 형님과 함께 살고 싶어요.

형 나도 너와 함께 아름다운 이곳에서 행복하게 살고 싶어.

형과 아우, 다정하게 포옹한다.

형 돌아가신 부모님께서 우리의 이런 모습을 보신다면…….
아우 분명히 저 하늘 위에서 바라보고 계실 거예요.
형 정말 고마우신 부모님이시다. 이렇게 좋은 곳을 우리 형제에게 물려주셨으니!

형, 주위에 피어 있는 민들레꽃을 꺾어서 아우에게 내민다.

형 들판에 피어 있는 이 민들레꽃에 걸고서 맹세하자. 우리 형제는 언제나 사이좋게 지내기로…….
아우 그래요. (민들레꽃을 꺾어 형에게 내밀며) 이 민들레꽃이 우리 맹세의 증표예요.

형과 아우, 흐뭇한 표정으로 민들레꽃을 주고받은 뒤, 각자의 그림 앞으로 되돌아간다.

형 난 인제 집을 그려야겠다.
아우 나는 저 파란 하늘과 해님을 그리겠어요.

형과 아우, 열심히 그림을 그린다. 측량 기사와 두 명의 조수가 등장한다. 측량 기사는 측량기를 세워 놓고 조준경을 들여다보면서 조수들에게 손짓으로 신호를 보낸다. 측량 기사 앞쪽에는 한 명의 조수가 눈금이 그려진 표지봉을 들고 서 있다. 측량 기사의 뒤쪽에서는 측량이 끝난 지점마다 다른 조수가 말뚝을 박고 밧줄을 맨다.

형 (성난 모습으로) 여봐요! 여봐요!
측량 기사 (태연하게) 우리 말씀인가요?
형과 아우 (측량 기사에게 다가간다.) 당신들, 지금 뭘 하고 있는 겁니까?
측량 기사 측량하고 있지요, 보시다시피.
아우 여긴 우리 땅인데, 왜 함부로 들어와서 말뚝을 박고 줄을 쳐요?
측량 기사 우린 실습하러 온 겁니다.
형과 아우 뭐, 실습하러 왔다고요?
측량 기사 네, 오늘 날씨가 화창해서 조수들을 데리고 야외 실습을 나왔어요.

(눈을 가늘게 뜨고 들판을 둘러보며) 그냥 버려두기에는 아까운 땅이군요. 공장 부지로 개발해서 팔거나 주택지로 나눠 팔면 큰돈을 벌겠어요! 그런데 왜 이렇게 화를 내시지요? 우릴 보자마자 고함을 지르고, 삿대질까시 하시니 너무 심한 것 아닙니까?

형 (아우에게) 우리가 너무 심했나?

아우 글쎄요…….

형 그런데 실습이 끝나면 저 말뚝들은 어떻게 할 거지요?

측량 기사 걱정 마세요. 우리가 다시 뽑아 갈 테니까…….

아우 줄은요?

측량 기사 물론 줄도 거두어 가야지요. (조수들에게) 자, 그 표지봉을 저 앞쪽에다 세워! 그리고 뒤따라서 말뚝을 박고 밧줄을 쳐!

측량 기사와 조수들, 작업을 진행하면서 퇴장한다. 형과 아우 사이를 나누어 놓은 일직선의 밧줄이 허리 높이만큼 매어져 있다. 형과 아우는 그림을 그리면서도 신경이 쓰이는지 말뚝과 밧줄을 힐끗힐끗 바라본다.

아우 형님, 너무 걱정하지 마세요. 측량 실습을 끝내면 그들이 치운다고 했으니까요.

형 그들이 잊고서 그냥 가면 어떻게 하지?

아우 우리가 치우면 되잖아요?

형 그렇구나. 난 괜히 염려했다. 그런데 지붕 그릴 빨간색 물감 좀 빌려 주겠니?

아우 그럼요. 이리 와서 가져가세요.

형, 밧줄 앞에서 어떻게 넘어가야 할지 망설인다. 허리 높이의 밧줄을 뛰어넘어 가려다 말고, 밧줄 밑으로 몸을 낮춰 아우에게 간다. 아우는 빨간색 물감을 형에게 빌려 준다.

형과 아우, 밧줄을 사이에 두고 가위바위보를 한다. 아우가 이긴다. 그는 형 쪽으로 껑충 뛰어넘어 가서 뽐내며 의기양양하게 다니다가 자기 쪽으로 되돌아온다. 아우는 세 번이나 형을 이기고, 똑같은 행동을 되풀이한다.

형 그만하자, 그만해!

아우 왜요?

형 너는 나보다 늦게 낸다! 내가 가위를 내면 너는 기다렸다가 바위를 내놓고, 내가 보를 내면 너는 그걸 본 다음 가위를 내놓잖아?

아우 아뇨! 난 형님과 동시에 냈어요!

형 난 그림이나 그려야겠다. (뒤돌아서서 자신의 그림 앞으로 걸어가며) 다시는 너하고는 놀이 안 해!

아우 형님, 나한테 지더니만 심통이 났군요?

형 너는 날 속이고 이겼어!

아우 아뇨! 형님이 지금 화를 내는 건 동생인 내가 이겼기 때문이에요. 형님은 언제나 이겨야 하고, 동생인 나는 항상 져야 한다! 그게 바로 형님의 고정 관념이지요!

형 미리 경고해 두겠는데, 내 허락 없이는 이쪽으로 넘어오지 마라!

아우 그럼 형님도 내 땅에 넘어오지 마요!

아우, 자신의 그림 앞으로 되돌아간다. 형과 아우는 침묵 속에서 그림을 그린다.

형 가만있자, 저건 놀라운 사실인데! (아우를 향하여 소리 지른다.) 야, 저기 있는 우리 집을 봐!

아우 우리 집?

형 그래!

아우 우리 집이 어때서요?

형 난 지금까지 우리 집이 들판 한가운데 있는 줄 알았어! 그런데 그게 아냐! 측량 기사가 쳐 놓은 밧줄을 보라고. 우리 집은 한가운데가 아닌, 약간 오른쪽에 있잖아?

아우 그렇군요. 우리 집이 오른쪽에 있는데요.

형 오른쪽은 내 쪽이야.

아우 형님 쪽에 있다고 우리 집을 형님이 독차지하려는 건 아니겠지요?

형 너는 내 허락 없이는 내 집에 들어오면 안 돼!

아우 형님, 저건 우리 집이에요! 우리가 다 함께 사는 집이라고요!

형 네가 있는 곳 그쪽도 우리가 다 함께 살던 땅이었어. 그런데 너는 나를 단 한 번도 넘어가지 못하게 했잖아?

아우 그건 오해예요, 형님. 얼마든지 이쪽으로 넘어오세요!

형 지금은 넘어오라고?

아우 네, 형님.

형 내가 뭣 때문에 그쪽으로 가야 하지? (아우를 외면한 채 그림을 그리며) 난 집이나 마저 그려야겠다.

아우 좋아요, 형님은 집을 가지세요. 그렇다면 나는 젖소들을 가지겠어요.

형 젖소들을 가지겠다고?

아우 저기 들판을 보세요. 젖소들은 지금 왼쪽에, 그러니까 내 쪽에 있어요.

형 어떻게 모두 네 쪽에 있지?

아우 내 쪽의 풀이 탐스러워 젖소들이 몰려왔겠죠. 난 젖소들을 길러서 재산을 모을 겁니다. 그래서 형님 집보다도 더 큰 집을 짓겠어요!

형 집을 크게 짓든 작게 짓든 네 마음대로 하렴! 하지만, 가축들은 자유롭게 놔둬! 네 땅의 풀을 다 뜯어 먹으면, 다시 내 땅으로 넘어올 거다!

측량 기사와 조수들, 등장한다.

측량 기사 (먼저, 형에게 다가가서 묻는다.) 측량을 끝냈으니 다음엔 무슨 일을 할까요?

형 그걸 왜 나에게 묻죠?

측량 기사 우리가 일을 정확히 하기 위해서죠. 처음 약속대로 말뚝과 밧줄을 치워 드릴까요?

형 아니, 그냥 둬요.

측량 기사 (동생에게 넘어가서 묻는다.) 어떻게 할까요? 당신 형님은 말뚝과 밧줄을 그냥 두라는데요?

아우 밧줄은 약해요. 더 튼튼한 건 없어요?

측량 기사 더 튼튼한 거라면…….

아우 젖소들이 넘어가지 못할 만큼 튼튼한 것이 필요해요.

조수들, 아우에게 다가간다.

조수 1 이런 들판에는 조립식 벽이 좋습니다.

조수 2 설치하는 시간도 얼마 안 걸리고, 비용도 저렴합니다.

측량 기사 그럼요. 벽돌로 쌓는 것 못지않게 튼튼하고요.

조수들 품질은 우리가 보장해 드립니다.

아우 비용이 얼마나 들까요? 난 현금이 없어서…….

측량 기사 당장 현금이 없으면 땅으로 주셔도 돼요.

아우 땅으로?

측량 기사 네, 지금 가지고 계신 땅의 반절을 주세요.

아우 (망설이는 태도로) 하지만, 부모님에게서 물려받은 땅은…….

측량 기사 그래도 땅을 주고 벽을 만드는 게 낫습니다. 젖소들이 저쪽으로 넘어가 버리면 당신만 큰 손해 아닙니까?

아우 좋아요. 땅 반절을 드릴 테니 벽을 설치해 주세요.

조수들, 벽 공사를 시작한다. 그들은 칸막이 형태의 벽을 운반해 오더니 재빠르게 조립해서 밧줄을 따라 세워 놓는다. 형과 아우 사이에 벽이 가로놓인다.

형과 아우, 각자의 그림을 그리던 곳으로 돌아가 그림을 그린다. 맑았던 하늘이 흐려지고, 바람이 세게 불어온다.

형 바람이 거칠게 불어오는군.

아우 하늘이 점점 흐려지고 있어.

측량 기사 이상하게 조용한데요. 도대체 무엇을 하고 있는 걸까요?

형 나처럼 그림을 그리고 있겠지요.

측량 기사 이렇게 조용한 게 의심스러워요. 혹시, 저쪽의 동생이 형님 집에 몰래 들어가려고 땅굴을 파는 건 아닐까요?

형 땅굴을 파면 요란한 소리가 들릴 텐데요?

측량 기사 땅속에서 파는데 무슨 소리가 들리겠어요? (형에게 다가간다.) 가만, 저쪽이 무슨 짓을 하는지 확인해 봐야 합니다.

측량 기사, 바지 주머니에서 호루라기를 꺼내 분다. 그러자 조수들이 기다리고 있었다는 듯이 등장한다. 그들은 바퀴가 달린 전망대를 밀면서 들어온다.

형 이건 뭡니까?

측량 기사 감시용 전망대입니다. 밑에는 이동하기 쉽게 바퀴를 달았고, 위에는 불빛이 강렬한 탐조등을 장치했지요. 올라가 보세요. 자동으로 탐소등이 켜지면, 벽 너머 저쪽을 샅샅이 볼 수 있습니다.

형 (망설이며) 글쎄, 이런 것이 필요할까요?

측량 기사 이 전망대만 있으면 안심하고 지낼 수 있죠.

조수 1 이쪽에서 사지 않아도 좋아요.

조수 2 저쪽에 팔면 되니까요.

측량 기사 저쪽에서 이런 걸 가지게 된다고 생각해 보세요. 등골이 오싹해질 거예요.

형 저어, 가격은 얼마나 합니까?

측량 기사 가격은 걱정 마세요. 만약, 현금이 없다면 땅으로 주셔도 됩니다.

형 땅은 얼마만큼이나?

측량 기사 많이 달라고는 않겠습니다. 반절만 주세요.

조수들 (전망대를 밀고 나가며) 너무 망설이는데, 살 생각이 없으시다면 저쪽으로 팔러 가겠어요!

형 아니, 여기 둬요! 내가 삽니다!

측량 기사 잘 결정하셨습니다. (조수들에게) 이왕이면 벽에 바짝 붙여 드려. 올라가서 저쪽을 바라보기 편리하도록 말야.

조수들 네, 그러지요.

측량 기사, 퇴장한다. 조수들은 전망대를 벽에 붙여 세워 놓는다. 사람들이 아우의 지역에 등장한다. 그들은 관심 있게 그 지역을 둘러본다. 조수들, 작업을 마친 후 퇴장한다. 형은 전망대 위에 올라가기를 망설인다. 측량 기사, 아우의 지역에 들어온다.

측량 기사 안녕하십니까? 그런데 울적한 표정이군요!

아우 그림이 보기 흉해요.

측량 기사 그림이 왜요?

아우 저 벽 때문에 흉측하게 됐어요.

측량 기사 그건 저쪽의 심보 사나운 형님 탓입니다.

아우 아뇨. 내 탓이지요.

측량 기사 당신은 잘못한 것 없어요.

아우 어쨌든, 이렇게 나눠진 이상, 나도 독립해서 살아야겠어요.

측량 기사 잘 생각했습니다. 하지만, 당신 형님은 당신을 그냥 두지 않을 거예요.

아우 그게 무슨 뜻이죠?

측량 기사 이제 곧 알게 됩니다. 저쪽의 심보 나쁜 형이 당신 땅으로 넘어올 테니까요.

아우 형님이?

측량 기사 당신을 쫓아내고, 젖소들을 차지할 욕심이지요.

측량 기사, 호루라기를 꺼내 분다. 조수들이 검은색 가죽 가방을 들고 나온다. 그들은 가방에서 분해 상태의 장총을 꺼내 조립한다.

측량 기사 이게 뭔지 알아요?

아우 총인데요.

측량 기사 아주 성능이 좋은 총이지요. 당신은 이 총으로 벽을 지켜야 합니다.

아우 벽을 지켜요?

측량 기사 (아우의 손에 총을 쥐여 주며) 지금은 외상으로 드릴 테니, 대금은 나중에 땅으로 주세요.

조수들 (가방에서 총알을 꺼내 놓으며) 여기 총알이 있어요.

측량 기사 당신의 안전을 위해서 아낌없이 쏘세요!

형, 요란한 총소리에 놀라 전망대에서 황급히 내려온다. 그는 두려움에 질린 모습이 되어 움츠리고 앉는다. 측량 기사, 가죽 가방을 든 두 명의 조수와 함께 등장한다.

측량 기사 저쪽 동생이 미쳤군요. 형님에게 총질을 하다니!

조수들 (웃으며) 완전히 미쳤어요.

형 무서워요…….

측량 기사 이젠 동생이 아니라, 적이라고 생각하는 게 좋겠어요. 철저히 무장하고 자신을 지켜야지, 가만있다간 죽게 됩니다. (조수들에게) 여봐, 이분에게 총을 드려.

조수들 네.

조수들, 가죽 가방을 열고 장총의 분해품을 꺼낸다. 그들은 재빠르게 조립해서 형의 손에 쥐여 준다.

조수 1 손이 떨려서 총을 잡지 못하는데요?

측량 기사 꼭 쥐어 드리고 방아쇠 당기는 법을 가르쳐 드리라고.

조수 2 (형에게) 잘 보세요. 총 쏘는 건 간단해요.

조수 2, 형이 쥐고 있는 장총의 방아쇠를 당긴다. 요란한 총소리가 울려 퍼진다. 벽 너머의 아우, 그 소리에 놀라 몸을 움츠리더니 허공을 향해 위협사격을 한다. 놀란 형 역시 반사적으로 총을 쏘아 댄다. 하늘에서 번개가 치고 천둥소리가 울린다.

측량 기사 당신, 비가 온다고 해서 집에 가면 안 돼요. 이 벽 앞에서 언제나 총을 들고 지켜야지, 조금이라도 방심했다가는 적이 넘어옵니다. 자, 그럼 잘 지키고 있어요!

측량 기사, 퇴장한다. 번개가 치고 천둥이 울리면서 비가 쏟아진다. 형과 아우, 비를 맞으며 벽을 지킨다. 긴장한 모습으로 경계하면서 벽 앞을 오고 간다. 그러나 차츰차츰 걸음이 느려지더니, 벽을 사이에 두고 멈추어 선다.

형 어쩌다가 이런 꼴이 된 걸까! 아름답던 들판은 거의 다 빼앗기고, 나 혼자 벽 앞에 있어.

아우 내가 왜 이렇게 됐지? 비를 맞으며 벽을 지키고 있다니…….

형 저 요란한 천둥소리! 부모님께서 날 꾸짖는 거야!

아우 빗물이 눈물처럼 느껴져!

형과 아우, 탄식하면서 나누어진 들판을 바라본다.

형 들판에는 아직도 민들레꽃이 피어 있군! (총을 내려놓고 허리를 숙여 발밑의 민들레꽃을 바라본다.) 우리가 언제나 다정히 지내기로 맹세했던 이 꽃…….

아우 형님과 내가 믿을 수 있는 건 무엇일까? 그것이 단 하나라도 남아 있다면 좋을 텐데……. 그렇구나, 민들레꽃이 남아 있어! (총을 내던지고, 민들레꽃을 꺾어 든다.) 이 꽃을 보니까 그 시절이 그립다. 형님과 함께 행복하게 지냈던 시절이 그리워…….

형 벽 너머 저쪽에도 민들레꽃은 피어 있겠지…….

아우 형님이 보고 싶어!

형 동생 얼굴이 보고 싶구나!

형과 아우, 그들 사이를 가로막은 벽을 안타까운 표정으로 바라본다. 비가 그치면서 구름 사이로 한 줄기 햇빛이 비친다.

형 하지만, 내 마음을 어떻게 저 벽 너머로 전하지?

아우 비가 그치고, 산들바람이 부는군.

형 저 벽을 자유롭게 넘어갈 수만 있다면……. 가만있어 봐. 민들레꽃은 씨를 맺으면 어떻게 되지? 바람을 타고 멀리 날아가잖아?

아우 햇빛이 비치니까 샛노란 민들레꽃이 더 예쁘게 보여.

형 이 꽃을 꺾어서 벽 너머로 던져 주어야지. 동생이 이 민들레꽃을 보면, 진짜 내 마음을 알아줄 거야.

아우 형님에게 이 꽃을 드리겠어. 벽 너머의 형님이 이 꽃을 받으면, 동생인 나를 생각하겠지.

형과 아우, 민들레꽃을 여러 송이 꺾는다. 그들은 벽으로 다가가서 민들레꽃을 서로 던져 준다. 형은 아우가 던져 준 꽃들을 주워 들고 반색하고, 아우는 형이 던진 꽃들을 주워 들고 기뻐한다. 서로 벽을 두드리며 외친다.

아우 형님, 내 말 들려요?

형 들린다, 들려! 너도 내 말 들리냐?

아우 들려요!

형 우리, 벽을 허물기로 하자!

아우 네, 그래요. 우리 함께 빨리 허물어요!

무대 조명, 서서히 꺼진다. 다만, 무대 뒤쪽의 들판 풍경을 그린 걸개그림만이 환하게 밝다. 막이 내린다.

– 막 –

작품 해설

갈래 : 희곡
성격 : 상징적, 교훈적
제재 : 형제 간의 갈등과 화해
특징 : · 의도적인 날씨 설정으로 분위기를 조성하고 갈등 상황의 변화를 일으킴
· 벽, 총, 민들레 등과 같은 소재를 사용하여 남북의 분단 현실을 상징적으로 표현함
주제 : 형제 간의 우애 회복(남북 분단의 현실과 그 극복 의지)

3 오아시스 세탁소 습격 사건 _ 김정숙

등장인물

세탁소 주인 - 강태국	그의 부인 - 장민숙
그들의 아이 - 강대영	세탁소 종업원 - 염소팔
손님 - 안유식	손님 - 안경우(안유식의 아우)
손님 - 안미숙(안유식의 여동생)	손님 - 허영분 (안유식의 처), 서옥화 (안유식의 어머니 간병인)

앞부분의 줄거리

'강태국'은 2대째 내려오는 오아시스 세탁소의 주인으로 세탁소 일을 정리하고 세탁 편의점을 하자는 아내 '장민숙'의 잔소리에도 꿋꿋하게 세탁소를 지켜 내고 있다. '강태국'은 자신이 하는 일이 사람의 마음을 세탁하는 일이라는 신념으로 자신의 직업에 자부심을 느끼고 있기 때문이다. 그러던 어느 날, 할머니의 가족인 '안유식'과 '허영분', '안경우', '안미숙'이 세탁소로 다짜고짜 쳐들어와 할머니의 간병인이 맡긴 것을 내놓으라며 난동을 부린다.

안유식 (일단 떠밀려 나와) 흐흠, 미안하오. (궁리를 하듯). 우리 어머니가 병이 오래 되셨는데 뭐 오늘을 넘기기가 힘들다고 한 단 말이지요. 그래서 하는 말인데 (또 궁리) 으흠, (포기하고) 아는 사람은 알겠지만, 우리 어머님이 재산이 꽤 됩니다. 아버님 집안이 재산가이신 데다가 우리 집이 부동산이 워낙 많았고, 아버님 돌아가시고 난 다음에 이 노인네가 재산을 관리하면서 어디다 잘 둔다고 한 모양인데, 건강하실 때 다 두루 분배두 하구 알려두 주고 해야 할 일을, 말 한마디 못하고 덜커덕 풍을 맞아 갖구, 저렇게 식물인간으루다가 누워 지내다가 오늘 돌아가신다 하니까, 무슨 정신이 나는지 '세탁', '세탁' 이렇게 두 마디 간신히 하고 입을 달싹 못 하시니 노인네는 인전 가신다고 봐야겠고 재산을 보전해야 되는 게 장남의…….

강태국 그러니까 지금 할머님 말씀만 듣고 '세탁' '세탁' 해서 오셨는데, 그래도 뭔가 근거가 있어야지, 옷을 맡기셨다는 건지 그러면 인수증이 있을테구, 뭐 인수증이 없더라두 누구라구만 하셔두 저희가 다 뒤져서라두 찾아 드릴텐데 아시다시피 저희가 옷을 받으면 다 확인도 하고 돌려드리기도 하는데 한두 푼 찾는 것도 아니고 재산 운운 하시니까 참 난감합니다. 세탁소가 은행도 아니고.

안유식, 핸드폰이 울린다.

안유식 (받는다.) 여보세요 아, 김박사님 예? 임종이요? 아니 찾지도 못했는데, 아 예, 그런게 있어요, 아, 가야지요, (소리지른다.) 지금 간다니까 (끊는다.)

안미숙 엄마 간데?

허영분 어머님도 조금만 더 인심쓰시지 않구 세탁이 뭐야 달룽 세탁!

안패거리, 미련의 발걸음 – 아쉽게 퇴장

귀신에 홀린 듯이 남은 세 사람
황혼의 세탁소
참담하게 세탁소를 바라보는 강
엉거주춤허니 서서 은근슬쩍 옷을 뒤져 보는 염
두 사람을 번갈아 보는 장

장민숙 (낯 선 목소리로) 두 사람

두 사람 돌아 본다.

장민숙 (처음 보는 얼굴로) 정말 할머니한테 아무것도 안 받았어?

강태국 (세탁소로 달려간다.) 에이! (세탁소를 부순다.) 이눔의 세탁소 다 불 싸질러 버려! (세탁소를 뒤엎는다.)

장민숙 (남편을 붙잡으며) 아이구 여보 잘못했어!

염소팔 (말리며) 형님 참아요!

다림질대를 밝히는 백열전구 아래 강태국이 런닝 차림으로 열심히 김을 뿜어 대며 다림질을 하고 있다.

바쁘게 움직이는 강태국의 행복한 모습

그들은 강태국의 뒤에서, 밑에서, 앞에서 숨어서 마치 임무를 수행하는 첩보원들처럼 검은 복색 일색으로 우스꽝스럽게 꾸며 입고 세탁소에 잠입하여 서로가 모르려니 제 생각만 하고 옷들을 뒤지기 시작한다. 서로의 소리에 놀라면 야옹거리고, 서로의 그림자에 놀라면 찍찍 거려 숨으며, 서로 스쳐 지나가면서도 돈에 눈이 가리어 알아 보지 못한다. 어둠 속에 벌레처럼 꿈틀거리는 욕망의 불빛들. 작은 전등을 입에 물고, 머리에 달고, 손에 들고 옷과 옷 사이를 아슬아슬하게 누비는 불빛들. 전등 불빛에 드러나는 옷들이 마치 귀신 형상처럼 보인다. 불빛에 춤을 추는 옷들, 이리 저리 집어 던져져 날아다니는 옷들. 도깨비 옷 파티

염소팔이 던진 옷에 백열등이 크게 흔들린다. 놀란 사람들 제풀에 얼른 옷 사이로 숨는다. 강태국이 백열등을 고정하며 주위를 둘러본다.

강태국 뭐여? 왜이래? 누구 있어?

염소팔 야옹.

강태국 가라, 가 (솔로 옷을 턴다.) 우리 마누라 알뜰해서 너 먹을 거 없다. 이 때 많은 세상 한 귀퉁이 때 좀 빼면서, 그거 하나 지키면서 보람 있게 살아 보겠다는데 왜 흔들지? 돈이 뭐야? 돈이 세상의 전부야? 그런거야? 이 세상이 '돈' 세상이야? 돌았다 이거지? 돌아 버린 세상에 같이 돌아야 하는데 아버지 때문에 돌지도 못하잖아요, 아버지 책임져요! (런닝 팔뚝에 눈물을 닦고) 아버지 나 괜찮아요 (코를 풀고) 나요, 세탁소 합니다. 아무도 안 알아줘도 좋아요 아버지만 알면 돼, 아버지 다 알잖아, 그럼 됐지. (세상에 대고 말하듯) 늬 이놈들이 다 몰라줘두 나 세탁소 한다. 그게 내 일이거던.

사람들 자기 자리에 숨어서 강을 보며 제각기 분통을 터뜨린다.

강대영 (방백) 진짜 짜증나, 아버지 왜 저러지?

허영분 (방백) 미쳤어!

염소팔 (방백) 돌아 버리겠네.

안경우 (방백) 확 죽여 버릴까…….

장민숙 (비명 지른다.) 악!

강태국 (놀라) 거 누구요?

사람들 (그들도 놀라 다급하게 저마다 동물 소리를 낸다.) 아야용, 찍, 찍.

강태국 세탁소가 갑자기 동물의 왕국이 됐나?

강태국, 고개를 갸웃거리며 옷들 사이를 이리저리 살펴본다. 다시 흥얼거리며 옷을 정리하는 강태국. 잠깐 놀란 듯이 멈추며 옷을 들고 서 있다가 세탁대로 와서 아버지의 잡기장을 뒤진다.

강태국 그렇지, 할머니가 처음 세탁물을 맡겼을 때가 아버지가 살아계셨을 때니까. (세탁대에 앉아 잡기장을 읽으며 고개를 끄덕인다.) 아버지! 그래, 여기 있네, 있어.

사람들 더욱 조급해진 마음에 제각기 구시렁댄다.

염소팔 (방백) 원수가 따로 없구먼.

안유식 (방백, 명령조로) 불을 꺼 버려!

서옥화 (방백) 두꺼비집을 내려!

안미숙 (방백) 어서요!

염소팔 (놀라 얼떨결에) 예! (두꺼비집을 내린다.)

어둠 속에서 본격적으로 벌어지는 수색 전쟁. 이때 세탁소에 불이 확! 켜진다. 드러난 사람들 꼬라지. 코피 찍, 머리 산발, 자빠지고, 엎어지고 찢어지고 터지고……. 강태국이 두꺼비집 옆에 서있다. 놀라는 사람들. 놀라는 강태국

강태국 대영아!

강대영 (머리를 부여잡고 운다.) 아빠!

강태국 (아내에게) 다, 당신 미쳤어?

장민숙 미쳤, 아야 또 혀 깨물었다!

강태국 염소팔, 너 이놈!

염소팔 히히이잉……. 헹님!

강태국이 사람들 사이에 널부러진 시체 같은 옷들을 주워든다. 분노에 찬 강태국.

강태국 이게 사람의 형상이야? 뭐야 뭐에 미쳐서 들뛰다가 지 형상도 잊어버리는 거냐구 (손에 든 옷 보따리를 흔들어 보이며) 이것 때문에 그래? 1998년 9월 김순임?

장민숙 (감격하며) 여보!

강대영 엄마, 아빠가 찾았다!

안경우 (동생을 때리며) 야, 김순임이잖아!

안유식 (다가가며) 이리 줘!

강태국 (뒤로 물러서며) 못 줘!

장민숙 여보, 주지마!

사람들 (따라서 다가서며) 줘!

강대영 아빠 나!

강태국 (물러서며) 안돼, 이렇게 줄 순 없어.

안경우 날 줘요, (엄마에게 응석부리는 것처럼) 나 부도난단 말이야!

허영분 (거만하게 포기하듯이) 아저씨, 여기요, 50프로 줄테니까 이리 줘요!

안미숙 (뾰족하게) 내꺼는 안 돼!

허영분 내꺼가 어딨어? 결혼할 때 집 사줬으면 됐지!

안미숙 나만 사줬어? 오빠들은?

안유식 (소리친다.) 시끄러! (위협적으로) 죽고 싶지 않으면 내놔!

사람들 (따라서) 어서 내놔!

강태국 당신들이 사람이야? 어머님 임종은 지키고 온 거야?

사람들 아니!

강태국 에이 나쁜 사람들, (옷을 가지고 문으로 향하며) 나 못 줘! (울분에 차서) 이게 무엇인지나 알어? 나 당신들 못줘. 내가 직접 할머니 갖다 드릴 거야.

장민숙 여보 나줘!

강대영 아버지 나요!

강태국 안돼, 할머니 갖다줘야 돼, 왠지 알어? 이건 사람 것이거든, 당신들이 사람이믄 주겠는데, 당신들은 형상만 사람이지 사람이 아니야. 당신 같은 짐승들에게 사람의 것을 줄 순 없어. (나선다.)

안유식 에이! (달려든다.)

강태국 (도망치며) 안돼!

사람들 강태국을 향해 서로 밀치고 잡아당기고 뿌리치며 난나. 강태국, 재빨리 옷을 세탁기에 넣는다. 사람들 서로 먼저 차지하려고 세탁기로 몰려 들어간다. 강태국이 얼른 세탁기 문을 채운다. 놀라는 사람들, 세탁기를 두드린다.

강태국, 버튼 앞에 손을 내밀고 망설인다. 사람들 더욱 세차게 세탁기 문을 두드린다. 강태국, 버튼에 올려놓은 손을 부르르 떨다가 강하게 누른다. 음악이 폭발하듯 시작되고 굉음을 내고 돌아가는 세탁기. 무대 가득 거품이 넘쳐 난다. 빨래 되는 사람들의 고통스런 얼굴이 유리에 부딪쳤다 사라지고, 부딪쳤다 사라지고…….

강태국이 주머니에서 글씨가 빽빽히 적힌 눈물 고름을 꺼내어 들고 무릎을 꿇고 앉는다.

강태국 (눈물 고름을 받쳐 들고) 할머니 비밀은 지켜 드렸지요? 그 많은 재산, 이 자식 사업 밑천. 저 자식 공부 뒷바라지에 찢기고 잘려 나가도, 자식들은 부모 재산이 화수분인 줄 알아서, 이 자식이 죽는 소리로 빼돌리고, 저 자식이 앓는 소리로 빼돌려, 할머니를 거지를 만들어 놓았어도 불효자식들 원망은 커녕 형제 간에 의 상할까 걱정하시어 끝내는 혼자만 아시고 아무 말씀 안 하신 할머니의 마음, 이제 마음 놓고 가셔서 할아버지 만나서 다 이르세요. 그럼 안녕히 가세요! 우리 아버지 보시면 꿈에라도 한번 들려 가시라고 전해 주세요. (눈물 고름을 태워 드린다.)

음악 높아지며 할머니의 혼백처럼 눈부시게 하얀 치마저고리가 공중으로 올라간다. 세탁기 속의 사람들도 빨래 집게에 걸려 죽 걸린다.

강태국 (바라보고) 깨끗하다! 빨래 끝! (크게 웃는다.) 하하하.

작품 해설

갈래 : 희곡
성격 : 현실 비판적, 풍자적, 교훈적
제재 : 세탁소에 맡겨진 할머니의 옷
특징 : · 인물들의 행동을 과장하여 웃음을 유발함
· 비현실적인 문학 장치로 갈등이 해결되는 과정을 보여 줌
주제 : 이기적이고 탐욕스러운 인간에 대한 풍자 및 순수한 인간성에 대한 지향

06 수필

1 수필

글쓴이가 일상 속에서 경험한 일이나 경험에서 얻은 생각과 느낌을 일정한 형식에 얽매이지 않고 자유롭게 표현한 글

2 수필의 특성

1) **개성적인 문학** : 글쓴이의 가치관, 생활 방식, 정서, 말투 등의 독특한 개성이 드러남
2) **형식이 자유로운 글** : 일정한 형식의 제약 없이 자유롭게 쓸 수 있음
3) **비전문적인 글** : 전문 작가가 아니더라도 누구나 쓸 수 있음
4) **고백적인 글** : 글쓴이 자신의 생각이나 느낌을 꾸밈없이 솔직하게 표현함
5) **신변잡기적인 글** : 글쓴이의 주변에서 일어나는 여러 가지 일들을 글의 소재로 삼음

3 수필의 종류

1) **경수필** : 생활 속에서 일어나는 여러 가지 일들을 가볍게 쓴 글
   예 일기, 기행문, 편지 등
2) **중수필** : 사회적인 문제나 시사적 문제 등 무거운 내용을 논리적 · 객관적으로 쓴 글
   예 칼럼, 평론 등

4 수필과 소설의 공통점과 차이점

	수필	소설
공통점	· 줄글 형식의 산문 문학 · 독자에게 감동과 즐거움을 줌	
차이점	· 직접 경험한 사실을 씀 · 글 속의 '나'는 글쓴이 자신임 · 정해진 형식이 없음 · 글쓴이의 생각이 직접적으로 드러남	· 허구적으로 꾸며낸 이야기임 · 글 속의 '나'는 글쓴이가 만들어 낸 인물임 · 구성 단계에 따른 형식이 있음 · 글쓴이의 생각이 이야기를 통해 간접적으로 드러남

1 사막을 같이 가는 벗 _ 양귀자

학창 시절에는 유별나게도 학년이 바뀌고 반이 바뀌어 친구들과 뿔뿔이 흩어져야 하는 신학기가 싫었다. 마음으로 간절히 원했던 친구는 거의 언제나 다른 반으로 가버렸고, 한 반이 되지 않기를 빌고 빌었던 친구는 어김없이 한 반으로 편성되곤 하는 불행 아닌 불행 앞에서 얼마나 많이 속상해 했었는지 모른다.

그래서 학년이 바뀌고 처음 얼마 동안은 늘 마음을 잡지 못했었다. 아침에 눈을 떠 학교에 갈 일을 생각하면 가슴 한켠이 써늘해지곤 하던 그 느낌을 지금도 나는 선연히 떠올릴 수가 있다.

특히 운동장 조회나 체육시간 같은 때 친한 친구도 없이 외따로 떨어져 그 지겨운 시간을 견딜 생각을 하면 어디론가 도망가고 싶을 지경이었다. 게다가 점심시간은 또 얼마나 무렴(無廉)한지, 친하지도 않은 짝과 김칫국물 흐른 도시락을 꺼내놓고 밥알 씹는 소리까지 시로 훤히 들어가며 밥 먹을 생각을 하면 입맛도 달아나버렸다.

그런데 다른 아이들은 그렇지 않은 것 같았다. 가만히 살펴보면 어느새 하나 둘씩 친한 친구를 만들어 저희들끼리 밥도 먹고 조회시간에도 나란히 서서 다정하게 속살거리는데, 그 속에서 혼자만 외톨이로 빙빙 돌고 있는 아이는 나 하나뿐인 것처럼 생각되곤 했다.

그 지독한 소외감은 물론 시간이 흐르면서 조금씩 나아지기는 했었다. 여름방학을 할 때쯤이면 운동장 조회나 점심시간을 외롭게 하지 않을 단짝 한 명 정도는 발견하기 마련이니까 결국은 시간이 해결해 주기 마련이다.

그러나 역시 시간이 흐르면 신학기 또한 어김없이 다시 찾아오는 것이었다. 그러면 다시 이별과 탐색, 그리고 그 지독한 소외감에 시달리는 쓸쓸한 나날이 잊지도 않고 이어지는 것이었다.

이제는 반이 나뉘고 새로운 급우들한테서 실컷 낯설음을 맛봐야 하는 신학기 따위는 영영 내 곁에서 사라졌다. 그 대신 시기하고 미워하며, 또는 빼앗고 속이고 황폐한 세상살이에 낯가림하며 사는 나날 속으로 내던져지고 말았다.

망망대해를 헤매는 듯한 인생의 항해는 신학기 잠시의 외로움을 극복하는 일 따위와는 비교도

할 수 없을 만큼 두려움 가득하고 힘들다. 삶은 고난투성이고 끝없는 인내를 요구하기만 하는데, 그러나 홀로 헤치는 파도는 높고 거칠기만 한 것이다.

바로 이때에 영혼을 함께 나눌 친구가 절실히 필요해진다. 인생이란 험난한 항해를 같이 겪고 있다는 동지애의 확인, 혹은 내 삶의 따뜻한 동반자라는 느낌이 전해져 오는 친구와 같이 있는 시간에는 이 세상도 한번 살아볼 만하다는 용기가 솟는다.

목소리만 듣고도 친구가 처해 있는 상황을 눈치채는 우정, 눈짓만 보아도 친구가 무얼 원하는지 알아채는 우정, 그런 돈독한 우정을 상호 간에 교환하고 있는 이들이라면, 그렇다면 적어도 실패한 삶은 아니라고 단정할 수 있는 것이다.

살아가면서 그런 우정을 가꾸는 이들을 종종 만난다. 비록 나의 친구는 아니지만 그 모습을 보는 일은 참 아름답다. 언젠가 친구가 사업에 실패해서 낙향하여 쓸쓸히 살아가는 것을 안쓰러워하다 못해 자기도 다니던 직장을 정리하고 가족과 함께 시골로 내려가 친구 옆에서 땅을 일구는 사람을 만난 적이 있었다.

이미 결혼하여 각각의 식솔을 이끌고 있는 두 사람한테는 참으로 어려운 결정이었겠지만, 그러나 그들은, 양쪽집의 가족들 모두는, 한결같이 이렇게 말하는 것이었다. 냉혹한 이 세상에 대항하기 위해 두 집이 힘을 합쳤으니 얼마나 든든하냐고. 누군가 말했었다. 친구 없이 사는 일만큼 무서운 사막은 없다고. 또 누군가는 말했었다. 친구 없이 사는 것은 증인 없이 죽는 일이라고. 그 말들을 새기고 있으면 불현듯 마음이 찡해 온다. 나는 지금 무서운 사막을 홀로 걷고 있는 것은 아닌지, 지금 내 삶의 의미를 설명해 줄 단 한 사람의 증인도 없이 마음을 닫고 살아가는 것은 아닌지.

하지만 우정은 상호 간의 교류이다. 일방적인 행위가 결코 아닌 것이다. 말하자면 내가 먼저 쌓아야 할 탑이고 내가 밭을 경작해서 맺어야 할 열매인 것이다. 그럼에도 불구하고 탑을 제대로 쌓는 사람, 혹은 빛깔 곱고 아름다운 열매를 맺는 사람은 참 드물다. 친구는 많지만 진정으로 벗이라 부를 만한 이는 몇이나 되는지, 그것만이라도 한번쯤 되새겨 보며 살아야 하는 것 아닐까.

이상한 일이지만, 그러나 한번 더 생각해 보면 이해가 되지 않는 일도 아니지만, 진정한 친구로 사귀어왔다고 자부하는 사이면서도 그 친구가 성공을 거두면 마음 깊은 곳에서 솟구치는 질투심으로 어쩔 줄 몰라 하는 사람들이 의외로 많다. 불행을 당한 친구 앞에서는 얼마든지 위로를 할 수 있지만, 그러나 뜻밖의 행운을 얻거나 화려한 성공을 거둔 친구 앞에서는 진심으로 축하를 하기가 쉽지 않은 것이다.

이 모순투성이의 인간 마음 앞에서 진정한 친구인지 아닌지가 금방 구별되어진다. 친구의 행복을 아무런 질투 없이 기뻐하기 위해서는 남다른 우정이 필요한 법이고, 그런 우정을 보일 수 있는 사람 역시 성공한 사람이라고 단정하면 좀 지나친 것일까.

아니다, 그렇지 않다. 친구의 행운 앞에서 질투심 따위의 천박한 이기심을 버릴 수 있을 만큼 자신의 성품을 고귀하게 닦은 사람이라면 충분히 자기 인생을 성공으로 이끌 수 있는 사람이다.

누군가의 사람됨이 어떠한가를 알고 싶으면 그의 친구가 어떤 사람인지 알아보라고 말들을 한다. 영혼의 교류를 함께하는 친구한테서 또 다른 모습의 자기를 찾을 수 있다는 말은 어쩌면 당연한 것인지도 모른다.

우리한테 참다운 벗이 없다는 말은 그러므로 우리가 누군가에게 참다운 벗이 되어주지 않았다는 말과 조금도 다름이 없다.

세상이 참 각박하다고들 말한다. 세상이 온통 거짓과 불화로 가득 차 있다고 말한다. 그러면 그럴수록, 그렇기 때문에 더욱 우리에게 필요한 것은 누군가의 따뜻한 가슴일 것이다. 그리고 또한 누군가에게 따뜻한 가슴이 되어주는 일일 것이다.

작품 해설

갈래 : 수필
성격 : 회상적, 고백적
제재 : 학창 시절 신학기의 외로움
특징 : 글쓴이가 삶을 바라보는 관점과 삶에서 중요하게 생각하는 가치가 드러남
주제 : 진정한 벗의 필요성과 진정한 벗이 되기 위해 먼저 노력하는 자세의 중요성

2 고래들의 따뜻한 동료애 _ 최재천

몇 년 전 일이다. 어디론가 가기 위해 바삐 걷던 중 저만치 앞에서 휠체어를 탄 장애인이 차도로 내려서는 것을 보았다. 위험할 터인데 왜 저러나 싶어 살펴보니 그의 앞에 큼직한 자동차가 인도를 꽉 메운 채 버티고 있는 것이 아닌가. 어쩔 수 없는 상황에서 차도라도 돌아가려는 그에게 차들은 한 치의 양보도 하지 않았고 심지어는 요란하게 경적을 울리는 이들도 있었다.

나는 황급히 그에게 다가가 그의 휠체어 손잡이를 잡으며 도와드리겠다고 했다. 그러나 나의 도움은 아무런 효과가 없었다. 차들은 여전히 매정하게 우리 앞을 가로지르고 있었고 세워달라고 내가 손을 흔들 때면 더 빠른 속도로 달려오곤 했다. 그러자 그는 나에게 휠체어는 혼자서도 운전할 수 있으니 미안하지만 차도로 내려가 오는 차들을 잠시 멈추게 해 줄 수 있느냐고 부탁했다. 그러면서 자기처럼 장애인이 되지 않도록 조심하라는 당부를 잊지 않았다. 나는 곧바로 차도에 뛰어들어 달려오는 차들을 막아 세웠고 그는 차도로 우회한 후 다시 인도로 올라가 가던 길을 계속 갈 수 있었다.

그는 비교적 말수가 적은 사람이었다. 아니면 금방 벌어진 일을 되새기며 씁쓸해하고 있었는지도 모르겠다. 어쨌든 나는 엉거주춤 그의 곁에서 보조를 맞추며 그렇게 한참을 걸었다. 어색해하는 나에게 그는 먼저 서둘러 가라고 권했다. 나는 결국 그와 몇 번의 인사를 나누고 먼저 앞서 걷기 시작했다. 그러나 자꾸 몇 걸음 걷다가 뒤를 돌아보지 않을 수 없었다. 그런 나를 향해 그는 가끔 조용히 손을 흔들어 주었다.

당시 나는 외국에서의 긴 연구생활을 마치고 귀국한 지 얼마 되지 않았을 때였고 외국에 비해 장애인들이 별로 눈에 띄지 않아 의아하게 생각하던 참이었다. 하지만 한국이 외국보다 장애인이 적어서가 아니라 그들이 길에 나서기가 너무도 불편하게 되어있기 때문이라는 걸 나는 비로소 깨닫게 되었다. 미국에는 건물마다 장애인들이 이용하기 편리하도록 장애인 전용통로까지 만들어 놓았다. 얼마 전에는 한국 출신의 장애인 학생을 위해 하버드 행정대학원이 건물구조를 바꾸었다는 기사가 신문에 실리기도 했다.

해마다 우리는 장애인의 날이면 행사를 하며 법석을 떤다. 정작 그들에게 따뜻한 눈길 한번 주지 않으면서 길 한번 제대로 비켜주지 않으면서 말이다. 그날만 장애인을 걱정하는 것처럼 가장하고 그 동안 그러하지 못했던 것을 속죄하는 척하기만 하면 되는 것처럼 하루를 보낸다. 이제 우리는 일상생활에서 장애인과 함께 사는 법을 배워야 한다. 그래서 하루 빨리 장애인의 날 같은 건 사라지게 말이다.

자연계는 언뜻 보면 늙고 병약한 개체들은 어쩔 수 없이 늘 포식자의 밥이 되고 마는 비정한 세계처럼만 보인다. 하지만 인간에 버금가는 지능을 지닌 고래들의 사회는 다르다. 거동이 불편한 동료를 결코 나 몰라라 하지 않는다. 다친 고래를 여러 고래들이 둘러싸고 거의 들어 나르는 듯한 모습이 고래학자들의 눈에 여러 번 관찰되었다. 그물에 걸린 동료를 구출하기 위해 그물을 물어뜯는가 하면 다친 동료와 고래잡이배 사이에 과감히 뛰어들어 사냥을 방해하기도 한다.

고래는 비록 물속에 살지만 엄연히 허파로 숨을 쉬는 젖먹이동물이다. 그래서 상처를 입어 움직이지 못하면 무엇보다도 물위로 올라와 숨을 쉴 수 없으므로 쉽사리 목숨을 잃는다. 그런 친구를 혼자 등에 업고 그가 충분히 기력을 되찾을 때까지 떠받치고 있는 고래의 모습을 보면 저절로 머리가 숙여진다. 또 많은 고래가 육체적인 도움을 주지 않더라도 무언가로 괴로워하는 친구 곁에 그냥 오랫동안 있기도 한다.

우리 사회의 장애인들에게도 휠체어를 직접 밀어줄 사람들보다 그들이 스스로 밀고 갈 수 있도록 길을 비켜주고 따뜻하게 함께 있어줄 사람들이 필요한 것인지도 모른다. 그들이 당당하게 삶을 꾸릴 수 있도록 여건을 마련해준 후 그저 다른 이들을 대하듯 똑같이만 대해주면 될 것이다.

앞으로 좀 더 자세한 연구가 진행되어야 밝혀질 일이겠지만 남을 돕는 고래가 모두 다친 고래의 가족이거나 가까운 친척만은 아닐지도 모른다. 우리 인간이 그렇듯이 장애가 있는 동생을 보살피는 것과 전혀 연고도 없는 장애인을 돕는 것은 근본적으로 다르다. 다친 고래를 등에 업고 있는 고래가 가족이나 친척으로 밝혀질 가능성은 충분히 있지만 다친 고래를 가운데 두고 보호하는 그 모든 고래가 다 가족일 가능성은 적은 것 같다. 고래들의 사회에 우리처럼 장애인의 날이 있어 "장애고래를 도웁시다."라는 구호를 외치며 배웠을 리 없건만 결과만 놓고 보면 고래들이 우리보다 훨씬 낫다.

작품 해설

갈래 : 수필
성격 : 체험적, 비판적, 설득적
제재 : 고래들의 동료애와 장애인
특징 : · 글쓴이의 경험을 바탕으로 장애인에 대한 우리 사회의 현실을 보여 줌
· 고래들의 모습과 우리 사회의 모습을 비교하여 글쓴이의 생각을 펼침
주제 : 장애인에 대한 이해와 배려의 필요성

3 흙을 밟고 싶다 _ 문정희

동네 꼬마들이 흙장난을 하고 있다. 그것도 흙냄새가 향기로운 아파트 정원에 앉아서.

'출입금지' 라는 팻말에도 아랑곳없이 흙 위에 풀썩 주저앉아 노는 모습이 좋은 놀이터라도 발견한 듯 신이 나 있는 표정이다.

화단 내에 들어가지 말 것을 주의를 주어야 함에도 불구하고 나는 동심으로 돌아가 모르는 척 그들 노는 모습을 망연자실 지켜보고 있다. 아파트 내에서 그나마 흙냄새 나는 곳이 있다는 게 다행이란 생각이 들었기 때문이다. 곱슬머리 남자아이가 운동화를 벗더니 신발 가득 흙을 담기 시작했다. 짐 실은 트럭을 만들기 위한 것이라고 한다. 이에 뒤질세라 그중 가장 나이가 어려 보이는 여자아이는 무엇을 하려는지 흙을 산더미처럼 쌓기 시작했다.

흙을 갖고 온갖 놀이를 구상하는 모습이 어찌나 진지해 보이는지, 군데군데 나무와 화초가 심어진 정원이 그들의 천국인 양 평온하기가 이를 데 없다.

한데 그것도 잠시였다. 아이를 찾던 곱슬머리 소년의 엄마가 헐레벌떡 달려오더니 다짜고짜 아이를 야단치기 시작했다. 놀이터를 놔두고 왜 하필 더러운 흙을 만지며 노느냐는 것이다. 트럭을 만들려고 흙을 담아 놓은 운동화를 보자 아이 엄마의 얼굴은 더 일그러졌다. 새 신발에 흙을 묻혀 놓아 짜증스럽다는 표정이다.

"내버려 두세요, 흙 놀이도 자연을 알게 하는 산 공부인데."라는 말이 목구멍까지 올라왔지만 차마 입이 떨어지질 않았다. 아이의 옷에 흙 묻히는 걸 싫어하는데 불난 집에 부채질하는 격이 될 것 같아서였다.

흙을 가득 실은 운동화 트럭을 운전해 보지도 못한 채 엄마 손에 이끌려가는 아이의 모습이 안타까웠다. 흙 내음을 맡으며 모처럼 도시의 딱딱함으로부터 해방된 것 같은 기분을 그 아이들은 느꼈을 터였다.

기성세대의 고집이 아이들의 감성을 짓누른다 생각하니 왠지 씁쓸한 생각이 들었다. 물론 아파트에 놀이터가 한두 군데 있기는 하지만 모두 모래여서 부드럽고 촉촉한 흙의 감촉에는 비할 바가 못 된다. 온통 시멘트 바닥에다 빼곡 빼곡 붙어 있는 빌딩 숲에서 어찌 생명의 경이로움을 가슴으로 느낄 수 있으랴. 신기한 장난감도 오래 가지고 놀면 흥미를 잃기 마련인데, 온갖 놀이 기구가 풍성해도 풀 한 포기 자라지 않은 아파트 놀이터에 실증을 느꼈는지도 모른다.

나도 어렸을 적 흙 놀이를 즐겼었다. 학교 이동이 잦았던 아버지께서 외지로 발령이 나자 어머니는 나를 사랑채에 사시는 증조할머니와 기거토록 하였다. 비행기나 차를 타는 일에 정도 이상으로 공포증을 갖고 있었던 나는 아버지 부임지로 함께 떠난다는 것은 생각할 수도 없었다. 지나가는 오토바이만 보아도 무슨 괴물을 보듯 무서워서 도망치곤 했을 만큼, 문명의 이기에 적응을 못 했기에 할머니와 지내는 것을 편케 생각했는지도 모른다. 교육열이 대단하셨던 증조할머니도 어머니 못지않게 자상한 성품이어서 부모님께서도 안심이 되셨던 것 같다.

신기한 놀이 시설도, 특별한 장난감도 없었지만 나는 할머니와 지내는 게 신이 났다. 촉촉한 흙냄새가 나는 마당에 앉아 손으로 흙을 주물며 놀아도 야단치는 일이 없었기 때문이다. 그래서 흙이 질펀한 마당은 언제나 내 놀이터였다. 길에서 민들레를 뽑아다 흙을 일구어 심기도 하고, 신발에 흙을 담아 할머니 채마밭 고랑에 뿌리기도 하였다. 주위가 어둑해질 때까지 흙장난에 지칠 줄 모르는 나를 보고도 증조할머니는 웬일인지 화를 내지 않으셨다. 흙강아지가 되도록 실컷 놀라고 하실 뿐이었다.

생명을 키워내는 흙의 신비로움과 풍요를 온몸으로 느끼게 해 주고 싶어서 일까. 흙을 만지다 나뭇가시에 찔려 피가 흘러도 할머니는 그다지 놀라지 않으셨다. 할머니 손은 약손이라며 흙 한 줌 손으로 집어 상처 난 부위에 훌훌 뿌리는 것으로 치료를 대신하곤 했다. 사람은 흙으로 빚어졌으니 상처도 흙을 바르면 낫는다는 것이었다.

할머니의 흙 치료가 비위생적으로 보여 앙탈을 부리곤 했지만 할머니의 행동이 흙의 영험을 확신하고 계시는 것 같아 거부할 수도 없었다. 집안에 평안을 기원하는 제의 일종인 토신제를 지낼 때에도 할머니는 흙 한줌을 그릇에 담아 뒤뜰에 뿌리곤 했었다.

아무런 조건도 없이 오랜 세월을 베풀어 주기만 한 땅, 조상이 물려준 토지에 집을 짓고 편안히 사는 게 모두 땅의 은덕이라 생각하신 듯싶었다. 발을 딛고 다니는 땅이야말로 살 속에 깃든 영혼이고 모든 생명의 고향이라 생각한 것이다. 하지만 요즈음 땅을 밟고 산다는 게 하나의 사치처럼 되어 가는 느낌이다.

하늘과 가까운 고층 아파트에 살다보니 흙을 가까이할 기회가 적어진 것이다. 가끔 이러다가는 하늘의 공간에서 영영 땅으로 내려오지 못하는 건 아닐까 하는 생각이 들기도 한다. 손바닥만 한 마당이라도 있는 주택으로 주거지를 옮기겠다고 입버릇처럼 말하면서도 결국 아파트의 편리함에 젖어 다시 주저앉게 되니 말이다.

그래서인지 근래 들어선 마음까지도 시멘트 벽을 닮아가고 있는 것 같다. 오 년 동안 한 아파트 통로에 사는 아주머니와는 엘리베이터에서 만났어도 가벼운 목례를 하는 것 정도가 고작이고 서로 왕래해 본 일이 없다. 가까운 이웃이 없다면 훈훈한 정도 느끼지 못할 텐데 철저하게 혼자 사는 생활에 익숙해져 가고 있다.

지구의 절반 이상이 흐르는 물로 덮여 있음에도 수구라 하지 않고 지구라 칭한 것도 흙이 생명의 모태이기 때문이 아닐까. 땅과 멀어질수록 병원을 가까이한다는 말이 있듯이 무디어진 심성을 깨우치는 건 자연과 가까이 하는 일이지 않나 싶다.

작품 해설

갈래 : 수필
성격 : 회상적, 경험적, 비판적
제재 : 흙
특징 : · '곱슬머리 소년의 엄마' 와 '나' 의 흙을 바라보는 관점이 대비됨
· 글쓴이의 경험과 사색을 통해 흙의 긍정적 가치를 제시함
· 흙을 멀리하는 요즘 사람들에 대한 비판적 태도가 드러남
주제 : 흙을 가까이하는 삶을 살아야 한다.

4 실수 _ 나희덕

옛날 중국의 곽휘원이란 사람이 떨어져 살고 있는 아내에게 편지를 보냈는데, 그 편지를 받은 아내의 답시는 이러했다.

벽사창에 기대어 당신의 글월을 받으니
처음부터 끝까지 흰 종이뿐이옵니다.
아마도 당신께서 이 몸을 그리워하심이
차라리 말 아니 하려는 뜻임을 전하고자 하신 듯하여이다.

이 답시를 받고 어리둥절해진 곽휘원이 그제야 주위를 둘러보니, 아내에게 쓴 의례적인 문안 편지는 책상 위에 그대로 있는 게 아닌가. 아마도 그 옆에 있던 흰 종이를 편지인 줄 알고 잘못 넣어 보낸 것인 듯했다. 백지로 된 편지를 전해 받은 아내는 처음엔 무슨 영문인가 싶었지만, 꿈보다 해몽이 좋다고 자신에 대한 그리움이 말로 다할 수 없음에 대한 고백으로 그 여백을 읽어 내었다. 남편의 실수가 오히려 아내에게 깊고 그윽한 기쁨을 안겨 준 것이다. 이렇게 실수는 때로 삶을 신선한 충격과 행복한 오해로 이끌곤 한다.

실수라면 나 역시 일가견이 있는 사람이다. 언젠가 비구니들이 사는 암자에서 하룻밤을 묵은 적이 있다.

다음날 아침 부스스해진 머리를 정돈하려고 하는데, 빗이 마땅히 눈에 띄지 않았다. 원래 여행할 때 빗이나 화장품을 찬찬히 챙겨가지고 다니는 성격이 아닌데다 그날은 아예 가방조차 가지고 있지 않았다. 그러던 중에 마침 노스님 한분이 나오시기에 나는 아무 생각도 없이 이렇게 여쭈었다.

"스님, 빗 좀 빌릴 수 있을까요?"

스님은 갑자기 당황한 얼굴로 나를 바라보셨다. 그제야 파르라니 깎은 스님의 머리가 유난히 빛을 내며 내 눈에 들어왔다. 나는 거기가 비구니들만 사는 곳이라는 사실을 깜박 잊고 엉뚱한 주문을 한 것이었다. 본의 아니게 노스님을 놀린 것처럼 되어 버려서 어쩔 줄 모르고 서 있는 나에게, 스님은 웃으시면서 저쪽 구석에 가방이 하나 있을 텐데 그 속에 빗이 있을지 모른다고 하셨다.

방 한구석에 놓인 체크무늬 여행 가방을 찾아 막 열려고 하다 보니 그 가방 위에는 먼지가 소복하게 쌓여 있었다. 적어도 오륙 년은 손을 대지 않은 것처럼 보이는 그 가방은 아마도 누군가 산으로 들어오면서 챙겨 들고 온 속세의 짐이었음에 틀림없었다. 가방 속에는 과연 허름한 옷가지들과 빗이 한개 들어 있었다.

나는 그 빗으로 머리를 빗으면서 자꾸만 웃음이 나오는 걸 참을 수가 없었다. 절에서 빗을 찾은 나의 엉뚱함도 우물가에서 숭늉 찾는 격이려니와, 빗이라는 말 한 마디에 그토록 당황하고 어리둥절해하던 노스님의 표정이 자꾸 생각나서였다. 그러나 그 순간 나는 보았다. 시간을 거슬러 올라가 검은 머리칼이 있던, 빗을 썼던 그 까마득한 시절을 더듬고 있는 그분의 눈빛을. 이십 년 또는 삼십 년, 마치 물길을 거슬러 올라가는 연어 떼처럼 참으로 오랜 시간이 그 눈빛 위로 스쳐 지나가는 듯했다. 그 순식간에 이루어진 회상의 끄트머리에는 그리움인지 무상함인지 모를 묘한 미소가 반짝하고 빛났다. 나의 실수 한 마디가 산사의 생활에 익숙해져 있던 그분의 잠든 시간을 흔들어 깨운 셈이다. 그걸로 작은 보시는 한 셈이라고 오히려 스스로를 위로해보기까지 했다.

이처럼 악의가 섞이지 않은 실수는 봐줄 만한 구석이 있다. 그래서인지 내가 번번이 저지르는 실수는 나를 곤경에 빠뜨리거나 어떤 관계를 불화로 이끌기보다는 의외의 수확이나 즐거움을 가져다줄 때가 많았다. 겉으로는 비교적 차분하고 꼼꼼해 보이는 인상이어서 나에게 긴장을 하던 상대방도 이내 나의 모자란 구석을 발견하고는 긴장을 푸는 때가 많았다. 또 실수로 인해 웃음을 터뜨리다 보면 어색한 분위기가 가시고 초면에 쉽게 마음을 트게 되기도 했다. 그렇다고 이런 효과 때문에 상습적으로 실수를 반복하는 것은 아니지만, 한번 어디에 정신을 집중하면 나머지 일에 대해서 거의 백지상태가 되는 버릇은 쉽사리 고쳐지지 않는다. 특히 풀리지 않는 글을 붙잡고 있거나 어떤 생각거리에 매달려 있는 동안 내가 생활에서 저지르는 사소한 실수들은 내 스스로도 어처구니가 없을 지경이다.

그러면 실수의 '어처구니없음'은 어디서 오는 것일까. 원래 어처구니란 엄청나게 큰 사람이나 큰 물건을 가리키는 뜻에서 비롯되었는데, 그것이 부정어와 함께 굳어지면서 어이없다는 뜻으로 쓰이게 되었다. 크다는 뜻 자체는 약화되고 그것이 크든 작든 우리가 가지고 있는 상상이나 상식을 벗어난 경우를 지칭하게 된 것이다. 그러니 상상에 빠지기 좋아하고 상식으로부터 자유로워지려는 사람에게 어처구니없는 실수가 그림자처럼 따라다니는 것은 아주 자연스러운 일이다.

결국 실수는 삶과 정신의 여백에 해당한다. 그 여백마저 없다면 이 각박한 세상에서 어떻게 숨을 돌리며 살 수 있겠는가. 그리고 발 빠르게 돌아가는 세상에 어떻게 휩쓸려가지 않고 남아 있을 수 있겠는가. 어쩌면 사람을 키우는 것은 능력이 아니라 실수의 힘일지도 모른다.

그러나 날이 갈수록 실수가 용납되는 땅은 점점 좁아지고 있다. 사소한 실수조차 짜증과 비난의 대상이 되기가 십상이다. 남의 실수를 웃으면서 눈감아 주거나 그 실수가 나오는 내면의 풍경을 헤아려주는 사람을 만나기도 어려워져 간다. 나 역시 스스로는 수많은 실수를 저지르고 살면서도 다른 사람의 실수에 대해서는 조급하게 굴거나 너그럽게 받아 주지 못한 때가 적지 않았던 것 같다.

도대체 정신을 어디에 두고 사느냐는 말을 들을 때면 그 말에 무안해져 눈물이 핑 돌기도 하지만, 내 속의 어처구니는 머리를 디밀고 이렇게 소리치는 것이다. 정신과 마음은 내려놓고 살아야 한다고. 어디로 가는 줄도 모르고 뛰어가는 자신을 하루에도 몇 번씩 세워두고 '우두커니' 있는 시간, 그 '우두커니' 속에 사는 '어처구니'를 많이 만들어내면서 살아야 한다고. 바로 그 실수가 곽휘원의 아내로 하여금 백지의 편지를 꽉 찬 그리움으로 읽어 내도록 했으며, 산사의 노스님으로 하여금 기억의 어둠 속에서 빛 하나를 건져 내도록 해 주었다고 말이다.

작품 해설

갈래 : 수필
성격 : 교훈적, 자기 고백적
제재 : 실수
특징 : · 일화를 통해 읽는 이의 관심과 흥미를 유발함
· 단어의 뜻을 통해 제재에 의미를 부여함
주제 : 실수의 긍정적 의미. 실수를 너그럽게 용서해 주는 태도의 필요성

5 괜찮아 _ 장영희

초등학교 때 우리 집은 서울 동대문구 제기동에 있는 작은 한옥이었다. 골목 안에는 고만고만한 한옥 여섯 채가 서로 마주 보고 있었다. 그 때만 해도 한 집에 아이가 보통 네댓은 됐으므로 골목길 안에만도 초등학교 다니는 아이가 줄잡아 열 명이 넘었다. 학교가 파할 때쯤 되면 골목은 시끌벅적, 아이들의 놀이터가 되었다.

어머니는 내가 집에서 책만 읽는 것을 싫어하셨다. 그래서 방과 후 골목길에 아이들이 모일 때쯤이면 대문 앞 계단에 작은 방석을 깔고 나를 거기에 앉히셨다. 아이들이 노는 걸 구경이라도 하라는 뜻이었다.

딱히 놀이 기구가 없던 그때, 친구들은 대분분 술래잡기, 사방치기, 공기놀이, 고무줄놀이 등을 하고 놀았지만 나는 공기놀이 외에는 그 어떤 놀이에도 참여할 수 없었다. 하지만 골목 안 친구들은 나를 위해 꼭 무언가 역할을 만들어 주었다. 고무줄놀이나 달리기를 하면 내게 심판을 시키거나 신발주머니와 책가방을 맡겼다. 그뿐인가. 술래잡기를 할 때는 한곳에 앉아 있어야 하는 내가 답답해할까 봐 어디에 숨을지 미리 말해 주고 숨는 친구도 있었다.

우리 집은 골목에서 중앙이 아니라 모퉁이 쪽이었는데 내가 앉아 있는 계단 앞이 늘 친구들의 놀이 무대였다. 놀이에 참여하지 못해도 난 전혀 소외감이나 박탈감을 느끼지 않았다. 아니, 지금 생각하면 내가 소외감을 느낄까 봐 친구들이 배려해 준 것이었다.

그 골목길에서의 일이다. 초등학교 1학년 때였던 것 같다. 하루는 우리 반이 좀 일찍 끝나서 나 혼자 집 앞에 앉아 있었다. 그런데 그때 마침 골목을 지나던 깨엿 장수가 있었다. 그 아저씨는 가위를 쩔렁이며, 목발을 옆에 두고 대문 앞에 앉아 있는 나를 흘낏 보고는 그냥 지나쳐 갔다. 그러더니 리어카를 두고 돌아와 내게 깨엿 두 개를 내밀었다. 순간 아저씨와 내 눈이 마주쳤다. 아저씨는 아무 말도 하지 않고 아주 잠깐 미소를 지어 보이며 말했다.

“괜찮아.”

무엇이 괜찮다는 건지 몰랐다. 돈 없이 깨엿을 공짜로 받아도 괜찮다는 것인지, 아니면 목발을 짊고 살아도 괜찮다는 말인지……. 하지만 그건 중요하지 않다. 중요한 것은 내가 그날 마음을 정했다는 것이다. 이 세상은 그런대로 살 만한 곳이라고, 좋은 친구들이 있고 선의와 사랑이 있고, '괜찮아' 라는 말처럼 용서와 너그러움이 있는 곳이라고 믿기 시작했다는 것이다.

오래전 학교 친구를 찾아 주는 방송 프로그램이 있다. 한번은 가수 김현철이 나와서 초등학교 때 친구를 찾았는데, 함께 축구 경기를 하던 이야기가 나왔다. 당시 허리가 36인치일 정도로 뚱뚱한 친구가 있었는데, 뚱뚱해서 잘 뛰지 못한다고 다른 친구들이 축구팀에 끼워 주려고 하지 않았다. 그때 김현철이 나서서 말했다고 한다.

"괜찮아. 얜 골키퍼를 시키면 우리 함께 놀 수 있잖아!"

그래서 그 친구는 골키퍼를 맡아 함께 축구를 했고, 몇십 년이 지난 후에도 김현철의 따뜻한 말과 마음을 그대로 기억하고 있었다.

괜찮아 — 난 지금도 이 말을 들으면 괜히 가슴이 찡해진다. 2002년 월드컵 4강에서 독일에 졌을 때 관중들은 선수들을 향해 외쳤다.

"괜찮아! 괜찮아!"

혼자 남아 문제를 풀다가 결국 골든벨을 울리지 못해도 친구들이 얼싸안고 말해 준다.

"괜찮아! 괜찮아!"

"그만하면 참 잘했다." 라고 용기를 북돋아 주는 말, "너라면 뭐든지 다 눈감아 주겠다."라는 용서의 말, "무슨 일이 있어도 나는 네 편이니 넌 절대 외롭지 않다."라는 격려의 말. "지금은 아파도 슬퍼하지 말라."라는 나눔의 말, 그리고 마음으로 일으켜 주는 부축의 말, 괜찮아.

그래서 세상 사는 것이 만만치 않다고 느낄 때, 죽은 듯이 노력해도 내 맘대로 일이 풀리지 않는다고 생각될 때, 나는 내 마음 속에서 작은 속삭임을 듣는다. 오래전 내 따뜻한 추억 속 골목길 안에서 들은 말 — '괜찮아! 조금만 참아. 이제 다 괜찮아질 거야.'

아, 그래서 '괜찮아' 는 이제 다시 시작할 수 있다는 희망의 말이다.

작품 해설

갈래 : 수필
성격 : 회상적, 체험적
제재 : 어린 시절 골목길에서의 추억
특징 : · 어린 시절 경험에서 얻은 깨달음을 진솔하게 표현함
· 자신의 체험과 보고 들은 일화를 제시하여 말하고자 하는 바를 강조함
주제 : 타인의 처지를 이해하고 배려하는 자세의 소중함

6 열보다 큰 아홉 _ 이문구

오늘은 아홉과 열이라는 수(數)가 지니고 있는 뜻에 대해서 생각해 보기로 합시다.

잘 아시다시피 열은 십 · 백 · 천 · 만 · 억 등의 십진급수(十進級數)에서 제일 먼저 꽉 찬 수입니다. 그러므로 이 열에 얼마를 더 보태거나 빼거나 한다면 그것은 이미 열이 아닌 다른 수가 됩니다.

무엇을 하기에 그 이상 좋을 수가 없이 알맞은 경우에 '십상 좋다' 고 말하는 '십상' 도, '열 십(十)' 자와 '이룰 성(成)' 자에서 나온 말입니다. 그만큼 열이란 수는 이미 이룰 것을 이룩한 완전한 수이며, 성공을 한 수인 것입니다.

그러면 아홉이란 수는 어떤 수입니까? 두말할 필요도 없이 열보다 하나가 모자라는 수입니다. 다시 말하면 완전에 거의 다다른 수, 거기에 하나만 보태면 완전에 이르게 되는 수, 그래서 매우 아쉬움을 느끼게 하는 수인 것입니다.

그러면 아홉은 정녕 열보다 적거나 작은 수일까요, 그렇지 않습니다. 예를 들어 보겠습니다.

끝없이 높고 너른 하늘을 십만 리 장천이라고 하지 않고 구만리장천이라고 합니다. 젊은이더러 '앞이 구만리 같은 사람' 이라고 하는 말과 같은 뜻이지요.

굽이굽이 한없이 서린 마음을 구곡간장(九曲肝腸)이라고 하고, 굽이굽이 에워 도는 산굽이가 얼마인지 모르는 길을 구절양장(九折羊腸)이라고 하고, 통과해야 할 문이 몇이나 되는지 모르는 왕실을 구중궁궐(九重宮闕)이라고 하고, 죽을 고비를 수도 없이 넘기고 살아난 것을 구사일생(九死一生)이라고 표현하고 있습니다.

또 있습니다. 끝 간 데가 어디인지 모르는 땅속이나 저승을 구천(九天)이라고 하고, 임금보다 한 계급 모자라는 대신인 삼공육경(三公六卿)을 구경(九卿)이라고 합니다. 문화재로 남아 있는 탑들을 보면, 구 층 탑은 부지기수로 많아도 십 층 탑은 아직 보지 못하였습니다.

동양에서는, 그중에서도 특히 우리나라에서는, 오랜 옛날부터 열보다 아홉을 더 사랑했습니다. 얼마나 사랑했으면 아홉 구 자가 두 번 든 음력 구월 구일을 중양절(重陽節)이니, 중굿날이니

하는 이름으로 부르면서, 천 년이 훨씬 넘도록 큰 명절로 정하고 쇠어 왔겠습니까.

우리의 조상들이 열보다 아홉을 더 사랑한 것은 무슨 까닭이었을까요. 간단히 말해서 모든 일에 완벽함을 기대하지 않았다는 뜻이 아니었을까요?

우리가 흔히 듣는 말 중에 '모든 기록은 깨어지지 위해서 있다.' 라는 말이 있습니다. 이 말이 맞지 않는 말이라면, 여러분이 아시다시피 세계 제일의 기록만을 수록하는 기네스북도 해마다 다시 찍어 내야 할 이유가 없겠지요.

모든 기록이 반드시 깨어지기 마련인 것은, 그 기록을 이룩한 것이 인간이기 때문이라고 생각합니다. 인간은 저마다 무한한 가능성을 타고난 사실과 아울러서, 이 세상에 완전한 인간은 결코 어디에도 있을 수가 없다는 사실 또한 그 스스로가 증명해 주는 존재이기도 합니다.

열이란 수가 넘치지도 않고 모자라지도 않고, 또 조금도 여유가 없는 꽉 찬 수, 그래서 다음도 없고 다음다음도 없이 아주 끝나 버린 수라는 점에서, 아홉은 열보다 많고, 열보다 크고, 열보다 높고, 열보다 깊고, 열보다 넓고, 열보다 멀고, 열보다 긴 수였으며, 그리하여 다음, 또 그다음, 그도 아니면 그 다음다음을 바라볼 수 있는, 미래의 꿈과 그 가능성의 수였기에, 슬기롭고 끈기 있는 우리의 선조들에게 일찍부터 열보다 열 배도 넘는 사랑을 담뿍 받아 왔던 것입니다.

하물며 여러분은 지금 한창 자라고, 한창 배우고, 한창 놀아야 할 중학생입니다. 여러분은 지금 무엇 한 가지도 완벽할 수가 없으며, 항상 어딘가가 부족하고 어설픈 것이 오히려 정상적인 학생입니다. 행여 무엇이 남들보다 모자란 것이 아닌가 싶어서 스스로 괴로워하고 외로워하고 서글퍼해 온 학생이 있다면, 어떨까요, 이제부터라도 열이란 수보다 아홉이란 수를 더 사랑해 보는 것은.

작품 해설

갈래 : 수필
성격 : 교훈적, 대조적
제재 : 숫자 아홉에 담긴 의미
특징 : · 역설, 관용 표현 등 다양한 표현 방식을 사용하여 숫자 열과 아홉을 비교, 대조함
· 다양한 예를 제시하여 주제를 효과적으로 드러냄
주제 : 청소년기는 아홉처럼 아직 완전하지는 않지만 미래를 향한 가능성이 있다.

7 맛있는 책, 일생의 보약 _ 성석제

사방이 산으로 둘러싸인 곳에서 태어나 아침에 눈을 떠서 저녁에 감을 때까지 늘 산을 보아야 하는 곳에서 중학교 1학년까지를 보내고 2학년 봄, 서울의 남쪽 관악산이 올려다보이는 중학교에 전학을 했다. 담임 선생님은 미술 선생님이었는데 특별 활동 시간으로 산악반을 맡고 계시기도 했다. 매주 화요일 6교시, 일주일에 단 한 시간 활동하는 그 '특별'한 '활동'은 내 취향과는 아무런 상관없이 시간 내내 산과 학교 사이를 뛰어 오가는 산악반으로 정해졌다.

3학년이 되면서 비로소 내가 좋아하는 특별 활동을 선택할 기회가 왔다. 나는 산악반의 경험에 비추어, 되도록 몸을 많이 움직이지 않는 특별 활동반을 점찍었는데 그게 바로 도서반이었다. 도서반 담당 선생님은 특별 활동의 첫날, 도서반이 할 일에 대해 아주 짧고 쉽게 설명해 주셨다.

"여러분 곁에는 책이 있다. 그 책 가운데 자기 마음에 드는 책을 골라서 읽고 수업이 끝나는 종소리가 울리면 가면 된다."

그리고 선생님 본인이 마음에 드는 책을 골라서 자리를 잡고 읽는 것으로 시범을 보여 주셨다. 나는 책을 고르러 가는 아이들의 뒤를 따라가서 한자로 제목이 씌어 있어서 아이들이 거의 손을 대지 않는 책 가운데 하나를 꺼내 들었다.

그 책은 ≪한국 고전 문학 전집≫ 같은 묵직한 제목 아래 편집된 수십 권의 시리즈 가운데 한 권이었다. 반드시 읽어야 한다는 것을 강조하는 고전 대부분이 그렇듯 책 표지는 사람의 손을 거의 거치지 않아서 깨끗했다. 지은이는 박지원, 내가 처음으로 펴 든 대목은 〈허생전〉이었다.

나이가 두 자리 숫자가 되면서 무협지에 빠지기 시작해서 전학 오기 전 국내에 출간된 대부분의 무협지를 읽었다고 생각하고 있던 내게, 한문 문장을 번역한 예스러운 문체는 별 거부감이 없었다. 오히려 옆자리나 앞자리의 아이들이 읽고 있는 현대 소설이 가볍게 느껴질 정도였다. 내용 역시 익숙했다. 허생이라는 인물이 깊고 고요한 곳에 숨어 있으면서 실력을 쌓은 뒤에, 일단 세상에 나갈 일이 생기자 한바탕 멋지게 세상을 뒤흔들어 놓고서는 다시 제자리로 돌아온다. 무협지에서 흔히 볼 수 있는 방식이었다.

〈허생전〉 다음에는 〈호질〉, 〈양반전〉도 있었다. 책이 꽤 두꺼웠으니 박지원의 저작 가운데 상당 부분이 책에 들어 있었을 것이다. 그런데 그 책 속에 있는 주인공들은 내가 읽었던 수많은 무협지의 주인공과는 달라도 많이 달랐다. 무협지를 읽고 나면 주인공 이름 말고는 기억에 남는 게 없는데, 박지원의 소설은 주인공이 다음에 어떻게 되었을지 궁금해지고 내가 주인공이라면 어떻게 했을지 자꾸만 생각을 하게 만들었다. 한두 번 씹으면 단맛이 다 빠져 버리는 무협지와는 달리 그 책의 내용은 읽을수록 새로운 맛이 우러나왔다. 보석처럼 단단하고 품위 있는 문장은 아름답기까지 했다. 책을 읽으면서 내 정신세계가 무슨 보약을 먹은 듯이 한층 더 넓어지고 수준이 높아지는 듯한 느낌이 들었다. 일주일에 단 한 시간, 도서관에서 단 한 권의 책을 거듭 펴서 읽었을 뿐인데도.

중학교 3학년 1학기 특별 활동 시간에 나는 몇백 년 전 글을 쓴 사람의 숨결이 글을 다리로 하여 내게로 건너와 느껴지는 경험을 처음 해 보았다. 무엇보다 중요한 것은 그것이 무척 재미있었다는 것이다. 읽으면 내 피와 살이 되는 고전, 맛있는 고전, 내가 재미를 들인 최초의 고전이 우리의 조상이 쓴 것이라는 데에서 나오는 뿌듯함까지 맛볼 수 있었다.

3학년 2학기가 되었을 때 특별 활동 시간은 없어졌다. 내가 1학기의 특별 활동 시간에 읽은 것은 박지원의 책이 전부였다. 하지만 내가 지금 소설을 쓰고 있는 것은 바로 그 책 때문이라고 생각한다. 특별하지 않은 특별 활동 시간에 읽은 아주 특별한 그 책이 내 일생을 바꾸었다.

누구에게나 그런 일이 일어날 수 있다. 모르고 지나갈 수도 있다. 어떤 책을 계기로 인간의 지극한 정신문화, 그 높고 그윽한 세계에 닿고 그의 일원이 되는 것은 겪어 보지 못한 사람은 알 수 없는 행복을 안겨 준다. 이 세상에 인간으로 나서 인간으로 살면서 인간다운 삶을 살고 드높은 가치를 추구하는 길을 책이 보여 준다. 책은 지구상에서 인간이라는 종(種)만이 알고 있는, 진정한 인간으로 나아가는 통로이다. 그래서 사람들은 말하는지도 모른다. 책 속에 길이 있다고.

작품 해설

갈래 : 수필
성격 : 회고적, 교훈적
제재 : 중학교 3학년 시절 도서반 활동 경험
특징 : · 중학교 때 읽기 경험을 회상하며 읽기의 중요성과 가치를 제시함
· 박지원의 소설을 읽었던 경험을 통해 고전의 가치를 강조함
· '보약, 다리, 길' 등의 비유적 표현을 활용하여 책의 가치를 드러냄
주제 : 책 읽기의 가치와 중요성

8 전쟁의 잔혹함과 인정의 아름다움 _ 박동규

1950년 6월 나는 원효로 3가 전차 종점에 살고 있었다. 초등학교 6학년이었던 나는 아버지 혼자 국군을 따라 남쪽으로 내려가 버린 후 어머니와 어린 두 동생과 함께 인민군 치하에 남아 있었다. 우리 동네를 둘러싸고 개울 건너에는 용산 철도청이 있었고 조금 남쪽으로 한강 철교가, 그리고 뒤쪽으로 조폐 공사가 있어서 폭격이 시작되면 온 동네가 하늘이 까맣게 되고 파편이 비오듯 쏟아지곤 했다.

그때 우리 동네 언덕에 있는 성당에 인민군이 들어왔다. 전쟁이 나기 전에는 성당 입구 수위실에 수녀들이 간단한 치료 약을 준비해 놓아서 동네 아이들이 다치거나 하면 쫓아가서 붉은 약을 무릎에 발라 주거나 버짐 같은 병이 나면 하얀 고약을 칠하고 거즈로 붙여 주곤 했다. 그런데 이 수위실에 난데없이 인민군이 보초를 서기 시작한 것이었다.

한 아이가 삶은 고구마와 옥수수 두 개를 들고 왔다. 우리는 그 아이를 둘러싸고 한 입씩 베어 먹고 있었다. 그런데 갑자기 한 아이가 옥수수를 입에 문 채 얼굴이 하얗게 질리는 것이었다. 놀라서 아이의 눈이 가 있는 곳을 보니 어느 사이에 인민군 병사가 우리 뒤에 다가와서 옥수수를 들고 있는 아이를 보고 있었던 것이었다.

우리는 한순간 숨이 탁 막혔다. 붉은 별을 군모 한가운데 달고 서 있는 인민군이 우리에게 다가와 있다는 것만으로도 온몸이 얼어붙는 일이었다. 그때였다. 뜻밖에도 인민군은 앳된 목소리로 "강냉이 맛있니?" 하고 물었다. 북쪽 억양이 섞인 이 한마디는 마치 우리 중에 누가 장난으로 웃기기 위해서 고양이 소리를 내는 것처럼 그런 다정함이 있었다. 한 아이가 "한 입 먹을래요?" 하고 물었다. 그는 얼른 손을 내밀어 옥수수를 받아 들고 한 입을 크게 먹는 것이었다. 그러고 나서 그는 다시 성당 문 앞에 가서 보초를 섰지만 우리는 그가 두렵지도 않았고 이상한 사람 같지도 않았다. 이렇게 해서 그와 우리는 친하게 되었다.

우리가 놀다가 지쳐 운동장 옆 계단에 앉아 있으면 그는 다가와 우리 틈에 끼어 앉았다. 그 인민군의 나이는 열여섯 살이었고 고향은 원산 위의 어느 바닷가 마을이었다. 그와 친해진 후 그는 우리 곁에 앉으면 엄마가 보고 싶다는 소리를 했고 '옥수수가 익어 가는 고향' 이야기를 들려주었다.

폭격이 와서 우리 동네가 깜깜해진 어느 날 아침이었다. 한 아이가 파편에 맞아 성당 앞 광장에 쓰러졌다. 그때 보초를 서고 있던 그가 다리에 피가 흐르는 아이를 들쳐 업고 길 아래 병원으로 달려가서 치료를 받게 하고 다시 아이의 집까지 업어서 데려다주었다. 그와 우리는 한패가 되었다.

아무렇지도 않게 친구로 손을 잡아 본 인민군 소년병의 추억은 지금도 아름다운 추억으로 살아 있다. 다시 일선으로 가게 되어 총을 잡고 울면서 우리에게 손을 흔들던 그의 모습은 군인이 아니라 어린아이에 지나지 않았다. 인정의 아름다운 보자기로 싸안고 살 수 있었던 어린아이 시절의 이야기일 뿐이다. 1950년 6월과 7월 사이 피비린내 나는 전쟁의 소용돌이에서 아이들은 이렇게 어울려 살 수 있었다.

작품 해설

갈래 : 수필
성격 : 체험적, 회상적
제재 : 전쟁 상황
특징 : · 글쓴이의 어린 시절 경험을 회상함
· 인민군과 아이들이 친해지는 과정이 나타남
주제 : 6 · 25 전쟁 당시 만났던 인민군 병사와의 우정

9 그 시절 우리들의 집 _ 공선옥

저녁 어스름이 내리고 있을 무렵이었다. 돌확에 곱게 간 보리쌀을 솥에 안쳐 한소끔 끓여 내놓고서 쌀 한 줌과 끓여 낸 보리쌀을 섞으려고 허리를 구부리는 순간 산기가 느껴졌다. 아낙은 서두르지 않고 침착하게 쌀과 보리를 섞은 다음 아궁이에 불을 지펴 놓고 텃밭으로 갔다.

장에 간 남편은 어디서 술을 한잔하는지 저녁이 되어도 돌아오지 않고 이제 곧 세상에 나오려고 신호를 보내기 시작한 뱃속의 아기 위로 셋이나 되는 아이들은 저녁의 골목에서 제 어미가 저녁밥 먹으라고 부르기를 기대하며 왁자하게 놀고 있었다.

아낙은 저녁 찬거리로 텃밭의 가지와 호박을 따다가 잠시 땅바닥에 쭈그리고 앉았다. 뱃속의 아기가 이번에는 좀 더 강한 신호를 보내왔다. 아낙은 진통이 가시기를 기다려 찬거리를 안아 들고 텃밭을 나왔다. 아궁이에서 밥을 끓기 시작하자 텃밭에서 따 온 가지를 끓고 있는 밥물 위에 올려놓고 호박과 호박잎을 뚝뚝 썰어 톱톱하게 받아 놓은 뜨물에 된장국을 끓이고 오이채를 썰어 매콤한 오잇국을 만들어서 저녁상을 차렸다. 그러고 나서 아이 낳을 채비를 하기 시작했다.

물을 데워 놓고 끓는 물에 아기 탯줄 자를 가위를 소독하고 미역도 담가 놓고 안방 바닥에 짚을 깔고 그 위에 드러누웠다. 장에 가서 술 한잔 걸치고 뱃노래를 흥얼거리며 아낙의 남편이 막 사립문을 들어섰을 때 안방 쪽에서 갓 태어난 아기 울음소리가 들려오고 있었다. 순산이었다. 남편은 늘 그래 왔듯이, 첫째 때도 둘째 때도 셋째 때도 그러했듯이, 술 취한 기분에도 부엌으로 들어가 아내가 미리 물에 담가 둔 미역을 씻어 첫국밥을 끓였다. 첫국밥을 끓여서 아내에게 들여놓아 주고 나서 남편은 사립문 양쪽에 대나무를 세우고 새끼줄에 검은 숯과 붉은 고추를 끼워 대나무에 매달렸다. 넷째 아들이 태어나던 날 밤.

그의 어머니는 그렇게 팔 남매를 낳았다. 집은 토담집이었다. 그의 아버지와 어머니가 신접살림을 나면서 손수 지은 집이었다. 판판한 주춧돌 위에 튼튼한 소나무 기둥을 세우고 지붕을 만들었다. 마을에서는 그렇게 새집 짓는 일을 '성주 모신다' 고 했다. 마을 남정네들은 집 짓는 일을 돕고 아낙들은 음식을 만들었다. 황토에 논흙을 섞고 짚을 썰어 지붕 흙을 만들고 몇 사람은 지붕 위로 올라가고 몇 사람은 마당에 길게 서서 다 이겨진 흙을 지붕 위로 올렸다.

대나무와 뽕나무로 미리 살을 만들어 놓은 위에 차진 흙이 발라졌다. 흙이 마르면 노란 짚을 엮어 지붕을 이었다. 이제 그 지붕은 아무리 비가 많이 와도 아무리 기센 바람이 불어도 끄떡없을 것이었다. 지붕이 다 만들어지자 벽을 만들었다. 지붕에서처럼 대나무로 살을 만들고 흙을 바르고 그리고 구들장을 놓았다. 노란 송판을 반들반들하게 켜서 마루도 만들었다.

그와 그의 형제들은 바로 그 집에서 나고 그 집에서 컸다. 노란 흙벽, 노란 초가지붕, 노란 마루, 노란 마당, 정다운 노란 집, 그 집의 봄 여름 가을 겨울. 봄 여름 가을 겨울의 아침과 낮과 저녁과 밤이 그 집 아이들의 성장에 함께 있었다. 그는 그 집의 봄 여름 가을 겨울과 봄 여름 가을 겨울의 어느 아침과 낮과 저녁과 밤을 먼 훗날까지 그의 영혼 깊은 곳에 간직해 두고서는 몹시 힘들고 고달픈 도시에서의 봄 여름 가을 겨울의 어느 아침과 낮과 저녁과 밤에 마음 속의 보석처럼 소중한 그 추억들을 끄집어내 보고는 했다.

그 집은 그 집 아이들에게 작은 우주였다. 그곳에는 많은 비밀이 있었다. 자연 속에는 눈에 보이는 것 말고도 눈에 보이지 않는 무한한 비밀이 감춰져 있었다. 그는 그 집에서 크면서 자연 속의 감춰진 비밀들을 깨달아 갔다.

석양의 북새, 혹은 낮게 깔리는 굴뚝 연기를 보고 그는 비설거지를 했다. 그런 다음 날은 틀림없이 비가 올 것이므로, 비가 온 날 저녁에는 또 지렁이가 밤새 운다는 것을 그는 알고 있었다. 똑또르 똑또르 하는 지렁이 울음소리, 냄새와 소리와 맛과 색깔과 형태들이 그 집에서는 선명했다. 모든 것들이 말이다. 왜냐하면 봄과 여름과 가을과 겨울과 아침과 낮과 저녁과 밤이 그 집에서는 뚜렷했으므로, 자연이 그러한 것처럼 사람들의 삶이 명료했다.

이제 그 집을 떠난 그에게는 모든 것이 불분명하다. 아침과 저녁이 불분명하고 사계절이 불분명하고 오감이 불분명하다. 병원에서 태어나 수십 군데 이사를 다니고 나서 겨우 장만한 아파트. 그 사각진 콘크리트 벽 속에 살고 있는 그의 아이는 여름에 긴팔 옷을 입고 겨울에 반팔 옷을 입는다.

돈은 은행에서 나고 먹을 것은 슈퍼에서 나는 것으로 아는 아이는, 수박이 어느 계절의 과일인지 분간하지 못하는 아이는 그래서 봄 여름 가을 겨울을 알지 못한다. 아침저녁의 냄새와 소리와 맛과 형태와 색깔이 어떻게 다른지 알지 못한다.

어머니의 부음을 듣고 그는 그가 나고 성장한 노란 집으로 갔다. 팔 남매를 낳고 기르느라 조그마해질 대로 조그마해진 어머니는 바로 자신의 아이들을 낳았던 그 자리에 자신의 몸을 부려놓고 있었다.

그 집, 노란 그 집에 탄생과 죽음이 있었다. 그 집 안 주인의 죽음 이후 그 집은 적막해졌다.

아무도 그 집에 들어와 살지 않을 것이며 누구도 아이를 그 집에서 낳지 않을 것이며 그러므로 죽음 또한 그 집에서는 일어나지 않을 것이다. 그 집의 역사는 그렇게 끝이 난 것이다.

우리들의 어머니의 죽음과 함께 조왕신과 성주신이 살지 않는 우리들의 집은 이제 적막하다. 더 이상의 탄생과 죽음이 없는 우리들의 집은 쓸쓸하다.

우리는 오늘 밤도 쓸쓸한 집으로 돌아들 간다.

작품 해설

갈래 : 수필
성격 : 체험적, 회고적, 사색적
제재 : 유년 시절의 토담집
특징 : · 3인칭 시점을 사용하여 '그'의 이야기를 서술함
· 과거와 현재의 대비를 통해 주제를 나타냄
주제 : 토담집에서의 자연 친화적인 삶에 대한 그리움

10 이옥설(理屋設) _ 이규보

행랑채가 퇴락하여 지탱할 수 없게끔 된 것이 세 칸이었다. 나는 마지못하여 이를 모두 수리하였다. 그런데 그중의 두 칸은 비가 샌 지 오래되었으나, 나는 그것을 알면서도 이럴까 저럴까 망설이다가 손을 대지 않았던 것이고, 나머지 한 칸은 처음 비가 샐 때 서둘러 기와를 갈았던 것이다. 이번에 수리하려고 보니 비가 샌 지 오래된 것은 그 서까래, 추녀, 기둥, 들보가 모두 썩어서 못 쓰게 된 까닭으로 수리비가 엄청나게 들었고, 한 번밖에 비가 새지 않았던 한 칸의 재목들은 온전하여 다시 쓸 수 있었기 때문에 그 비용이 많이 들지 않았다.

나는 이에 느낀 것이 있었다. 사람의 경우도 마찬가지라는 사실을. 잘못을 알고서도 바로 고치지 않으면 곧 그 자신이 나쁘게 되는 것이 마치 나무가 썩어서 못 쓰게 되는 것과 같다. 잘못을 알고 고치기를 꺼리지 않으면 해(害)를 받지 않고 다시 착한 사람이 될 수 있으니, 저 집의 재목처럼 말끔하게 다시 쓸 수 있는 것이다.

그뿐만 아니라 나라의 정치도 이와 같다. 백성을 좀먹는 무리들을 내버려 두었다가는 백성들이 도탄에 빠지고 나라가 위태롭게 된다. 그런 뒤에 급히 바로잡으려 해도 이미 썩어 버린 재목처럼 때는 늦은 것이다. 어찌 삼가지 않겠는가?

작품 해설

갈래 : 고전 수필, 설(設)
성격 : 경험적, 비판적, 유추적, 교훈적
제재 : 행랑채를 수리한 일(집수리)
특징 : · '집-사람-나라의 정치'를 연관시켜 논지를 확대하고 있음
· 경험한 내용을 먼저 제시하고 그에 대한 의견을 덧붙이는 방식으로 내용을 전개하고 있음
· 체험을 서술한 예화를 통해 깨달은 점을 다른 상황에 적용하여 해석하는 유추의 방식을 활용하여 내용을 전개하고 있음
주제 : 잘못을 알고 그것을 고쳐 나가는 자세의 중요성

07 전기문

1 전기문

특정 인물의 생애, 업적, 일화 등을 사실을 바탕으로 기록한 글

2 전기문의 구성 요소

1) **인물** : 인물의 출생, 성장 과정, 가정 환경, 성품, 재능 등
2) **사건** : 인물의 활동과 업적, 그 인물과 관련된 일화 등
3) **배경** : 인물이 활동했던 시대적 · 공간적 · 사회 문화적 환경 등
4) **비평** : 인물의 업적과 삶에 대한 글쓴이의 생각, 느낌, 평가 등

3 구성 방식

1) **일대기적 구성** : 태어나서 죽을 때까지의 전 생애를 시간 순서대로 기록하는 방식
2) **집중적 구성** : 생애 가운데 중요한 작업이나 중요한 시절이 드러나는 부분만 집중적으로 기록하는 방식

4 전기문의 특성

1) **사실성** : 인물, 사건, 배경이 모두 사실을 바탕으로 함
2) **교훈성** : 인물의 인품이나 업적 등을 통해 독자에게 감동과 교훈을 줌
3) **서사성** : 인물의 삶을 대체로 시간의 흐름에 따라 전개함
4) **문학성** : 문학적인 구성과 여러 가지 표현 방법을 사용하여 독자에게 감동을 줌

5 전기문을 읽는 방법

① 인물의 생애와 업적을 파악하며 읽는다.
② 역사적 사건과 글쓴이의 의견을 구별하며 읽는다.
③ 인물의 사상이나 가치관, 성격 등을 파악하며 읽는다.
④ 인물이 살았던 시대와 사회적 배경을 고려하며 읽는다.
⑤ 인물을 통해 얻을 수 있는 깨달음과 교훈이 무엇인지 파악하며 읽는다.

1 가난한 환자들 곁에 선 참의사, 장기려 _ 고영하

장기려는 어려서부터 의사가 되겠다는 꿈을 꾸었다. 총명하고 의지가 굳센 장기려는 꿈을 이루기 위해 노력했고, 의성 학교, 송도 고등 보통학교를 거쳐 경성 의학 전문학교에 입학하게 되었다. 하지만 집안 형편이 넉넉하지 않아 공부하는 내내 어려움을 겪어야 했다. 어려움 속에서 장기려는 의사를 한 번도 못 보고 죽어 가는 사람들을 위해 평생을 바치겠다고 다짐했다. 그리고 몇 년 후 의사가 된 장기려는 결혼해, 오 남매를 낳아 화목한 가정을 꾸렸다.

장기려는 평양에 있는 병원에서 환자들을 치료하였다. 그러나 꿈을 이루고 가족들과 행복하게 살면서도 마음 속에는 채워지지 않는 빈자리가 있었다. 이때 우리나라에는 가난 때문에 몸이 아파도 병원을 구경조차 못하고 죽어 가는 사람이 많았다.

그러던 중 전쟁이 일어났다. 1950년 6월 25일의 일이었다. 전쟁이 계속되면서 사람들의 생명은 시시각각 위협받았다. 결국 장기려는 그해 겨울, 가족들과 함께 피란을 떠나기로 결정했다.

"여보, 가용(장기려의 둘째 아들)이와 내가 먼저 가고 있을 테니 얼른 뒤따라오시오."

둘째 아들과 장기려가 남쪽으로 발길을 돌리고 나서, 뒤에 따라오고 있던 아내와 네 남매 앞에 인민군이 나타났다. 그들은 남은 가족들의 발걸음을 막았다. 장기려의 남은 가족들은 그대로 북에 머물러 있어야만 했다. 가족들을 두고 떠나는 장기려의 마음은 젖은 솜이불처럼 무거웠다. 하지만 곧 다시 만날 수 있으리라 생각하며 발걸음을 재촉했다. 그때만 해도 이 헤어짐이 영원하리라고는 상상조차 못했던 것이다.

피란길에서 만난 전쟁은 너무나 참혹했다. 부상당한 사람들은 피 흘리고 있었고 마을은 온통 쑥대밭이었다. 다치지 않은 사람들도 끼니조차 잇기 힘들었다.

장기려는 부산에 도착했다.

"우선 천막을 치고라도 사람들을 치료해야겠어."

장기려는 의사로서 고통받는 사람들을 모른 체할 수 없었다. 우선 급한 대로 창고를 빌려 병원을 세우고 환자들을 치료하기 시작했다. 어느 교회 창고를 병원으로 개조한 허름하고 낡은 병원이었다. 병실도 모자라서 몇 개는 천막을 세우고 운영했다. 그리고 수술대라고 해 봐야 나무를 다듬어 꾸며 놓은 것이 전부였다.

전쟁은 사람들에게 육체적인 상처뿐만 아니라 마음의 상처도 가져다주었다. 장기려는 그런 환자들에게 돈을 받으며 치료해 줄 수는 없다고 생각했다. 그는 무료 치료를 시작했고 병원 치료를 받는 게 하늘의 별을 따는 일인 듯 느끼던 가난한 사람들이 줄을 이었다.

“정말 무료로 치료를 받을 수 있나요?”

병원을 찾은 환자들은 하나같이 믿기지 않는다는 표정이었다.

겨우 두 명의 의사로 그 많은 환자들을 치료하는 것은 몹시 고된 일이었다. 얼마 안 되는 월급조차 병원 운영비로 쓰였다. 당연히 장기려의 생활은 늘 쪼들렸지만 그에게는 가난한 사람들을 위해 열심히 일했던 이때가 평생 잊히지 않는 행복한 시절이었다. 가난한 사람들을 위해 평생을 바치겠다고 스스로 다짐했던 것을 지킬 수 있었기 때문이다. 장기려는 힘든 일에 부딪힐 때마다 그 시절을 떠올리며 힘을 얻곤 했다.

세월이 흘러 장기려의 병원도 제법 자리를 잡아 가고 있던 어느 날 저녁이었다. 막 수술을 마치고 원장실로 돌아와 책상을 정리하고 있었는데 문을 두드리는 소리가 들렸다. 잠시 후 슬며시 문을 열고는 초라한 행색의 환자 한 명이 들어왔다.

“어쩐 일이십니까?”

“죄송합니다만 내일모레가 퇴원인데 병원비가 없습니다. 모자라는 돈은 어떻게든 벌어서 갚겠다고 해도 도무지 믿어 주질 않고…….”

환자는 힘없이 고개를 떨구었다. 제대로 말도 잇지 못했다. 장기려는 잠시 생각에 잠겼고 환자는 죽은 듯 앉아 대답만을 기다리고 있었다. 원장실에는 무거운 침묵이 흘렀다.

장기려는 한참을 고민하다가 입을 열었다.

“자, 내가 시키는 대로 하시오. 그럴 수 있겠소?”

“어떤…….”

“그냥 살짝 도망가시오. 내가 밤에 병원 뒷문을 살짝 열어 놓을 테니 퇴원 준비를 하고 있다가 몰래 도망가세요.”

장기려의 말을 들은 환자는 어안이 벙벙하여 그의 얼굴을 물끄러미 바라보고만 있었다.

“자, 빨리 가서 퇴원 준비를 하세요. 직원들이 보면 불호령 떨어집니다.”

환자는 여전히 머뭇머뭇하며 몸 둘 바를 모르고 서 있었다.

“원장님, 지금 저보고 도망가라고 하셨습니까? 어떻게 그럴 수가? 제가 아무리 염치가 없어도 그렇지, 그렇게는…….”

환자가 어쩔 줄 몰라 하는 사이에 장기려는 그를 문밖으로 떠밀 듯이 내보냈다.

그날 밤, 장기려는 직원들이 퇴근하는 걸 기다려 병원 후문을 살짝 열어 놓았다. 그러고는 병실에 들러 그 환자에게 눈치를 보냈다.

"원장님, 정말 그냥 가도 됩니까?"

장기려 박사는 대답 대신 호주머니에서 지갑을 꺼내더니 있는 대로 지폐를 뽑아 환자의 손에 쥐여 주었다.

"자, 얼마 되지 않지만 여비로 사용하세요."

환자는 눈가에 이슬이 맺힌 채 울먹이고 있었다.

"이 은혜 평생 잊지 않겠습니다. 평생……."

다음 날 아침이 되자 서무과 직원이 원장실에 찾아왔다.

"원장님, 입원 중이던 환자가 도망갔습니다."

장기려는 아무렇지도 않다는 표정으로 웃고만 있었다.

"입원비가 없다고 해서 내가 도망가라고 했네."

서무과 직원은 기가 막혀서 입이 벌어졌지만 더 따지지 못했다.

이런 일이 처음은 아니었다. 장기려는 형편이 어려운 환자가 찾아올 때마다 돈보다 환자의 마음을 생각했다. 그러면서 건강이 최우선이라는 생각으로 환자들을 무료로 진료했다. 그는 항상 형편이 어려운 환자가 찾아오면 "어서 오세요. 아파서 왔으니까 치료를 먼저 받아야지요." 하고 반갑게 맞았다.

"장기려 원장님이십니까?"

전화를 건 사람은 경찰이었다.

"혹시 수표를 잃어버리지 않으셨나요?"

어떤 거지가 수표를 들고 다니다가 붙잡혔는데, 혹시 거지가 수표를 훔쳤거나 길에서 주웠는지 확인하려고 전화를 했다는 것이었다.

"그 수표는 내가 줬소. 그 양반에게 당장 수표를 돌려주시오."

경찰은 그래도 미심쩍은 듯 말꼬리를 흐리며 전화를 끊었다.

그 수표는 분명 장기려의 것이었다. 그날 병원을 나서 걸어가는데 꾀죄죄한 옷차림의 거지가 그에게 왔다.

"선생님, 한 푼만 줍쇼."

장기려는 호주머니를 뒤지다가 깜빡 잊고 지갑을 두고 나왔다는 걸 깨달았다. 그는 오히려 거지에게 미안하다며 사과했다.

실망한 거지는 힘없이 발길을 돌렸다. 거지의 축 늘어진 어깨를 본 장기려는 너무 측은한 마음이 들어 다시 안주머니를 뒤져 보았다. 무언가 빳빳한 종이의 감촉이 느껴졌다. 수표였다. 병원에서 받은 월급이었는데, 얼마인지 확인도 하지 않고 주머니에 꼬깃꼬깃 넣어 두었던 것이다. 병원 원장이던 장기려의 월급이면 그때 당시의 금액으로 매우 큰돈이었다. 그러나 그는 액수도 확인하지 않고 당장에 거지를 불러 세웠다.

장기려는 환하게 웃으며 수표를 건넸다. 수표를 받아 든 거지는 두 눈이 휘둥그레졌다.

"이거 혹시 잘못 주신 건 아닙니까?"

그러자 장기려가 말했다.

"아니요. 돈이란 건 정작 필요한 사람한테 더 가치가 있는 거 아니겠소? 나는 괜찮으니 어서 가져가시오."

이런 희생과 봉사 정신은 그의 겸손한 마음에서 나왔다.

"난 가진 게 너무 많아."

장기려는 늘 입버릇처럼 이렇게 말하곤 했다.

1968년 어느 오후, 장기려는 평소 나가던 한 모임에서 사람들과 이런저런 얘기를 나누고 있었다.

"우리가 뭔가 뜻깊은 일을 해 보는 게 좋을 것 같습니다. 사회에 도움이 되는 일을 한번 해 보면 어떨까 합니다."

그러자 일행 중 한 사람이 말했다.

"제가 외국에 있을 때 한번은 되게 앓은 적이 있어 병원엘 갔습니다. 입원하고 있으면서 마음 속으로는 병원비가 얼마나 될까 걱정이 태산 같았어요. 그렇게 병원에서 나흘을 보내고 퇴원할 때가 다가왔죠. 저는 걱정스런 마음에 조심스레 치료비에 대해 물었지요. 그러자 병원 직원은 따뜻한 미소를 지으면서, 그 나라에서는 병이 들면 무료로 치료해 준다고 대답하더군요. 그때 우리 나라에도 이런 제도가 생기면 얼마나 좋을까 싶었죠."

이야기를 다 듣고 난 장기려는 무릎을 탁 치며 말했다.

"좋은 생각이오. 나도 그동안 수없이 구상해 왔던 일이오. 우리 한번 방법을 연구해 봅시다."

장기려는 가난한 이들을 무료로 치료해 왔지만 빠듯한 병원 재정 상태로는 여간 힘든 게 아니었다. 그는 건강했을 때 돈을 모아 두었다가 병이 들면 그 돈으로 혜택을 받는 제도가 있으면 좋겠다고 늘 생각해 오던 차였다.

당시 우리나라는 1963년에 '의료 보험법'을 만들었지만 6 · 25 전쟁을 겪으면서 온 나라가 가난에 허덕이고 있던 처지라 제대로 실시되지 못하고 있는 형편이었다.

장기려는 외국의 의료 보험 조합 관련 문서를 샅샅이 뒤져 보았다. 그러던 중 눈에 띄는 문서 하나를 발견했다.

"바로 이거야! 청십자 의료 조합!"

청십자 의료 조합은 회원들이 꾸준히 회비를 내어 회원 중에 환자가 생기면 그 돈으로 환자를 치료해 주는 방식의 의료 보험이었다. 회원들은 몸이 건강할 때에 꾸준히 보험료를 내 두었다가 몸이 아플 때 치료비 걱정 없이 치료를 받을 수 있었다.

그 후 '의료 협동조합'을 본떠 정부에서 시작한 농어촌 의료 보험이 도시 지역까지 그 범위가 넓혀져 보다 많은 사람들이 의료 보험의 혜택을 누릴 수 있게 되었다.

1979년에 장기려는 아시아의 노벨상이라고 불리는 막사이사이상을 수상하였다. 그는 사회봉사 부문에서 상을 받았는데, 막사이사이 재단은 장기려 박사에게 상을 준 이유를 다음과 같이 설명했다.

"장기려 박사는 평생 동안 가난하고 병든 사람들을 위하여 치료하고 봉사하며 살았다. 항상 받기보다는 주기를 원했고 쉬지 않고 일했다."

장기려의 삶은 물질 만능 주의에 젖은 현대인들에게 큰 귀감이 되었다. 주위에서 자신을 너무 돌보지 않는다며 걱정하면 그는 오히려 "늙어서 가진 것이 별로 없다는 것은 다소의 기쁨이기는 하나 죽었을 때 눈물밖에 안 남겼다는 간디에 비하면 나는 아직도 가진 것이 너무 많다."라고 하여 주위 사람들을 숙연하게 했다.

작품 해설

갈래 : 전기문
성격 : 교훈적
제재 : '장기려'의 삶
특징 : · 구체적인 일화를 제시해 '장기려'의 인물됨을 보여 줌
· '장기려'의 긍정적인 태도를 부각하여 보여 줌
· 시간의 흐름에 따라 내용을 전개함
주제 : 가난한 환자들을 위해 평생을 바친 '장기려'의 희생과 헌신

KOREAN

비문학

01 설명문

1 설명문

어떤 사물이나 사실, 현상, 지식 등에 대한 정보를 읽는 이가 알기 쉽게 풀어 쓴 객관적인 글

2 설명문의 특징

1) **객관성** : 있는 그대로의 사실을 정확하게 전달함
2) **사실성** : 정보나 지식을 사실에 근거하여 전달함
3) **평이성** : 독자들이 이해할 수 있도록 쉽게 씀
4) **체계성** : 일정한 구조(처음-가운데-끝)에 따라 내용을 짜임새 있게 구성함
5) **실용성** : 뜻이 분명하게 전달되도록 문장을 정확하고 간결하게 씀

3 설명문의 구성

구분	내용
머리말(처음)	· 읽는 이의 관심을 끄는 내용을 제시함 · 설명 대상과 글을 쓰게 된 동기를 제시함
본문(중간)	적절한 설명 방법을 사용하여 설명 대상을 구체적으로 설명
맺음말(끝)	· 설명한 내용을 요약하고 정리하여 마무리함 · 앞으로의 과제나 전망, 당부의 말을 제시함

4 다양한 설명 방법

1) **정의** : 대상의 개념이나 뜻을 풀이하여 밝히며 설명하는 방법
   예 문학은 언어를 표현 수단으로 하는 예술이다.
2) **예시** : 대상에 대한 구체적인 예를 들어 설명하는 방법
   예 언어는 시간의 흐름에 따라 변한다. 예를 들어 '어리다'는 단어는 '어리석다'는 뜻에서 '나이가 적다'로 의미가 변했다.
3) **비교** : 둘 이상의 대상을 견주어 공통점이나 유사점을 중심으로 설명하는 방법
   예 텔레비전과 라디오는 둘 다 대중 매체로서, 사람들에게 지식과 정보를 제공한다.
4) **대조** : 둘 이상의 대상을 견주어 차이점을 중심으로 설명하는 방법
   예 희곡은 연극의 대본이고, 시나리오는 영화의 대본이다.
5) **분류** : 대상을 일정한 기준에 의해 나누어 설명하는 방법
   예 문학의 종류에는 시, 소설, 수필, 희곡 등이 있다.

6) **분석** : 대상을 구성하는 하위 요소로 나누어 각각을 설명하는 방법

예 컴퓨터는 본체, 모니터, 마우스, 키보드로 구성되어 있다.

7) **열거** : 여러 사실이나 정보를 늘어놓듯이 나열하며 설명하는 방법

예 호랑이는 고려 시대의 기록이나 최근에 조사된 민속자료에서는 산신으로 나타나는데, '산손님', '산신령', '산군', '산돌이', '산지킴이' 등으로 불리기도 하였다.

8) **인용** : 다른 사람의 말이나 글을 자신의 말이나 글 속에 끌어 써서 설명하는 방법

예 소크라테스는 '너 자신을 알라' 고 말했다.

5 설명문을 읽는 방법과 유의점

① 글을 읽고 설명 대상과 중심 내용을 파악한다.

② 글에 사용된 설명 방법을 파악하고 글의 구조를 정리한다.

1 조상의 슬기가 낳은 석빙고 _ 이광표

여름이 되면 냉장고에 있는 얼음에 자꾸 손이 가기 마련이다. 지금은 집집마다 냉장고가 있어서 손쉽게 얼음을 구할 수 있다. 그런데 옛사람들도 더운 여름에 얼음을 사용했다고 한다. 냉장고가 없었는데, 어떻게 얼음을 구했을까? 냉장고가 없었던 옛날, 우리 조상들은 겨울에 채취한 얼음을 석빙고(石氷庫)에 저장했다가 여름에 사용했다. 겨울철에 석빙고에 저장한 얼음을 어떻게 한여름까지 보관할 수 있었는지, 그 비밀을 알아보자.

석빙고의 얼음 저장 과정은 냉각과 저온 유지의 두 단계로 나뉜다. 얼음을 넣기 전에 내부를 냉각하는 것이 첫 번째 단계이고, 얼음을 넣은 뒤 7~8개월 동안 내부 온도를 낮게 유지하는 것이 두 번째 단계이다. 두 단계 중 어느 하나라도 잘못되면 더운 여름철에 차가운 얼음을 맛볼 수 없다. 석빙고의 얼음 저장 과정의 첫 번째 단계는 겨울에 석빙고의 내부를 냉각하는 것이다. 석빙고 내부를 차게 만드는 것은 얼음을 저장하는 데 가장 기본적인 작업이라고 할 수 있다. 전문가들이 측정한 바에 따르면 경주 석빙고의 겨울철 내부 온도는 평균 영상 3.9도라고 한다. 일반적으로 건물의 지하실 내부 평균 온도가 영상 15도 안팎이라는 것을 생각하면 석빙고 내부가 얼마나 차가운지 쉽게 알 수 있다.

겨울이라고 해도 건물 내부를 냉각하는 것이 쉽지는 않다. 그런데 우리 조상들은 어떻게 석빙고 내부를 잘 냉각할 수 있었을까? 그 비밀은 석빙고 출입문 옆에 세로로 튀어나온 '날개벽'에 숨어 있다. 겨울에 부는 찬 바람은 날개벽에 부딪히면서 소용돌이로 변한다. 이 소용돌이는 추진력이 있어서 빠르고 힘차게 석빙고 내부 깊은 곳까지 밀고 들어간다. 석빙고 내부는 그렇게 해서 냉각된다.

두 번째 단계는 2월 말 무렵에 얼음을 저장하고 나서 7~8개월 동안 석빙고 내부를 저온 상태로 유지하는 것이다. 늦겨울에 저장한 얼음은 봄이 지나고 여름이 되어도 녹지 않아야 한다. 전혀 녹지 않게 할 수는 없겠지만, 석빙고 내부를 저온 상태로 유지해 녹는 속도를 최대한 늦춰야 하는 것이다. 그렇다면 어떻게 한여름에도 저온 상태를 유지할 수 있었을까?

그 비밀을 알려면 먼저 석빙고의 절묘한 천장 구조를 살펴보아야 한다. 석빙고의 천장을 아래 사진에서 보듯, 1~2미터 간격을 두고 나란히 배치된 4~5개의 아치형 구조물로 이루어져 있다. 각각의 아치 사이에는 자연히 움푹 들어간 공간이 생기게 된다. 이 공간을 '에어 포켓' 이라고 하는데, 여기에 비밀이 숨어 있다. 얼음을 저장하고 나서 시간이 지나면 내부 공기는 조금씩 더워진다. 하지만 더운 공기가 에어 포켓 위쪽에 설치된 환기구를 통해 밖으로 빠져나간다. 이렇게 해서 석빙고 내부는 한여름에도 저온 상태를 유지할 수 있었다. 실로 놀라운 구조이다.

석빙고가 한여름에도 저온 상태를 유지할 수 있었던 비밀은 또 있다. 우리 조상들은 얼음 보관에 치명적인 물을 재빨리 밖으로 빼내려고 바닥에 배수로를 만들었다. 또한 빗물이 석빙고 안으로 새어 들어가는 것을 막으려고 석빙고 외부에 석회와 진흙으로 방수층을 만들었다. 얼음과 벽, 얼음과 천장, 얼음과 얼음 사이에는 밀짚, 왕겨, 톱밥 등의 단열재를 채워 넣어 외부 열기를 차단했다. 또 석빙고 외부에 잔디를 심었는데, 이는 햇빛을 흐트러뜨려 열전달을 방해하는 효과가 있었다.

지금까지 겨울철에 석빙고에 저장한 얼음을 한여름까지 보관할 수 있었던 비밀을 알아보았다. 우리 조상들은 자연의 원리를 잘 알고 그것을 활용하여 석빙고라는 놀라운 과학적 구조물을 만들었다. 그 덕분에 여름에도 시원한 얼음을 즐길 수 있었다. 이와 같이 석빙고에는 과학적 원리를 이용한 우리 조상들의 슬기가 담겨 있다.

작품 해설

갈래 : 설명문
성격 : 분석적, 체계적
제재 : 석빙고
특징 : · 석빙고의 얼음 저장 과정에 담긴 과학적 원리를 구체적으로 설명함
· 처음 부분에 질문을 제시하여 독자의 흥미와 궁금증을 유발함
주제 : 석빙고의 얼음 저장 원리

2 이타적 디자인으로 사람을 살리다 _ 공규택

현재 활동하는 세계적인 디자이너들에게 존경하는 디자이너가 누구인지 물으면 많은 사람이 빅터 파파넥을 꼽습니다. 빅터 파파넥은 사회적 약자를 돕는 데 디자인이 중요한 역할을 할 수 있다고 생각했습니다. 그래서 세계 곳곳을 다니며 가난한 사람, 장애인, 어린이와 여성, 문맹 등을 위한 디자인에 힘썼습니다. 이처럼 사회적 약자들에게 쓸모 있는 물건을 만드는 일, 또는 그렇게 만든 물건을 '이타적 디자인'이라고 합니다.

이타적 디자인의 대표적인 사례로 손꼽히는 것은 빅터 파파넥이 화산 지역의 사람들을 위해 만든 '깡통 라디오'입니다.

1960년대 빅터 파파넥은 국제 연합 교육 과학 문화 기구(유네스코)에서 진행하는 개발 도상국 지원 프로그램에 참가하려고 인도네시아 발리섬을 찾았습니다. 그 당시 인도네시아 발리섬에서는 화산 폭발이 자주 일어나 많은 사람이 목숨을 잃거나 부상을 당하곤 했습니다. 인도네시아를 찾은 파파넥은 발리섬 원주민들이 왜 화산 폭발에 제대로 대처하지 못해 큰 피해를 입을 수밖에 없었는지 깨닫게 되었습니다.

원주민들은 재난 경보를 들려주는 간단한 장비조차 살 수 없을 만큼 가난했기 때문에 예고 없이 찾아오는 재난에 속절없이 당할 수밖에 없었던 것입니다. 화산 폭발 경보를 듣고 대피만 했더라도 많은 사람이 최소한 목숨을 구할 수 있었을 거라고 생각하니 파파넥은 가슴이 몹시 아팠습니다.

'라디오를 사서 원주민들에게 나눠 주면 어떨까?' 하는 생각도 했지만, 발리섬 원주민 모두에게 보급하기에는 돈이 턱없이 모자랐습니다. 또 설령 구호금으로 라디오를 사서 보급한다 하더라도 원주민 마을에는 전기가 들어오지 않아 라디오를 작동할 수 없고, 원주민들은 건전지를 사서 쓸 수 있을 만큼의 경제적 여유가 없었기 때문에 곧 쓸모없는 물건이 될 것이었습니다.

파파넥은 이 문제를 해결하리라 마음먹고 원주민들과 함께 이른바 '깡통 라디오'를 제작합니다. 깡통 라디오는 관광객들이 버리고 간 깡통을 이용해 몸체를 만들었기 때문에 붙은 이름입니다. 부품 역시 발리섬 여기저기에서 구할 수 있는 간단한 것들로 만들었습니다. 전기 배선, 안테나 등이 그대로 드러나 겉모습은 매우 보기 흉했습니다. 그러나 겉모습을 보기 좋게 하려면 제작 비용이 많이 들기 때문에 그대로 두었습니다.

그가 만든 라디오는 처음 보는 사람은 라디오라고 알아보기도 어려울 만큼 겉모습이 이상했습니다. 그런데 우리는 그것을 왜 이상하다고 느낄까요? 바로 우리가 가진 '디자인에 대한 고정 관념' 때문입니다. 좋은 디자인은 보기 좋고 아름다워야 한다는 생각이 바로 그것이지요. 파파넥은 디자인에 대한 이러한 고정 관념을 다음과 같은 말로 뛰어넘습니다.

"사물을 아름답게만 만드는 것은 죄악입니다. 사물을 쓸모 있게 만드는 것이 바로 디자인이지요."

이러한 철학은 깡통 라디오를 만드는 데에 고스란히 담겼습니다. 이 라디오를 제작하는 데 든 비용은 9센트(약 100원)에 불과했습니다. 또 파라핀 왁스나 연소가 가능한 쓰레기, 동물의 배설물 등을 에너지원으로 사용함으로써 전기 문제도 해결하였습니다. 파파넥의 아이디어에서 탄생한 깡통 라디오는 수많은 원주민의 목숨을 살릴 수 있었습니다.

이타적 디자인이라는 개념이 생겨난 뒤 후대의 많은 디자이너가 이를 이어받아 가난하고 힘든 사람들을 위해 다양한 제품을 만들어 냈습니다. 그 가운데 하나가 바로 '라이프 스트로(Life Straw)', 곧 생명을 구하는 빨대입니다.

전 세계에서 수억 명이 안전한 물을 구하지 못해 고통을 받습니다. 매해 수백만 명이 오염된 물을 마시고 목숨을 잃기도 합니다. 한 섬유 회사의 최고 경영자인 미켈 베스타고 프란슨은 어느 날 오염된 물 때문에 여러 가지 질병으로 고통받는 아프리카 사람들의 모습을 보고 큰 충격을 받았습니다. '인간으로서 누릴 수 있는 최소한의 권리조차 보장받지 못하다니, 내가 저들을 위해 할 수 있는 일이 없을까?' 그는 오염된 물을 마시고 죽어가는 아프리카 사람들을 위해 구호 장비를 만들기로 결심하였습니다. 미켈은 자신이 가진 기술과 재료를 활용하여 쓰기 간편하고 가격도 저렴한 휴대용 정수기를 디자인했습니다. 그렇게 탄생한 휴대용 정수기 라이프 스트로는 말 그대로 생명을 구하는 빨대가 되어 세계적인 구호 단체들에 공급되었습니다.

라이프 스트로는 한 사람이 일 년 동안 마실 수 있을 만큼 충분한 양을 정수할 수 있고, 물속 박테리아와 바이러스를 대부분 제거할 수 있습니다. 이처럼 라이프 스트로는 값은 싸지만 정수 기능에는 아무 문제가 없는 훌륭한 정수기였습니다. 구호 단체들은 라이프 스트로를 부담 없이 구입해 아프리카 사람들에게 보급할 수 있었습니다.

빅터 파파넥은 자신이 쓴 책에서 세계가 안고 있는 환경 문제, 사회 문제에 대해 디자이너도 책임감과 사명감을 느껴야 한다고 주장했습니다. 그는 또 위기에 처한 세계를 살리기 위해 무엇을 디자인할 것인지 고민하고, 더 나은 세상을 만드는 일에 동참해야 한다고 힘주어 말했습니다.

"값싸고, 단순하고, 인간의 일상생활과 연결되어 있어야 합니다. 이것은 모두를 위한 디자인의 기본 조건입니다. 그리고 무엇보다 사람에 대한 관심과 사랑이 있어야 합니다."

생소하고 낯설었던 이러한 생각이 처음 세상에 알려졌을 때 헛된 생각에 불과하다며 비난하는 사람들도 있었습니다. 그러나 다행히도 현재 파파넥의 생각은 지속 가능한 디자인의 밑거름으로 평가받고 있으며, 수많은 후배 디자이너가 그의 숭고한 뜻을 이어 가고 있습니다.

작품 해설

갈래 : 설명문
성격 : 해설적, 논리적
제재 : 이타적 디자인
특징 : · 이타적 디자인의 구체적 사례를 제시하여 독자의 이해를 도움
· 빅터 파파넥의 말을 통해 이타적 디자인의 정신을 강조함
주제 : 사회적 약자를 위한 이타적 디자인

3 지혜가 담긴 음식, 발효 식품 _ 진소영

중국 신장의 요구르트, 스페인 랑하론의 하몬, 우리나라 구례 양동 마을의 된장, 이 음식들의 공통점은 무엇일까? 이것들은 모두 발효 식품으로, 세계의 장수 마을을 다룬 어느 방송에서 각 마을의 장수 비결로 꼽은 음식들이다.

발효 식품은 건강식품으로 널리 알려져 있다. 또한 다양한 발효 식품이 특유의 맛과 향으로 사람들의 입맛을 사로잡고 있다. 앞에서 소개한 요구르트, 하몬, 된장을 비롯하여 달콤하고 고소한 향으로 우리를 유혹하는 빵, 빵과 환상의 궁합을 자랑하는 치즈 등을 그 예로 들 수 있다. 이렇게 몸에도 좋고 맛도 좋은 식품을 만들어 내는 발효란 무엇일까? 그리고 발효 식품은 왜 건강에 좋을까? 먼저 발효의 개념을 알아보고, 우리나라의 전통 발효 식품을 중심으로 발효 식품의 우수성을 자세히 알아보자.

발효란 곰팡이나 효모와 같은 미생물이 탄수화물, 단백질 등을 분해하는 과정을 말한다. 미생물이 유기물에 작용하여 물질의 성질을 바꾸어 놓는다는 점에서 발효는 부패와 비슷하다. 하지만 발효는 우리에게 유용한 물질을 만드는 반면에, 부패는 우리에게 해로운 물질을 만들어 낸다는 점에서 차이가 있다. 그래서 발효된 물질은 사람이 안전하게 먹을 수 있지만, 부패한 물질은 식중독을 일으킬 수 있어서 함부로 먹을 수 없다.

그렇다면, 발효를 거쳐 만들어지는 전통 음식에는 무엇이 있을까? 가장 대표적인 전통 음식으로 김치를 꼽을 수 있다. 김치는 채소를 오래동안 저장해 놓고 먹기 위해 조상들이 생각해 낸 음식이다. 김치는 우리가 채소의 영양분을 계절에 상관없이 섭취할 수 있도록 해 주고, 발효 과정에서 좋은 성분으로 우리의 건강을 지키는 데도 도움을 준다.

김치 발효의 주역은 젖산균이다. 채소를 묽은 농도의 소금에 절이면 효소 작용이 일어나면서 당분과 아미노산이 생기고, 이를 먹이로 삼아 여러 미생물이 성장하면서 발효가 시작된다. 이때 김치 발효에 가장 중요한 역할을 하는 젖산균도 함께 성장하고 증식한다. 젖산균은 포도당을 분해하면서 젖산을 만들어 낸다. 젖산은 약한 산성 물질이어서 유해균이 증식하는 것을 억제하고,

김치가 잘 썩지 않게 한다. 그 덕분에 우리는 김치를 오래 두고 먹을 수 있다.

우리 김치가 우수한 것은 바로 이 젖산균과 젖산 때문이다. 젖산균과 젖산은 우리 몸 안에서 소화를 촉진하고 노폐물이 잘 배설될 수 있도록 돕는다. 또한 유해균이 번식하거나 발암 물질이 생성되는 것을 억제하기도 한다. 그래서 젖산균과 젖산이 풍부한 김치는 변비 및 대장암, 당뇨병 등을 예방하는 데에 효과적이다.

맛있는 음식을 만들 때 빠질 수 없는 전통 양념인 간장과 된장도 발효 식품이다. 먼저 간장을 만드는 과정을 살펴보자. 콩을 푹 삶아서 찧은 다음, 덩어리로 만든다. 이 콩 덩어리가 바로 메주이다. 메주를 따뜻한 곳에 두어 발효하고 소금물에 담가 우려낸다. 그 국물을 떠내어 달이면 간장이 완성된다.

메주가 소금물 속에서 발효될 때, 젖산균의 일종인 바실루스가 콩에 들어 있는 단백질을 분해하여 아미노산을 만들어 낸다. 그리고 아미노산은 소금물에 녹아들어 감칠맛을 더하고 영양소를 공급한다. 이처럼 간장은 음식을 더 맛있게 만들고 건강에도 좋기 때문에 우리 조상들은 장 담그는 일에 정성을 기울였다.

이제 된장을 만드는 과정을 살펴보자. 간장을 만들고 나면 메주가 남는다. 이 메주를 건져 내어 잘게 으깨고, 여기에 소금을 넣어서 잘 섞는다. 이를 장독에 넣어 1개월 이상 숙성시키면, 맛있는 된장이 완성된다.

된장은 필수 아미노산이 풍부해서, 아미노산이 적은 쌀밥을 주로 먹는 우리에게 꼭 필요한 식품이다. 또한 간 기능을 높이고, 피부병과 성인병을 예방하는 데에도 효과적이다. 이와 더불어 된장은 '암을 이기는 한국인의 음식' 중 하나로 꼽힐 정도로 항암 효과가 뛰어나다. 이는 메주가 발효되는 과정에서 항암 물질이 만들어지기 때문이다.

지금까지 우리의 전통 음식을 중심으로 발효 식품의 우수성을 알아보았다. 발효 식품은 오래 보관할 수 있고 영양가가 풍부할 뿐만 아니라 그 재료와 미생물의 종류에 따라 독특한 맛과 향을 지녀서 우리 밥상을 풍성하게 해 준다. 이렇게 멋진 발효 식품을 물려준 조상님께 고마워하면서, 오늘 저녁밥으로 보글보글 끓인 된장찌개와 아삭아삭한 김치를 먹는 것은 어떨까? 앞으로 전통 발효 식품을 발전시킬 방법도 생각해 보면서 말이다.

작품 해설

갈래 : 설명문
성격 : 객관적, 논리적, 설명적
제재 : 우리나라의 전통 발효 식품
특징 : · 다양하고 구체적인 예를 통해 발효 식품의 우수성을 설명함
· 발효 식품을 만드는 과정을 순서대로 나열함
주제 : 우리나라의 전통 발효 식품의 우수성

4 신대륙의 숨은 보물, 고추 이야기 _ 홍익희

중세 유럽의 향신료 탐험은 1492년 콜럼버스의 신대륙 발견으로 이어졌습니다. 자신이 밟은 땅을 인도라고 착각한 콜럼버스는 후추를 찾지 못했지만 대신 감자와 고추를 발견하였습니다. 그는 자신의 일기에 '후추보다 더 좋은 향신료'라고 고추를 평했습니다.

이후 콜럼버스가 유럽으로 전한 고추는, 16세기 포르투칼과 네델란드 상인을 거쳐 아시아, 아프리카까지 퍼져 나갔습니다. 그렇게 고추는 한 세기 만에 전 세계로 전해졌고, 많은 사람의 입맛을 사로잡게 되었습니다. 그만큼 고추는 신대륙과 함께 발견한 또 다른 보물이었던 셈입니다.

현재 세계 곳곳에서 고추의 매운맛을 즐기고 있습니다. 우리가 고추장을 즐겨 먹듯 고추의 원산지인 멕시코를 중심으로 타바스코, 칠리소스 등 매운 소스가 발전했습니다. 동남아에서도 덥고 습한 날씨 때문에 음식에 곁들이는 양념이 발달해 인도네시아의 삼발, 태국의 남프릭 등 매운 소스가 개발되었습니다. 또 인도네시아에서는 매운 품종의 고추가 많이 생산되고 있는데, 특히 아삼 지역에서는 엄청난 매운맛을 자랑하는 부트졸로키아 고추가 재배되었습니다.

한편, 우리가 잘 알고 있는 '달콤한' 고추, 파프리카는 부드러운 고추의 변종으로 미국의 열대 지역에 뿌리를 두고 있습니다. 터키를 대표하는 향신료인 파프리카는 오스만 제국 당시에 헝가리로 전파되었습니다. 파프리카는 단맛부터 매운맛까지 다양한데, 이 중 순한 맛의 파프리카 가루는 헝가리를 대표하는 향신료가 되었습니다. 헝가리식 쇠고기 스튜 '굴라시'는 파프리카를 활용한 가장 대표적인 음식입니다. 이렇게 고추는 매운맛, 순한 맛 가릴 것 없이 전 세계인의 입맛을 사로잡은 것입니다.

고추는 우리 식탁에서 빼놓을 수 없는 향신료이지만, 우리나라에 고추가 들어온 지는 400년밖에 되지 않는다고 합니다. 고추가 국내로 들어오게 된 시기를 놓고 의견이 분분한데, 임진왜란 즈음에 일본으로부터 들어온 것이라는 설이 일반적입니다.

중남미에서 유럽으로 건너온 고추는 포르투칼 무역선에 실려 1540년대 마카오와 중국 무역항에 도착합니다. 그리고 1543년 포르투칼 상인이 일본 규슈까지 전하게 됩니다. 그렇게 고추는 일본을 거쳐 지금의 부산인 동래 왜관을 통해 들어와 본격적으로 재배되기 시작했습니다. 임진왜란 즈음에 이미 고추 재배가 경상도 일대로 퍼져 나간 것입니다. 재배가 어렵지 않은 덕분에 그 뒤 고추는 남에서 북으로 점차 확산되었습니다.

한국을 대표하는 김치는 고추 맛을 가장 잘 보여 주는 음식입니다. 하지만 김치가 원래부터 매웠던 것은 아니라고 합니다. '국물이 많은 절인 채소' 라는 의미의 '침채' 가 김치의 어원인데, 여기에 고추를 넣어 담그게 된 것은 1700년경부터입니다. 그 전까지는 마늘이나 산초, 생강, 파 등은 매운맛을 내는 향신료로 사용하고, 소금으로 간을 해서 발효하여 먹었습니다.

1614년 이수광이 편찬한 ≪지봉유설≫에서는 일본에서 전래되었다 해서 고추를 '왜개(일본에서 들어온 겨자)' 라고 불렀으며, 이익은 ≪성호사설≫에서 '왜초' 라고 일컬었습니다. 당시에는 고추를 일본인이 조선인을 독살할 목적으로 가져온 독초로 취급했다고 합니다. 그래서 멀리해 오다 향신료 가격이 오르면서 점차 고추로 눈을 돌리게 되었습니다. 18세기 들어 김치나 젓갈의 맛이 변하는 것을 방지하고 냄새를 제거하는 용도로 고추가 사용되면서 비로소 매운맛의 재료로서 자리 잡게 된 것입니다. 그 뒤 고추를 고초라고 불렀는데 이는 후추같이 매운맛을 내는 식물이라하여 붙인 이름입니다. 이러한 과정을 거쳐 고추의 매운맛이 서민들 밥상에 정착하게 된 것은 19세기 초반이었습니다. 한국 요리가 맵다는 고정 관념도 실제로는 2백 년 남짓밖에 되지 않았다는 이야기입니다.

고추는 단순한 양념에서 더 나아가 고유한 민속주를 만드는 데에도 사용되었습니다. 고추감주라 하여 고춧가루를 탄 감주는 감기를 낫게 하는 약으로 먹는 민속주입니다. 또 고추는 민속 약으로 쓰이기도 했습니다. 신경통, 동상, 이질, 담 등의 민간요법에 쓰였습니다. 우리나라 사람들은 이질 등 세균이 침입해 염증을 일으키는 소화기 질환에 비교적 강한 반면, 매운 것을 잘 먹지 못하는 일본인들이 이질에 매우 약한 것을 보면 고추는 확실히 소화 기관을 강하게 만드는 것 같습니다.

우리에게 너무나도 친숙한 고추는 많은 매력을 지닌 채소로, 우리 민족과는 떼려야 뗄 수 없는 찰떡궁합인 향신료입니다. 보건 복지부의 조사(2005년)에 따르면 우리나라는 1인당 하루 고추 소비량이 7.2그램으로, 세계 최고 수준이라고 합니다. 심지어 매운 고추를 고추장에 찍어 먹는 유일한 나라입니다. 명실상부한 매운맛 대국입니다. 이제 고추의 알싸한 매운맛은 세계인들이 자꾸 찾는 맛이 되어 가고 있습니다.

작품 해설

갈래 : 설명문
성격 : 객관적, 설명적, 체계적
제재 : 고추의 전파와 우리 민족과의 관계
특징 : · 고추의 발견과 전파 과정, 고추가 우리나라에서 사랑받는 향신료가 되기까지의 역사를 쉽게 설명함
· 고추의 종류와 특성 및 쓰임새와 관련한 정보를 다양한 예를 들어 제시함
주제 : 신대륙에서 발견한 고추가 특히 우리나라에서 사랑받게 됨

02 논설문

1 논설문

글쓴이가 자신의 주장이나 의견에 대해 타당한 근거를 들어 독자를 설득하는 글

2 논설문의 특징

1) **주관성** : 글쓴이의 주장과 의견이 뚜렷하게 드러남

2) **설득성** : 독자를 설득하는 것을 목적으로 함

3) **타당성** : 글쓴이의 주장을 뒷받침하는 근거는 합리적이고 타당해야 함

3 논설문의 구성

구분	내용
서론	· 문제를 제기하고 글을 쓴 동기와 목적을 제시함 · 독자의 관심을 유발함
본론	구체적이고 타당한 근거를 바탕으로 주장을 전개함
결론	본론의 내용을 요약정리하고 주장을 강조함

4 논설문을 읽는 방법

① 글의 내용을 주장과 근거로 구분하며 읽는다.

② 주장을 뒷받침하는 근거가 타당한지 판단하며 읽는다.

1 더위가 알려 준 진짜 충격 _ 김산하

더위, 이보다 우리를 압도하는 것이 있을까? 여름이 되면 더위 때문에 꼼짝달싹도 못 하며 겨우 살아가는 날들이 끝도 없이 이어진다. 너무 더운 나머지 세상만사가 다 귀찮아질 정도이다. 온도 몇 도의 차이가 이렇게 대단한 것이구나? 우리는 혀를 내두른다. 냉방이 되는 공간을 산소통 찾듯 찾아다니는 나약한 몸을 내려다보면서, 아무리 훌륭하고 똑똑한 척을 해도 사람은 결국 하나의 생물일 뿐이구나, 우리는 탄식한다.

더위는 우리가 근본적인 고민을 하도록 만든다. 당장의 더위를 해결하지 않는 이상 그 어떤 것도 중요하지 않음을 몸소 경험함으로써 우리는 알게 모르게 이 시대의 문제를 마주하게 된다. 그렇다. 기후 변화는 현대의 큰 문제이다. 모든 이의 피부에 와 닿는 가장 심각한 전 지구적 문제, 나와 무관하다며 모든 것을 무시해 버려도 끝내 외면할 수 없는 생존의 문제이다.

기후 변화에 관한 내용을 하도 많이 들어서 지겹겠지만 더위는 더 이상 단순 기상 현상이 아니고, 날씨는 더 이상 인사치레의 주제가 아니다. 지금 우리가 목격하기 시작한 유례없는 이 '열의 위력'은 우리 문명이 그동안 쌓아 올린 어마어마한 빚더미의 맛보기일 뿐이다. 하필 이 시점에 태어나 살고 있는 우리는 억울할지도 모른다. 그러나 다음 세대와 그 이후를 생각하면 오히려 얼마나 행운아인지를 깨닫게 된다. 왜냐하면 이 고통은 잠시 있다가 떠날 것이 아니며, 오히려 가면 갈수록 심해질 것이 분명하기 때문이다.

미국 국립 해양 대기청과 미국 국립 항공 우주국에 따르면 2015년은 1880년 기상 관측이 시작된 이래 가장 더웠던 해로 분석되었다. 2015년 지구의 연평균 기온은 20세기 평균치인 13.9도보다 0.9도 높았고, 종전 최고치였던 2014년보다 0.16도 상승하였다. 그리고 지구의 연평균 기온이 높은 상위 15개 연도가 모조리 21세기일 정도로 지구의 연평균 기온은 계속 상승하는 추세를 보인다.

예전에는 뉴스로 들었던 것을 지금은 몸으로 느낀다. 나만이 아니다. 우리나라만이 아니다. 전 세계가 이 순간 함께 허덕이고 있다. 그러나 이는 사실 이미 예상된 것이어서 충격이 아니다.

몸으로 느끼면서도 우리가 변하지 않는다는 것, 그것이 충격이다. 국제 에너지 기구 조사에 의하면 세계 여러 나라가 1인당 탄소 배출량을 줄이는 데 애쓰는 것과 달리 우리나라는 오히려 1인당 탄소 배출량이 늘어난다.

국제 생태 발자국 네트워크라는 단체가 운영하는 '지구 생태 용량 과용의 날' 이라는 것이 있다. 지구의 일 년 치 자원을 12월 31일에 다 쓰는 것으로 가정하고 실제로 자원이 모두 소모되는 날을 측정하는 것이다. 2015년은 8월 13일이었던 것이 2016년에는 8월 8일로 5일 앞당겨졌다. 우리나라가 현재처럼 자원을 소비하면서 자원을 지속적으로 사용할 수 있는 상태를 유지하기 위해서는 지구가 3.3개 필요하다고 한다. 한마디로 우리의 에너지 사용량, 그리고 그 증가량이 심하다고 할 수 있다.

그런데도 우리는 더위 앞에서 에너지 사용량을 줄일 생각까지 미치지 못한다. 더위에 대응하는 근본적인 대책에 관해 우리 모두 관심이 적다. 우리 모두가 이렇게 위험성을 인식하지 못하고 있는 사실이 이 더위보다 충격적이라 할 수 있다. 지금부터라도 기후 변화가 중요한 문제임을 인식하고 자원을 아껴 사용해야 할 것이다. 그리고 지속적으로 발전할 수 있는 녹색 성장을 준비해야 할 것이다.

작품 해설

갈래 : 논설문
성격 : 설득적, 논리적, 비판적
제재 : 더위, 기후 변화
특징 : · 글의 서두에 화제와 질문을 던져 독자의 주의를 환기함
· 실생활과 직접적인 관련이 있는 소재를 바탕으로 사회적 문제를 제시함
· 통계 자료를 제시하여 주장에 신뢰성을 더함
주제 : 기후 변화가 중요한 문제임을 인식하고 이를 해결하기 위해 노력해야 한다.

2 [1] 젓가락으로 시작하는 밥상머리 교육 _ 윤상원

'젓가락질 참 특이하게 하네. 저러면 음식을 제대로 집을 수 있나?' 얼마 전 식당에서 한 젊은이가 젓가락질하는 모습을 보면서 든 생각이다. 손가락 사이에 끼워진 젓가락은 한 치의 공간도 없이 서로 딱 붙어 있었다. 젓가락으로 반찬을 집어 먹는 것이 아니라 끼워 먹는 수준이었다. 누가 보아도 젓가락질이 서투르고 이상했다.

최근 밥상머리 교육이 주목받고 있다. 자녀의 인성과 학업에 유익하다는 이유 때문이다. 어른과 함께 식사하는 밥상머리에는 삶의 지혜가 풍성했다. 밥상머리에서는 올바른 식습관과 인성 함양이 저절로 이루어졌다. 그러나 밥상머리 교육을 강조하면서도 가장 기본적인 젓가락질 교육을 놓치고 있는 듯하다.

밥상머리 교육의 출발은 젓가락질 가르치기였다. 젓가락질을 못하면 못 배웠다는 흉을 들을 정도로 엄격히 가르쳤다. 그러므로 젓가락질하는 것만 보아도 밥상머리 교육을 제대로 받았는지 판단할 수 있었다. 그런데 요즘 어린이들은 어떤가. 서투른 젓가락질 때문에 후루룩거리며, 흘리며 먹는 경우가 많다. 기업들이 이런 사정을 눈치 채고 젓가락질 어려워하는 어린이들을 겨냥한 기능성 젓가락을 개발했다. 기능성 젓가락은 젓가락을 변형하여 젓가락질을 쉽게 하도록 만든 것이다. 하지만 이러한 기능성 젓가락은 편리함만 추구하고, 젓가락의 숨겨진 힘은 깨닫지 못한 장난처럼 보인다.

원래 젓가락은 막대기 두 개면 충분했다. 젓가락질 동작은 겉보기에는 단순하지만, 계속되는 뇌의 자극 과정이다. 젓가락질의 미세한 움직임은 유아기 및 어린이들의 성장 발육에도 아주 유익하다. 젓가락질을 바르게 하려면 손가락 각각의 관절과 근육의 정확성과 섬세함이 요구된다.

정교한 젓가락질 덕분에 우리나라는 손을 위주로 하는 운동 경기에서 세계 최고다. 양궁, 핸드볼, 골프, 야구 등의 경기력이 이를 입증한다. 국제 기능 올림픽 대회 우승, 한 치의 오차도 없는 용접 기술이 이루어 낸 세계적 수준의 조선 기술 역시 젓가락질에 뿌리를 두고 있다.

우리 지역 초등학교들이 어린이들에게 바른 젓가락질을 가르치는 '젓가락의 날'을 운영한다고 한다. 정말 반가운 소식이다. 올바른 젓가락질 교육으로 미래에 세계 최고의 실력을 뽐낼 인재를 키울 수 있기를 기대해 본다.

작품 해설

갈래 : 논설문
성격 : 비판적
제재 : 젓가락질
특징 : · 현재의 젓가락질에 대한 비판적인 시각을 드러냄
· 올바른 젓가락질 교육의 필요성을 강조하기 위해 다양한 사례를 나열함
주제 : 올바른 젓가락질을 가르쳐야 한다.

② 젓가락질 잘해야만 밥 잘 먹나요 _ 엄지원

식사할 때마다 젓가락질 때문에 어른들에게 한 소리씩 듣는다는 친구는 하소연합니다. 젓가락질을 못 배워도 밥만 잘 먹는다고. 그러고 보면 생각해 볼 만한 문제입니다. 정석에 가까운 젓가락질을 해야만 밥을 잘 먹을까? 표준 젓가락질을 따르지 않으면 식사 예절에 어긋나는 것일까?

무거운 쇠젓가락을 한 손에 쥔 채 김치를 찢어 내는 한국인들의 젓가락질은 같은 젓가락 문화권인 중국이나 일본에 견주어도 세계적인 수준입니다. 그러나 음식 문화 전문가들의 이야기를 들어 보면, 사실 젓가락을 쥐는 데 완벽한 표준은 없습니다.

다만 젓가락을 사용하는 한중일 삼국에서 공통적으로 발견하는 기술은 있습니다. 위의 젓가락을 집게손가락과 가운뎃손가락 사이에 끼우고, 넷째 손가락과 새끼손가락으로 아래 젓가락을 받친 뒤 엄지손가락으로 두 개의 젓가락을 가볍게 눌러 주는 방식입니다. 중국에서 발원해 3천여 년 동안 역사를 이어 온 두 개의 작대기를 요리조리 쥐어 보는 과정에서 인류가 지혜를 짜 모은 것이 아닌가 합니다.

국제표준화기구에도 등록되지 않은 젓가락 사용법을 가지고 '누가 젓가락질을 잘하네, 못하네' 따지는 도도한 움직임이 언제 비롯됐는지는 따져 볼 만합니다. 한국인의 젓가락 · 숟가락 문화를 20년 가까이 연구한 주영하 한국학중앙연구원 민속학 교수는 "얼마나 젓가락질을 잘하는지 따지는 것은 일본에서 들어온 풍속"이라고 설명합니다.

원래 한국 문화에서는 숟가락이 더 중요했다는 것입니다. 밥과 국만으로 연명한 조선 민중에게 젓가락은 호사스러운 물건이었습니다. 잘게 썬 밑반찬을 푸짐하게 차려 먹던 양반님네나 소장하는 희귀품이었던 것이지요. 실제 옛 풍속화를 보면 민초들이 숟가락을 들고 밥 먹는 풍경을 볼 수 있습니다. 젓가락은 양반가의 남자가 아니면 가진 경우가 드물었고 양반 여성들도 숟가락으로만 밥을 먹었습니다.

반면 숟가락을 쓰지 않는 일본에서는 젓가락 사용법이 정교하게 발달했습니다. 근대화 이후 어린이들을 대상으로 한 젓가락질 교육 프로그램을 만든 것도 일본이고, 최근 젊은 엄마들 사이에 유행하는 젓가락 교정기를 발명한 것도 일본이거든요. 일제 강점기 이후 조선에서도 외식업과 근대적 위생관이 발달하면서 젓가락이 주목받게 되었다는 것이 주영하 교수의 추정입니다.

젓가락질을 잘 못하신다고요? 그래서 "젓가락질 못 배웠냐?"라고 구박을 받으신다고요? 그럴 때에는 당당히 이야기하세요. "한국인의 얼은 숟가락에 담습니다."라고

작품 해설

갈래 : 논설문
성격 : 논리적, 비판적
제재 : 젓가락질
특징 : · 전문가의 의견을 근거로 삼아 주장을 뒷받침함
· 역사적 · 문화적인 관점에서 젓가락질에 대한 의미를 살핌
주제 : 젓가락질을 잘 못해도 괜찮다.

3 왜 속도를 고민해야 하는가? _ 김용섭

우리나라는 '배달 공화국'이라고 해도 지나치지 않을 만큼 배달 산업이 발달하였다. 음식은 물론이고 꽃, 서류, 쌀 등 별의별 것을 다 배달한다. 사정이 이렇다 보니 아예 배달만 전문적으로 하는 대행업체도 생겨났다. 배달 산업이 커지면서 속도는 경쟁력이 되었다. 전국 어디서나 며칠 이내에 물건을 받을 수 있다. 심지어 오전에 주문하면 오후에 받는 당일 배달도 가능하다. 그래서인지 우리는 무조건 빠른 것이 당연하다고 생각한다. 그러나 이러한 생각이 과연 옳은 것일까?

소비자로서는 세상이 편해졌다고 좋아할 수도 있겠지만 그 이면에는 그림자가 있다. 일부 택배 기사들은 빨리 배달하려고 과속을 하거나 신호를 어겨 교통사고를 내기도 한다. 2012년 안전보건 공단의 조사에 따르면 택배 업종에서 발생한 산업 재해 가운데 도로 교통사고가 절반 이상을 차지하였다. 이런 교통사고의 가장 큰 원인은 빠른 속도를 강요하는 배달 구조이다.

문제는 또 있다. 아침에 분류한 물건을 그날 안에 배달해야 하는 택배 기사들은 밤늦게까지 일을 멈출 수 없다. 시간은 한정되어 있고, 배달해야 할 물건은 많기 때문이다. 2017년 서울노동권익센터가 서울 지역 택배기사 500명을 대상으로 하여 실시한 조사에 따르면 이들의 주당 평균 노동 시간은 74시간이다. 일 년이면 3,848시간으로 2017년 기준 경제 협력 개발 기구(OECD)에서 세 번째로 장시간 노동을 하는 우리나라의 평균 노동 시간 2,024시간보다도 1,824시간이나 많다. 쉬는 날도 거의 없어서 한 달 평균 25.3일을 근무했고, 일요일과 공휴일을 제외한 한 달 평균 휴무일은 0.152일에 불과하였다. 일요일과 공휴일을 제외하면 쉬는 날이 아예 없다는 응답자도 90.6 퍼센트나 되었다. 몸이 아픈 날에도 일하는 경우가 많은데, 응답자 가운데 74.1 퍼센트가 그런 경험이 있다고 답하였다. 장시간 노동에 시달리느라 여가 생활은 물론이고 휴식조차 없는 삶이 계속 이어지면서 택배 기사의 건강도 위협받고 있다. 이처럼 우리나라 택배 기사들은 배송 시간을 지키려고 과도한 노동을 하고 있는 것이다.

규모가 커지면 해당 업종에 종사하는 사람들의 수입은 느는 게 당연하지만, 택배 기사들은 그렇지 못하다. 택배 시장이 과열되면서, 더 저렴한 가격에 배달하려는 가격 경쟁이 심해졌기 때문에 택배 기사 개인의 수입은 크게 달라지지 않았다. 택배 기사들은 유류비, 차량 유지비, 통신비 등의 각종 비용을 제외하고 택배 한 건당 평균 800원 정도를 벌 수 있다. 단순 계산하면, 월 25.3일 일하면서 약 350만 원 정도를 벌려면 하루 평균 170개 가까운 물건을 배달해야 한다. 주당 평균 노동 시간이 74시간이니 주 6일 근무로 계산하면 하루 12시간 정도 근무하는 셈이고, 1시간 동안 배달해야 하는 물건은 평균 14개가 넘는다. 어떻게 생각하는가? 결국 더 싸게 더 많이 배달하고 있다는 것이고, 그 때문에 눈코 뜰 사이 없이 일할 수밖에 없다는 것이다.

빠른 속도를 강조하는 사회에서 이렇듯 택배 기사들은 열악한 노동 환경에 처해 있다. 속도 경쟁, 소비자를 최대한 많이 확보하려는 경쟁의 부담을 기업도 소비자도 아닌 택배 기사들이 떠안고 있는 것이다.

모든 노동자는 바람직한 환경에서 일할 권리가 있다. 택배 기사들은 택배 산업에서 핵심이 되는 노동자들이다. 따라서 택배 기사들 역시 바람직한 환경에서 일할 권리를 보장받아야 한다. 우리가 누리는 편리가 누군가의 희생을 바탕으로 하는 것이라면, 그것을 포기할 수도 있어야 한다. 우리 모두 속도를 지나치게 중요시하지는 않았는지 반성하고, 택배 기사들의 권리가 지켜질 수 있도록 작은 불편은 받아들일 줄 아는 소비자가 되자.

작품 해설

갈래 : 논설문
성격 : 설득적, 비판적
제재 : 택배 기사의 열악한 노동 환경
특징 : · 제목을 의문문으로 제시하여 독자의 호기심을 유발함
· 통계 자료를 활용하여 주장의 타당성을 높임
주제 : 속도를 지나치게 중시하지 않았는지 반성하고, 작은 불편은 받아들일 줄 아는 소비자가 되자.

4 냉장고의 이중성 _ 박정훈

냉장고는 현대 가정의 필수품이다. 요즘 사람들은 냉장고 없이 사는 것을 상상할 수도 없을 것이다. 그런데 냉장고가 과연 문명의 이기(利器)이기만 한 것일까? 혹 우리의 삶을 위협하고 있지는 않을까? 여기서는 우리가 미처 생각하지 못했던 냉장고의 부정적인 측면에 대해 생각해 보도록 하자.

먼저 냉장고를 사용하면 전기를 낭비하게 된다. 언제 먹을지 모를 음식을 보관하는 데 필요 이상으로 전기를 쓰게 되는 것이다. 전기를 낭비한다는 것은 전기를 만드는 데 쓰이는 귀중한 자원을 낭비하는 것과 같다.

우리는 냉장고를 쓰면서 인정을 잃어 간다. 냉상고가 없던 시절에는 식구가 먹고 남을 정도의 음식을 만들거나 얻게 되면 미련 없이 이웃과 나누어 먹었다. 여러 가지 이유가 있겠지만 그 이유 가운데 하나는 남겨 두면 음식이 상한다는 것이었다. 그런데 냉장고를 사용하게 되면서 그 이유가 사라지게 되고, 이에 따라 이웃과 음식을 나누어 먹는 일이 줄어들게 되었다. 냉장고에 넣어 두면 일주일이고 한 달이고 오랫동안 상하지 않게 보관할 수 있기 때문이다. 냉장고는 점점 커지고, 그 안에 넣어 두는 음식은 하나둘씩 늘어난다.

또한 냉장고는 당장 소비할 필요가 없는 것들을 사게 한다. 그리하여 애꿎은 생명을 필요 이상으로 죽게 만들어서 생태계의 균형을 무너뜨린다. 짐승이나 물고기 등을 마구 잡고, 당장 죽이지 않아도 될 수많은 가축을 죽여 냉장고 안에 보관하게 한다. 대부분의 가정집 냉장고에는 양의 차이는 있지만 닭고기, 쇠고기, 돼지고기, 생선, 멸치, 포 등이 쌓여 있다. 이것을 전국적으로, 아니 전 세계적으로 따져 보면 엄청난 양이 될 것이다. 우리는 냉장고를 사용함으로써 애꿎은 생명들을 필요 이상으로 죽여 냉동하는 만행을 습관적으로 저지르고 있는 셈이다.

냉장고를 사용하면서 우리는 많은 음식을 버리게 되었다. 냉장고가 커질수록 먹지 않는 음식도 늘어나기 때문이다. 아까운 전기를 써서 냉동실에 오랫동안 보관한 음식들은 쓰레기통으로 들어가기 일쑤다. 이런 현상은 잘사는 나라뿐 아니라 남태평양이나 아프리카의 가난한 나라에서도 일어나고 있다. 물고기를 시장에 내다 팔며 소박하게 살던 사람들이, 동물들을 필요 이상으로 죽이고, 저마다 자기 것을 챙겨 냉장고에 넣어 두고 혼자만 잘 먹고 잘 살려는 각박한 사람들로 변하고 있는 것이다.

냉장고의 사용은 아동 건강에도 좋지 않은 영향을 미친다. 어느 때고 먹을 수 있는 음식들이 냉장고에 쌓이면서 아이들은 필요 이상의 열량을 섭취하게 되었다. 옛날 아이들은 밥때가 될 때까지 참아야 했지만, 요즘 아이들은 냉장고에서 언제든지 음식을 꺼내어 먹을 수 있으니 참을 이유가 없다. 그래서인지 비만 아동도 기하급수적으로 늘어나고 있다. 아동의 비만은 운동 능력을 떨어뜨리며, 건강을 해친다.

대형 냉장고 문화가 시작된 미국에서는 전체 인구의 3분의 2 정도가 과체중이다. 이는 세계 인구의 5%도 안 되는 미국인들이 세계 자원의 4분의 1을 소비하게 하는 냉장고 문화와 관련이 있다. 장수하는 국민이 많기로 소문난 일본에서 비만 남성의 비중이 지난 20년간 40%나 증가한 것(2002년 일본 정부 발표)이나, 우리나라의 비만 인구가 많이 증가한 것도 냉장고 문화의 확산과 관계가 있다. 국제비만특별조사위원회의 조사 결과에 따르면 통가, 사모아, 나우루에서 비만 인구가 최근 급증하고 있는데, 이 나라들은 모두 최근 몇십 년 사이 냉장고에 오랫동안 보관하는 기름진 서양의 가공식품들이 홍수처럼 밀려들었다는 공통점이 있다.

냉장고에는 가공식품도 많이 보관되는데, 가공식품은 우리 몸에 수많은 질병을 유발한다. 음식 재료를 가공하면, 몸에 좋지 않은 각종 해로운 물질은 첨가되는 반면, 몸에 좋지 않은 물질의 배설을 돕는 섬유질 등은 없어지게 된다. 이러한 가공식품을 계속해서 먹게 되면 그 안에 들어있는 해로운 성분이 우리 몸에 쌓여 질병을 일으키는 것이다. 이를 뒷받침하는 연구 결과가 있다. 모 대학의 테레사 풍 박사의 연구에 따르면, 냉장고 안에 주로 보관하는 고기와 정제 · 가공된 음식을 먹는 여성은 그렇지 않은 여성에 비해 결장암에 걸릴 위험이 1.5배라고 한다.

이렇듯 냉장고는 우리의 삶과 환경을 위협하고 있다. 냉장고를 많이 사용할수록 자원은 낭비되고, 삶은 각박해진다. 또 냉장고는 우리에게 당장 필요하지 않은 것들을 사게 해서 생태계의 균형을 무너뜨리게 하고, 많은 음식을 버리게 한다. 그리고 우리의 몸을 병들게 한다. 그렇다고 냉장고를 당장에 버리고 사용하지 말자는 것은 아니다. 다만 우리의 삶과 환경을 위협하는 냉장고의 폐해를 인식하고, 우리의 냉장고 사용 습관을 한 번쯤 되돌아보자는 것이다.

작품 해설

갈래 : 논설문
성격 : 논리적, 비판적
제재 : 냉장고를 사용하면서 생겨난 여러 문제점
특징 : · 일상생활에서 일어나는 일을 예로 들어 주장을 뒷받침하고 있음
· 구체적인 연구 결과를 들어 주장을 뒷받침하고 있음
주제 : 우리의 냉장고 사용 습관을 되돌아보자.

5 도시의 밤은 너무 눈부시다. _ 박경화

해가 저물면 도시는 화려한 불빛으로 갈아입고 다시 태어난다. 도심 한가운데에 우뚝 솟아 화려한 불빛을 비추는 고층 빌딩과 오색찬란한 네온사인, 촘촘히 서 있는 가로등과 자동차 전조등까지, 도시의 밤은 빛의 잔치가 펼쳐진다. 그렇게 우리가 빛이 펼쳐 보이는 환상의 세계를 즐기는 동안, 촘촘한 꼬마전구와 전선을 온몸에 휘감고 서 있는 가로수의 기분은 어떨까?

겨울에 온도가 5℃ 이하로 내려가면 나무는 광합성과 증산 같은 생리작용을 거의 하지 않는다. 잎을 모두 떨어뜨리고 휴면 상태를 맞게 된다. 곰이 겨울잠을 자듯 11월~2월에는 나무도 휴식 시간을 갖는 것이다. 그런데 국립산림과학원의 조사에 따르면 가로수에 설치하는 전구의 밝기는 평균 300럭스 내외이고, 발열 온도는 28℃ 정도라고 한다. 이것은 휴식기를 맞은 나무에는 너무 밝고 뜨거워서 엄청난 스트레스가 된다.

이 빛은 식물 내부의 생체 리듬을 어지럽히고, 밤을 낮으로 인식하여 낮에 일어나야 할 광합성을 하게 만든다. 밤에 일어나야 할 생리 반응이 제대로 이루어지지 않아 생체 대사 균형이 깨진다. 그래서 나무가 겨울을 나고 봄을 대비하는 데 필요한 적응력이 약해진다.

인공 불빛의 피해는 사람에게도 이어진다. 우리나라의 도시에 사는 아이들은 시골 아이들보다 안과를 자주 찾는다. 세계적인 과학 잡지인 ≪네이처≫에는 밤에 항상 불을 켜 놓고 자는 아이의 34%가 근시라는 연구 결과가 실렸다. 불빛 아래에서 잠이 드는 데 걸리는 시간인 수면 잠복기가 길어지고 뇌파도 불안정해지기 때문이다.

사람의 몸에는 멜라토닌이라는 생체 리듬 호르몬이 있다. 멜라토닌은 강력한 산화 방지 역할을 하며 노화를 억제하고 면역 기능을 강화한다. 이 멜라토닌이 부족해지면 면역 기능이 떨어지고 암에 걸릴 수도 있다. 2004년 영국 런던에서 열린 '국제아동백혈병학술회의'에 참가한 학자들은 야간 조명이 암을 발생시킬 수 있다고 경고했다. 야간 조명이 세포의 증식과 사멸을 조절하는 멜라토닌 분비를 방해해서 암과 연관 있는 유전 변이를 일으킨다는 것이다.

생물체가 건강하게 살아가려면 햇빛 못지않게 어둠과 고요의 시간도 필요하다. 어둠 속에서 편히 쉬어야 다시 생기를 얻을 수 있다. 어둠의 시간이 있어야 박꽃이 뽀얗게 피어나고 달맞이꽃이 노란 꽃잎을 연다. 밤을 보낸 곤충은 아침에 이슬을 털고 힘차게 날아오르고, 사람도 깊은 잠을 자야 다시 일어설 수 있다.

그러나 도시의 밤은 더 이상 어둡지가 않다. 온갖 조명과 네온사인과 가로등 빛이 반사되어 붉게 달아오른 하늘에서는 별빛 한 점 찾아볼 수가 없다. 별 볼 일이 없는 밤, 전등 스위치를 끄고 어둠 속에서 가만히 기다리면 우주 저편에서 수십 광년 전에 잠시 반짝였던 불빛이 조용히 등 하나를 내걸어 줄 것이다.

작품 해설

갈래 : 논설문
성격 : 설득적, 비판적
제재 : 야간의 인공 불빛
특징 : · 야간의 인공 불빛으로 생기는 문제점을 제시함
· 믿을 만한 자료를 인용하여 글의 신뢰성을 높이고 문제의 심각성을 강조함
주제 : 생물체의 건강한 삶을 위해 야간의 인공 불빛을 줄이자.

03 건의문

1 건의문

일상생활에서 발생하는 여러 가지 일에 대해 문제 해결을 요구할 목적으로 쓴 설득하는 글

2 건의문의 특징

① 독자가 정해져 있고 그에 어울리는 격식이나 형식을 갖추어 씀

② 문제 상황과 그에 대한 요구사항이 들어 있음

③ 건의가 받아들여졌을 경우의 긍정적 효과를 강조함

3 건의문의 형식

서두	· 건의를 받는 사람(독자)의 이름 · 간단한 인사말, 건의하는 사람의 소개 · 건의하는 글을 쓴 이유나 목적
문제 상황 및 요구 사항	· 문제 상황의 구체적 제시 · 요구 사항이나 해결 방안
끝	· 건의하는 내용의 요약 및 강조 · 결과에 대한 긍정적인 기대, 정중한 인사 · 보낸 날짜와 보내는 이의 이름

4 건의하는 글을 쓸 때 유의할 점

① 내용을 간결하면서도 분명하게 작성해야 한다.

② 독자에 맞는 격식과 예의를 지켜야 한다.

③ 문제 해결 방안이나 요구 사항은 합리적이며 수용 가능해야 한다.

5 건의문 쓰기의 의의

① 공동체의 의사 결정에 참여하는 수단이 됨

② 공동체의 문제를 합리적으로 해결하는 도구가 됨

→ 공동체의 문제를 함께 고민하고 해결해 가는 과정을 통해 성숙한 민주 시민의 자질이 길러짐

도서관 개방 시간을 늘려 주세요

도서관 담당 선생님께

안녕하세요. 저는 2학년 3반 최한결입니다.

저는 책을 빌리거나 시험 기간에 공부하기 위해 학교 도서관을 자주 이용합니다. 하지만 도서관 개방 시간이 너무 짧아서 이용하기에 불편한 점이 많습니다. 지금 우리 학교 도서관 개방 시간은 점심시간과 방과 후 1시간입니다.

우선 점심시간에는 밥을 먹고 나면 도서관에 갈 여유 시간이 20분 정도밖에 되지 않습니다. 도서관에 가서 찬찬히 살펴보면서 책을 고르기에는 부족한 시간입니다. 방과 후 1시간 동안 도서관을 이용하면 된다고 하지만, 그 시간도 청소 당번이 되어 청소를 한다거나 하면 금방 가 버립니다.

점심시간은 정해진 시간이고, 이후에 오후 수업도 진행되니 도서관 개방 시간을 늘려 달라고 할 수는 없을 듯해요. 하지만 방과 후에는 개방 시간을 늘릴 수 있지 않을까요? 그리고 일과 중 쉬는 시간이나, 방학 중에도 개방한다면 좋을 것 같아요.

그렇게 되면 저처럼 도서관을 이용하고자 하는 학생들이 여유롭게 도서관을 이용할 수 있을 것입니다. 시험 기간에 좀 더 오래 도서관에서 공부할 수 있고, 평소에 책을 잘 읽지 않던 학생들도 책을 접할 기회가 늘어날 것입니다. 또 학교 전체적으로도 학생들이 자유롭게 책을 읽고 스스로 학습하는 분위기가 만들어져서 좋을 것 같아요.

제 건의가 받아들여진다면 저뿐만 아니라 많은 학생이 정말 기뻐할 것입니다. 그럼 안녕히 계세요.

최한결 올림

작품 해설

갈래 : 건의문
성격 : 설득적
제재 : 도서관 개방 시간이 짧음
특징 : 건의 내용이 실현되었을 때의 기대 효과를 제시하여 설득력을 높임
주제 : 도서관 개방 시간을 연장해 달라고 건의함

04 보고서

1 보고서

어떤 주제에 대하여 관찰, 조사, 실험한 과정과 결과를 체계적으로 정리한 글이다.

2 보고서의 특징

1) **객관성** : 관찰, 조사, 실험한 내용과 결과가 주관적이거나 한쪽에 치우친 내용이 아닌, 사실에 근거한 내용이어야 함
2) **정확성** : 관찰, 조사, 실험한 내용과 결과를 왜곡하거나 과장하지 않으며, 그 내용과 결과가 뚜렷하고 분명해야 함
3) **신뢰성** : 사실에 근거한 정보와 자료 등을 제시하고, 해당 분야 전문가의 의견을 제시하는 등 믿을 만한 자료를 사용해야 함

3 조사 보고서를 쓰는 과정

계획하기	대상, 목적 및 동기, 일정, 방법 및 역할 분담 등을 정함

↓

자료 수집하기	주제와 관련하여 설문 조사, 방송이나 신문 자료 조사, 책이나 인터넷 조사, 전문가와의 면담 등을 통해 자료를 수집함

↓

자료 정리하기	수집한 자료를 정리함 정리한 자료를 보고서에 활용하기 위해 객관적이고 정확하게 분석함

↓

조사 보고서 쓰기	객관적이고 정확한 사실에 근거한 내용을 활용함 간결하면서도 짜임새 있는 구성을 활용함 그림, 사진, 도표 등의 매체 자료를 효과적으로 활용함

↓

평가하기	내용 및 표현, 쓰기 윤리의 측면에서 글을 평가하고 고쳐 씀

4 쓰기 윤리

(1) 쓰기 윤리의 개념

글쓴이가 글을 쓰는 과정에서 준수해야 할 윤리적 규범

(2) 쓰기 윤리를 준수하는 방법

1) **자료 왜곡하지 않기** : 조사 결과나 연구 결과 등의 자료를 과장, 축소, 변형, 왜곡하지 않고 제시함

2) **표절하지 않기** : 다른 사람이 생산한 아이디어나 자료, 글을 자신이 쓴 것처럼 하지 않으며, 필요한 자료는 인용의 방법으로 활용함

1 우리 동네 관광지에 대한 보고서

대구 근대 문화 골목은 우리 고장의 역사와 문화가 잘 남아 있는 곳으로, 대구의 대표적인 관광지이다. 대구 근대 문화 골목을 이루고 있는 유적지를 다른 지역 사람들에게 알리기 위해 이곳을 조사하기로 하였다.

우리 학교 학생 100명 중 33명이 다른 지역에 소개하고 싶은 우리 지역 관광지로 '근대 문화 골목'을 추천하였다. 이에 따라 조사 대상을 '근대 문화 골목'으로 선정하였다.

대구 근대 문화 골목의 유적지를 ○○월 ○○일로부터 ○○월 ○○일까지 조사하였다.

자료 조사	텔레비전 뉴스, 책, 인터넷 등을 활용하여 대구 근대 문화 골목에 대한 자료를 수집하였다.
현장 조사	근대 문화 골목을 직접 방문하여 문화 해설사의 설명을 듣고, 유적지의 사진을 촬영하였다.

· 대구 근대 문화 골목의 유적지 소개

대구 근대 문화 골목은 대구 도심에 자리하고 있으며, 오래된 건축물들을 비롯한 근대의 문화유산이 잘 보존되어 있다. 그 이유는 이 지역이 한국 전쟁 당시 다른 지역에 비해서 피해가 크지 않았기 때문이다. 따라서 대구 근대 문화 골목에 찾아오면 한국 전쟁 이전의 생활상을 엿볼 수 있다.

청라 언덕은 근대 문화 골목 입구에 있는 작은 공원이다. '청라'라는 이름은 '푸른 담쟁이'라는 뜻으로, 1893년경부터 대구에서 선교 활동을 하던 미국인 선교사들이 이 근방에 담쟁이를 많이 심은 데서 유래하였다. 청라 언덕에는 서양식으로 꾸며진 정원과 세 채의 주택이 있는데, 이 역시 미국인 선교사들이 짓고 자신들의 집으로 사용하던 것이다.

· 김진규 외, 『근대 로(路)의 여행』 대구 광역시 중구청, 2012

· 대구광역시 중구청 누리집(http://www.jung.daegu.kr)

· 『KBS 뉴스』 2017.6.21

작품 해설

갈래 : 보고서
성격 : 객관적, 사실적
제재 : 근대 문화 골목
특징 : · 조사 동기, 조사 대상, 조사 기간, 조사 방법 등을 밝힘
· 자료의 출처를 밝힘
주제 : 근대 문화 골목의 소개

05 토의와 토론

1 토의

공동의 문제에 대한 최선의 해결 방안을 찾기 위해 여러 사람이 의견을 나누는 과정을 말한다. 토의는 여러 사람이 협력하여 해결하는 데에 초점을 맞추기 때문에 일상생활에서 일어나는 문제점을 합리적으로 해결할 수 있다.

2 토의 참여자의 역할

1) **사회자** : 토의 논제와 토의자를 소개함
 ① 토의자 간의 의견 조정을 유도하고 청중의 토의 참여를 이끌어 냄
 ② 토의 내용을 요약하고 결과를 정리함

2) **토의자** : 토의 논제에 대해 파악하고 토의를 준비함
 ① 자신의 의견을 타당한 근거를 들어 명확하게 제시함
 ② 자신이 제시한 의견의 장단점을 파악하여 다른 토의자나 청중의 질의에 대비함

3) **청중** : 토의자의 발표 내용을 경청함
 ① 토의 내용에 대해 궁금한 점을 기록해 두었다가 사회자에게 발언권을 얻어 질문함

3 토의에 참여하는 올바른 태도

① 다른 사람의 의견을 경청하고 능동적으로 수용한다.
② 타당한 근거를 들어 자신의 생각을 조리 있게 이야기한다.
③ 다른 토의 참여자들을 존중하고, 예의를 지키면서 토의에 참여한다.
④ 토의의 목적이 협동적인 문제 해결임을 알고 적극적인 태도로 참여한다.

4 토론

어떤 논제에 대하여 찬성과 반대의 의견을 가진 양측이 서로 논리적인 근거를 들어 상대측을 설득하는 것을 목적으로 하는 말하기이다.

5 토론할 때 유의할 점

① 발언 순서와 시간을 준수함
② 토론 주제에서 벗어난 말은 하지 않음

③ 상대측 토론자의 발언을 끝까지 듣고, 의견의 차이를 존중함
④ 상대측 토론자에 대한 비방이나 감성적인 발언을 삼가고 예의를 갖춤

6 토론 사회자의 역할

① 토론의 논제를 제시함
② 토론의 규칙과 순서를 제시함
③ 토론자들이 토론 시간 및 규칙을 준수하게 함
④ 토론의 쟁점을 확인하고, 토론자의 발표 내용을 정리함

KOREAN

문법

01 문법

1 언어의 본질

자의성	언어의 의미(내용)와 말소리(형식) 사이에는 필연적인 관련이 없다. 예 같은 대상을 우리말로는 '하늘' 이라고 하고, 영어로는 'sky[스카이]' 로 부르고, 중국어로는 '天[티엔]' 이라고 부름
규칙성	인간이 사용하는 언어에는 일정한 규칙이 있다. 예 '동생이 빠른 걷는다.' 라는 문장을 이상하다고 여김
사회성	언어는 그 언어를 사용하는 사람들 사이의 사회적 약속이다. 의미와 말소리는 자의적으로 연결되지만, 그 말을 사회 구성원 모두가 사용하여 사회적 약속으로 굳어지면 개인이 함부로 바꿀 수 없다. 예 한 사람이 '떡' 이라는 말을 '딸꾹' 이라고 바꾸어 부를 수 없음
역사성	사회적 약속으로 굳어져 사용되는 말들도 시간의 흐름에 따라 변한다. 언어는 끊임없이 새로 생기고, 사라지고, 변화한다. 예 '즈믄', '가람' 이라는 말이 사라짐, '어리다' 라는 말의 의미가 변함, '인터넷', '인공지능' 등과 같은 새로운 말이 생겨남
창조성	사람들은 이미 아는 단어와 문장만 사용하는 것이 아니라 새로운 단어나 문장을 무한히 만들 수 있다. 예 '꽃이 예쁘다.' 라는 문장을 바탕으로 '꽃이 아주 예쁘다.', '빨간 꽃이 예쁘다.' 처럼 많은 문장을 만들어 낼 수 있음

2 음운

말의 뜻을 구별해 주는 소리의 가장 작은 단위를 말하며, 자음과 모음이 있다.

1) 분절 음운

① 자음 : 목 안 또는 입 안의 어떤 자리가 완전히 막히거나, 공기가 간신히 지나갈 만큼 좁혀지거나 하여 발음 기관의 장애를 받고 나는 소리

소리의 성질 \ 소리나는 위치		입술소리	잇몸소리	센입천장소리	여린입천장소리	목청소리
안울림소리	예사소리	ㅂ	ㄷ, ㅅ	ㅈ	ㄱ	ㅎ
	된소리	ㅃ	ㄸ, ㅆ	ㅉ	ㄲ	
	거센소리	ㅍ	ㅌ	ㅊ	ㅋ	
울림소리	비음	ㅁ	ㄴ		ㅇ	
	유음		ㄹ			

② 모음 : 발음 기관의 아무런 장애를 받지 않고 순조롭게 나는 소리

· 단모음 : 아무리 길게 내더라도 그 소리를 발음하는 도중에 입술이나 혀가 고정되어 움직이지 않는 모음

혀의앞뒤위치 / 입술모양 / 혀의 높낮이	전설모음		후설모음	
	평순	원순	평순	원순
고모음	ㅣ	ㅟ	ㅡ	ㅜ
중모음	ㅔ	ㅚ	ㅓ	ㅗ
저모음	ㅐ		ㅏ	

· 이중 모음 : 소리를 내는 도중에 입술 모양이나 혀의 위치가 달라지는 모음
(ㅑ, ㅕ, ㅛ, ㅠ, ㅒ, ㅖ, ㅘ, ㅙ, ㅝ, ㅞ, ㅢ) 11개

2) 비분절 음운

소리의 길이 : 모음에 기대어 나타나 소리의 길고 짧음에 따라 말의 뜻을 구별하는 구실을 한다.

예 밤(夜) – 밤 : (栗), 눈(目) – 눈 : (雪), 말(馬) – 말 : (言)

3 음운의 변동

1) 음절의 끝소리 규칙

우리말에서는 'ㄱ, ㄴ, ㄷ, ㄹ, ㅁ, ㅂ, ㅇ'의 7자음만이 음절의 끝소리로 발음된다. 그 이외의 받침은 이 7자음 중의 하나로 바뀌어 발음됨

예 부엌[부억], 낫[낟], 낮[낟], 밭[받], 꽃[꼳], 숲[숩]

2) 자음 동화

자음과 자음이 만났을 때, 서로 영향을 주고받아 한쪽이나 양쪽 모두 비슷한 소리로 바뀌는 음운의 변동 현상

예 신라[실라], 국민[궁민], 담력[담녁], 독립[동닙]

종류		뜻	예
방향에 따라	순행 동화	뒷소리가 앞소리를 닮아 변화	칼날[칼랄], 강릉[강능]
	역행 동화	앞소리가 뒷소리를 닮아 변화	신라[실라], 먹는[멍는]
	상호 동화	앞뒤 소리가 모두 변화	백로[뱅노], 독립[동닙]
정도에 따라	완전 동화	두 자음이 서로 같은 음운으로 변화	밥물[밤물], 진리[질리]
	불완전 동화	두 자음이 서로 비슷한 음운으로 변화	입는[임는], 국물[궁물]

3) 구개음화

자음 'ㄷ, ㅌ'이 모음 'ㅣ'나 반모음 'ㅣ'를 만나 구개음 'ㅈ, ㅊ'으로 변하는 현상

예 굳이[구지], 해돋이[해도지], 같이[가치], 붙이다[부치다]

4) 음운의 축약

두 음운이 합쳐져서 하나의 음운으로 줄어 소리 나는 현상

① 자음 축약 : ㄱ, ㄷ, ㅂ, ㅈ + ㅎ → [ㅋ, ㅌ, ㅍ, ㅊ]

예 국화[구콰], 맏형[마텽], 굽히다[구피다], 젖히다[저치다]

② 모음 축약

예 오(다) + -아서 → 와서, 두(다) + -어 → 둬, 합치(다) + -어 → 합쳐, 먹이(다) + -어 → 먹여

5) 음운의 탈락

두 음운이 만나면서 한 음운이 사라져 소리 나지 않는 현상

자음	'ㄹ' 탈락	ㄴ, ㄷ, ㅅ, ㅈ 앞에서 'ㄹ' 탈락	솔나무 → 소나무 딸님 → 따님 바늘질 → 바느질
	'ㅅ' 탈락	용언이 활용 과정에서 'ㅅ' 탈락	긋(다) + 어 → 그어
	'ㅎ' 탈락	모음 앞에서 'ㅎ' 탈락	좋은 → [조은]
모음	동음 탈락	이어지는 동음 중 뒤의 모음이 탈락	가(다) + 아 → 가
	'ㅡ' 탈락	어미 '-아/-어' 앞에서 어간 'ㅡ' 탈락	담그(다) + 아 → 담가

6) 된소리되기

두 개의 안울림소리가 만나면 뒷소리가 된소리로 발음된다.

예 입고[입꼬], 앞길[압길→압낄], 먹자[먹짜]

7) 사잇소리 현상

① 'ㅅ' 첨가

㉠ 복합어에서 앞말의 끝소리가 모음이고, 뒷말의 첫소리가 안울림 예사소리이면 뒤의 예사소리가 된소리로 발음되며, 표기상 'ㅅ'이 첨가됨

예 초 + 불 : 촛불[초뿔], 시내 + 가 : 시냇가[시내까]

㉡ 복합어에서 뒷말의 첫소리가 'ㄴ'이나 'ㅁ'일 때 앞말의 끝에 'ㄴ'이 첨가되어 발음되며, 표기상 'ㅅ'이 첨가됨

예 이 + 몸 : 잇몸[인몸], 코 + 날 : 콧날[콘날]

㉢ 복합어에서 앞말의 끝과 뒷말이 첫소리로 'ㄴ, ㄴ'이 첨가되어 발음되며, 표기상 'ㅅ'이 첨가됨

예 깨 + 잎 : 깻잎[깬닙], 대 + 잎 : 댓잎[댄닙]

② 'ㄴ' 첨가

복합어에서 앞말의 끝소리가 자음이고 뒷말이 '이, 야, 여, 요, 유'로 시작할 때 'ㄴ'이 첨가되어 '니, 냐, 녀, 뇨, 뉴'로 발음됨

예 논일[논닐], 눈요기[눈뇨기], 한여름[한녀름]

4 음절

음운이 결합하여 이루어진 것으로, 발음할 때 한 번에 낼 수 있는 소리의 단위

예 공기가 맑아서 좋다. [공기가말가서조타] → 8개의 음절

1) 음절의 종류

① 모음하나 : 예 아, 어, 유

② 자음+모음 : 예 자, 카, 히

③ 모음+자음 : 예 압, 옥, 일

④ 자음+모음+자음 : 예 강, 답, 잘

5 단어

뜻을 지니고 홀로 설 수 있는 말

예 예지가 책을 읽는다. → 예지, 가, 책, 을, 읽는다 (5개의 단어)

1) 단어의 짜임

<table>
<tr><td>단일어</td><td colspan="2">하나의 어근으로 이루어진 단어 예 강, 가을, 하늘</td></tr>
<tr><td rowspan="2">복합어</td><td>합성어</td><td>어근+어근 예 봄바람, 밤나무, 뛰놀다</td></tr>
<tr><td>파생어</td><td>어근+접사 / 접사+어근 예 맨손, 풋사랑, 일꾼, 덮개</td></tr>
</table>

① 어근 : 단어를 형성할 때 실질적인 의미를 나타내는 부분

② 접사 : 어근에 붙어 그 뜻을 제한하는 부분

6 품사

형태, 기능, 의미 등의 기준에 따라 묶이 놓은 낱말의 무리를 말한다. 우리말에는 명사, 대명사, 수사, 동사, 형용사, 관형사, 부사, 조사, 감탄사의 아홉 개 품사가 있다.

(1) 형태를 기준으로 한 품사의 종류

불변어	문장에서 쓰일 때 형태가 변하지 않는 낱말로 명사, 대명사, 수사, 관형사, 부사, 조사(서술격 조사 '이다' 제외), 감탄사가 이에 속함
가변어	문장에서 쓰일 때 형태가 변하는 낱말로 동사, 형용사, 서술격 조사 '이다'가 이에 속함

(2) 기능을 기준으로 한 품사의 종류

체언	문장에서 주로 주어, 목적어 등의 기능을 하는 낱말로 명사, 대명사, 수사가 이에 속함
용언	문장에서 주로 주어를 서술하는 기능을 하는 낱말로 동사, 형용사가 이에 속함
수식언	다른 말을 꾸며 주는 기능을 하는 낱말로 관형사, 부사가 이에 속함
관계언	다른 말과의 문법적인 관계를 나타내는 낱말로 조사가 이에 속함
독립언	문장에서 독립적으로 쓰이는 낱말로 감탄사가 이에 속함

(3) 의미를 기준으로 한 품사의 종류

명사	사람이나 사물의 이름을 나타내는 품사 예 자동차, 연필, 홍길동, 평화 등
대명사	사람, 사물, 장소 등의 이름을 대신 나타내는 품사 예 너, 그녀, 이것, 여기 등
수사	사물의 수량이나 순서를 나타내는 품사 예 하나, 둘, 첫째, 둘째 등
동사	사람이나 사물의 움직임이나 작용을 나타내는 품사 예 가다, 먹다, 놀다, 자다 등
형용사	사람이나 사물의 상태나 성질을 나타내는 품사 예 예쁘다, 높다, 슬프다, 덥다 등
관형사	문장에서 체언을 꾸며 주는 품사 예 새, 헌, 모든, 무슨 등
부사	문장에서 용언이나 다른 부사, 문장 전체를 꾸며 주는 품사 예 갑자기, 과연, 결코, 매우 등
조사	주로 체언 뒤에 붙어서 그 말과 다른 말과의 문법적 관계를 나타내거나 특별한 뜻을 더해 주는 품사 예 이/가, 을/를, 이다, 에게 등
감탄사	말하는 사람의 느낌이나 놀람, 부름, 대답 등을 나타내는 품사 예 어머, 와, 네, 아니요 등

(4) 분류 기준에 따른 품사의 종류

형태	기능	의미
불변어 (서술격 조사 '이다' 제외)	체언	명사
		대명사
		수사
	수식언	관형사
		부사
	관계언	조사
	독립언	감탄사
가변어	용언	동사
		형용사

7 문장

생각이나 감정을 완결된 내용으로 표현하는 최소의 언어 형식이다.

1) **문장의 기본 구조** : 서술어의 종류에 따라 세 가지 유형으로 나눌 수 있음

누가/무엇이 + 어찌하다(동사) (주어) (서술어)	예 현아가 웃는다.
누가/무엇이 + 어떠하다(형용사) (주어) (서술어)	예 하늘이 푸르다.
누가/무엇이 + 무엇이다(체언+조사) (주어) (서술어)	예 태현은 학생이다.

2) **문장 성분**

주성분	주어	서술의 주체가 되는 성분으로 '누가', '무엇이'에 해당하는 말	예 하늘이 아름답다. 나뭇잎이 떨어진다.
	서술어	주어의 행위나 상태를 나타내는 성분으로 '어찌하다', '어떠하다'에 해당하는 말	예 하늘이 아름답다. 나뭇잎이 떨어진다.
	목적어	서술어의 대상이 되는 성분으로 '누구를', '무엇을'에 해당하는 말	예 나는 선생님을 만났다. 아이가 과자를 먹는다.
	보어	서술어 '되다', '아니다'를 보충하는 성분으로 '무엇이'에 해당하는 말	예 물이 얼음이 되었다. 저것은 수박이 아니다.

부속성분	관형어	문장에서 체언을 꾸며 주는 성분으로 '어떤', '무슨' 에 해당하는 말	예 새 모자가 예쁘구나. 빨간 사과가 있다.
	부사어	문장에서 주로 용언 또는 문장 전체를 꾸며 주는 성분으로 '어떻게', '언제' '어디서' 에 해당하는 말	예 기차가 빨리 달린다. 민수가 운동장에서 달린다.
독립성분	독립어	문장에서 독립적으로 쓰이는 성분으로 부름, 감탄, 응답 등을 나타내는 말	예 성민아, 우리 도서관 갈까? 우와, 이 차 멋있다.

3) 문장의 종류

① 홑문장 : 주어와 서술어의 관계가 한 번만 나타나는 문장

예 해가 지다. 새가 울었다.

② 겹문장 : 주어와 서술어의 관계가 두 번 이상 나타나는 문장

· 이어진 문장 예 해가 지고 새가 울었다

봄이 와서 날씨가 따뜻하다.

· 안은 문장 예 우리는 그가 떠났음을 알았다.

그는 발에 땀이 나도록 뛰었다.

4) 문장의 종결 표현

① 평서문 : 말하는 이가 듣는 이에게 특별한 의도를 드러내지 않고 평범하게 진술하는 문장 종결 방식

예 더워서 못 견디겠다.

② 의문문 : 말하는 이가 듣는 이에게 문장의 내용을 질문하여 그 대답을 요구하는 문장 종결 방식

예 너도 지금 떠나겠느냐?

③ 명령문 : 말하는 이가 듣는 이에게 어떤 행동을 하게 하거나, 하지 않도록 요구하는 문장 종결 방식

예 지체 말고 빨리 가 보아라.

④ 청유문 : 말하는 이가 듣는 이에게 어떤 행동을 함께하기를 요청하는 문장 종결 방식

예 시간이 늦었으니 빨리 떠나자.

⑤ 감탄문 : 말하는 이가 듣는 이를 의식하지 않거나 혼잣말처럼 자기의 느낌을 표현하는 문장 종결 방식

예 네가 벌써 고등학생이 되는구나.

8 우리말 어휘의 체계

① 고유어 : 우리말에 본디부터 있었거나 우리말에 기초하여 새로 만들어진 말

예 거울, 주머니, 사람, 길, 하늘, 바다

② 한자어 : 한자에 기초하여 만들어진 말

예 감기(感氣), 고생(苦生), 편지(便紙), 식구(食口), 친구(親舊)

③ 외래어 : 다른 나라에서 들어와 우리말처럼 쓰이는 말

예 커피, 컴퓨터, 버스, 호텔, 고무

④ 전문어 : 특정 분야에서 전문적인 개념을 표현하기 위해 사용하는 말
의미가 정밀하여 전문적인 작업을 효과적으로 수행하는 데 도움을 줌

예 어레스트, 코마, 헌법 소원, 공판

⑤ 유행어 : 비교적 짧은 시기에 사람들의 입에 오르내리며 유행하는 말
생명이 짧고 쉽게 변하며, 당대의 사회상을 반영하는 경우가 많음

예 얼짱, 꽃미남, 득템, 깜놀

⑥ 은어 : 다른 사람들이 알아듣지 못하도록 집단 구성원들끼리만 비밀스럽게 사용하는 말
다른 집단에 대해 무엇을 숨길 목적으로 비밀을 유지하기 위해 사용함

예 청과물 시장 상인들이 숫자를 '먹주(일)', '대(이)'로 부름

9 단어들의 의미 관계

단어들이 의미 중심으로 맺고 있는 관계

① 유의 관계 : 의미가 서로 비슷한 단어들의 관계

예 가끔 ≒ 이따금

② 반의 관계 : 의미가 서로 짝을 이루어 대립하는 단어들의 관계

예 가끔 ↔ 자주

③ 하의 관계 : 의미상 한쪽이 다른 쪽을 포함하거나 포함되는 단어들의 관계

예 가수, 배우, 무용가 → 연예인

④ 동음이의 관계 : 소리는 같으나 의미가 다른 단어들의 관계

예 다리 : 사람이나 동물의 몸통 아래 붙어 있으며 걷고 서는 일 등을 하는 신체의 부분
다리 : 건너다닐 수 있도록 만든 시설물

10 시간 표현

① 과거 시제 : 화자가 말하고 있는 시점보다 이전에 일어난 사건을 표현하는 시제

예 나는 어제 새를 잡았다. / 내가 잡은 새

② 현재 시제 : 화자가 말하고 있는 시점에서 일어나는 사건을 표현하는 시제

예 나는 지금 새를 잡는다. / 내가 잡는 새

③ 미래 시제 : 화자가 말하고 있는 시점보다 이후에 일어날 사건을 표현하는 시제

예 나는 내일 새를 잡겠다. (잡을 것이다) / 내가 잡을 새

11 높임 표현

말하는 이가 어떤 대상에 대하여 높임의 태도를 나타내는 문법 기능

1) 주체 높임

뜻	서술의 주체를 높이는 방법으로, 말하는 이보다 서술의 주체가 나이나 사회적 지위 등에서 상위자일 때에 사용함
형식	· 주체 높임 선어말 어미 '-(으)시'를 통해 실현됨 · 서술의 주체에 주격 조사 '께서'를 덧붙여 서술어와 호응을 이룸 · 특수 어휘(댁, 생신, 계시다, 잡수시다, 주무시다, 돌아가시다 등)를 통해서도 실현됨 예 할아버지께서는 댁에 계십니다. 할머니께서 시장에 가시었다.

2) 객체 높임

뜻	목적어나 부사어가 지시하는 대상, 즉 서술의 객체를 높이는 방법
형식	· 주로 특정 동사(드리다, 여쭈다, 모시다, 뵙다)에 의해 실현됨 · 객체에 높임 부사격 조사 '께'를 덧붙여 서술어와 호응을 이룸 예 형이 어머니께 선물을 드렸다. 언니가 할머니를 모시고 산책을 나갔다.

3) 상대 높임

뜻	말하는 이가 듣는 이에 대하여 높이거나 낮추어 말하는 방법으로, 국어의 높임법 가운데 가장 발달되어 있음
형식	· 주로 종결 어미에 의해 실현됨 · 격식체 : '해라체, 하게체, 하오체, 하십시오체'에 해당함 · 비격식체 : '해체, 해요체'에 해당함 예 자리에 앉으십시오.(하십시오체)　자리에 앉아요.(해요체)

12 사동 · 피동 표현

① 주동 표현 : 문장의 주체가 어떤 동작이나 행동을 자기 스스로 하는 것

예 아기가 옷을 입는다.

② 사동 표현

· 문장의 주체가 어떤 동작이나 행동을 남에게 시키는 것

· 접미사 '-이/ 히/ 리/ 기/ 우/ 구/ 추-' 또는 '-시키다', '-게 하다' 사용

예 엄마가 아기에게 옷을 입히다. (입게 하다)
형이 동생에게 밥을 먹이다. (먹게 하다)
슬픈 영화가 나를 울리다.

③ 능동 표현 : 문장의 주체가 어떤 동작이나 행동을 제 힘으로 하는 것

예 경찰이 도둑을 잡았다.

④ 피동 표현

· 문장의 주체가 어떤 동작이나 행동을 다른 힘에 의하여 당하는 것

· 접미사 '-이/ 히/ 리/ 기-' 또는 '-어지다', '-게 되다' 사용

예 도둑이 경찰에게 잡히다.
마을이 눈에 덮이다.
문이 바람에 열리다.
쥐가 고양이에 쫓기다.

13 한글(훈민정음)의 탄생

1) 한글의 창제와 반포 시기

한글 창제 이전의 문자 생활 : 한자로 생활하거나, 한자의 음과 뜻을 이용해 우리말을 표기함

① 한글의 창제 시기 : 세종 25년(1443년)

② 한글의 반포 시기 : 세종 28년(1446년)

2) 한글의 자음자와 모음자

자음자(17자)	ㄱ, ㄴ, ㄷ, ㄹ, ㅁ, ㅂ, ㅅ, ㅇ, ㅈ, ㅊ, ㅋ, ㅌ, ㅍ, ㅎ, ㆁ, ㆆ, ㅿ
모음자(11자)	ㆍ, ㅏ, ㅑ, ㅓ, ㅕ, ㅗ, ㅛ, ㅜ, ㅠ, ㅡ, ㅣ

· 현대 국어에서는 'ㆍ(아래아), ㆁ(옛이응), ㆆ(여린히읗), ㅿ(반치음)'이 사용되지 않음

3) 한글 자음자의 제자 원리

① 상형(象形) : 기본 글자는 발음 기관의 모습을 본떠 만듦(ㄱ, ㄴ, ㅁ, ㅅ, ㅇ)

② 가획(加劃) : 기본 글자에 획을 더하여 글자를 만듦(ㅋ, ㄷ, ㅌ, ㅂ, ㅍ, ㅈ, ㅊ, ㆆ, ㅎ)

기본 글자	본뜬 모양	가획자	이체자
ㄱ	혀뿌리가 목구멍을 막는 모양을 본뜸	ㅋ	ㆁ
ㄴ	혀끝이 윗잇몸에 닿는 모양을 본뜸	ㄷ, ㅌ	ㄹ
ㅁ	입의 모양을 본뜸	ㅂ, ㅍ	
ㅅ	이의 모양을 본뜸	ㅈ, ㅊ	ㅿ
ㅇ	목구멍의 모양을 본뜸	ㆆ, ㅎ	

③ 병서(竝書) : 상형이나 가획의 원리로 만들어진 자음 글자를 가로로 나란히 붙여서 만듦(ㄲ, ㄸ, ㅃ, ㅆ, ㅉ, ㆅ 등)

4) 한글 모음자의 제자 원리

① 상형(象形) : 만물을 구성하는 세 가지 기본 요소인 '하늘, 땅, 사람'의 모양을 본떠 만듦

② 합성(合成) : 기본자끼리 합성하여 초출자를 만들고, 초출자에 '、'를 합성하여 재출자를 만듦

기본 글자	기본 글자를 결합해서 만든 글자	
	초출자 (、가 한 번 결합한 글자)	재출자 (、가 두 번 결합한 글자)
· (하늘)	ㅏ, ㅓ, ㅗ, ㅜ	ㅑ, ㅕ, ㅛ, ㅠ
— (땅)		
ㅣ(사람)		

5) 한글의 창제 정신

① 자주 정신 : 우리나라 말이 중국과 다름을 인식하고 우리만의 문자를 만듦

② 애민 정신 : 문자로 의사 표현을 하지 못하는 백성의 고통을 인식함

③ 창조 정신 : 다른 글자를 모방하거나 변형하지 않고 새로운 글자 체계를 창안함

④ 실용 정신 : 모든 사람이 쉽게 익혀 편하게 문자 생활을 하도록 함

6) 한글의 특성

① 발음 기관을 본떠 자음의 기본자를 만들었기 때문에 발음의 특성이 글자에 체계적으로 반영됨

② 거의 한 글자가 한 소리로 발음되어 쉽게 배우고 활용할 수 있음

③ 모아쓰기의 방식으로 표기하기 때문에 읽기가 편하고 뜻을 알기 쉬워 정보 전달력이 좋음

④ 컴퓨터나 휴대 전화 이용 시 문자 입력 속도가 다른 문자에 비해 빨라서 정보화 사회에 유용함

14 통일 시대의 국어

1) 남북한 언어의 동질성과 이질성

① 동질성

· 한 민족으로서 같은 역사적 배경을 가지고 있음

· 분단되기 이전부터 오랫동안 같은 말과 글을 사용함

② 이질성

· 분단 이후 서로 교류 없이 각자 맞춤법을 수정해 옴

· 서로 다른 이념과 제도가 각자의 언어에 영향을 미침

2) 남북한 언어의 차이

	남한	북한
맞춤법의 차이	· 두음 법칙을 인정함 예 여성, 양심 · 사이시옷을 씀 예 냇물	· 두음 법칙을 인정하지 않음 예 녀성, 량심 · 사이시옷을 쓰지 않음 예 내물
어휘의 차이	· 동무 : 늘 친하게 어울리는 사람 · 외래어의 수용 : 골키퍼, 견인차, 노크	· 동무 : 혁명대오에서 함께 싸우는 사람 · 외래어를 순우리말로 다듬어 사용 : 문지기, 끌차, 손기척

국어

인쇄일	2022년 9월 13일
발행일	2022년 9월 20일
펴낸이	(주)매경아이씨
펴낸곳	도서출판 **국자감**
지은이	편집부
주소	서울시 영등포구 문래2가 32번지
전화	1544-4696
등록번호	2008.03.25 제 300-2008-28호
ISBN	979-11-5518-108-9 13370

국자감 전문서적

기초다지기 / 기초굳히기

"기초다지기, 기초굳히기 한권으로 시작하는 검정고시 첫걸음"

· 기초부터 차근차근 시작할 수 있는 교재

· 기초가 없어 시작을 망설이는 수험생을 위한 교재

기본서

**"단기간에 합격! 효율적인 학습!
석중률 100%에 도선!"**

· 철저하고 꼼꼼한 교육과정 분석에서 나온 탄탄한 구성

· 한눈에 쏙쏙 들어오는 내용정리

· 최고의 강사진으로 구성된 동영상 강의

만점 전략서

"검정고시 합격은 기본! 고득점과 대학진학은 필수!"

· 검정고시 고득점을 위한 유형별 요약부터
  문제풀이까지 한번에

· 기본 다지기부터 단원 확인까지 실력점검

| 한양 시그니처 관리형 시스템 |

#정서케어 #학습케어 #생활케어

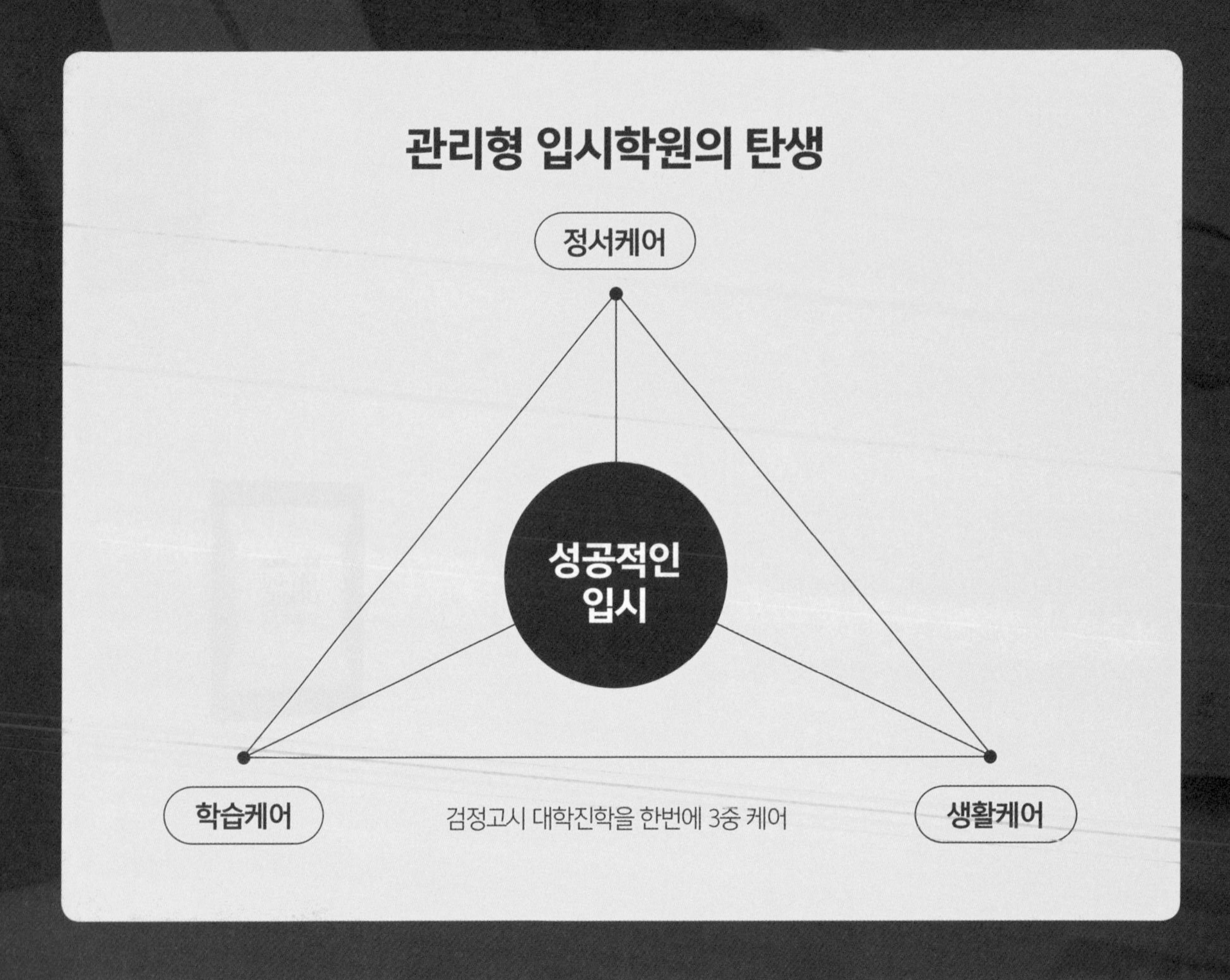

정서케어

- 3대1 멘토링
  (입시담임, 학습담임, 상담교사)
- MBTI (성격유형검사)
- 심리안정 프로그램
  (아이스브레이크, 마인드 코칭)
- 대학탐방을 통한 동기부여

학습케어

- 1:1 입시상담
- 수준별 수업제공
- 전략과목 및 취약과목 분석
- 성적 분석 리포트 제공
- 학습플래너 관리
- 정기 모의고사 진행
- 기출문제 & 해설강의

생활케어

- 출결점검 및 조퇴, 결석 체크
- 자습공간 제공
- 쉬는 시간 및 자습실
  분위기 관리
- 학원 생활 관련 불편사항
  해소 및 학습 관련 고민 상담

한양 프로그램 한눈에 보기

· 검정고시반 중·고졸 검정고시 수업으로 한번에 합격!

기초개념	기본이론	핵심정리	핵심요약	파이널
개념 익히기	과목별 기본서로 기본 다지기	핵심 총정리로 출제 유형 분석 경향 파악	요약정리 중요내용 체크	실전 모의고사 예상문제 기출문제 완성

· 고득점관리반 검정고시 합격은 기본 고득점은 필수!

기초개념	기본이론	심화이론	핵심정리	핵심요약	파이널
전범위 개념익히기	과목별 기본서로 기본 다지기	만점 전략서로 만점대비	핵심 총정리로 출제 유형 분석 경향 파악	요약정리 중요내용 체크 오류범위 보완	실전 모의고사 예상문제 기출문제 완성

· 대학진학반 고졸과 대학입시를 한번에!

기초학습	기본학습	심화학습/검정고시 대비	핵심요약	문제풀이, 총정리
기초학습과정 습득 학생별 인강 부교재 설정	진단평가 및 개별학습 피드백 수업방향 및 난이도 조절 상담	모의평가 결과 진단 및 상담 4월 검정고시 대비 집중수업	자기주도 과정 및 부교재 재설정 4월 검정고시 성적에 따른 재시험 및 수시컨설팅 준비	전형별 입시진행 연계교재 완성도 평가

· 수능집중반 정시준비도 전략적으로 준비한다!

기초학습	기본학습	심화학습	핵심요약	문제풀이, 총정리
기초학습과정 습득 학생별 인강 부교재 설정	진단평가 및 개별학습 피드백 수업방향 및 난이도 조절 상담	모의고사 결과진단 및 상담 / EBS 연계 교재 설정 / 학생별 학습성취 사항 평가	자기주도 과정 및 부교재 재설정 학생별 개별지도 방향 점검	전형별 입시진행 연계교재 완성도 평가

MK감자유학

Valuable education content provider

We're Experts

우리는 최상의 유학 컨텐츠를 지속적으로 제공하기 위해 정기 상담자 워크샵, 해외 워크샵, 해외 학교 탐방, 웨비나 미팅, 유학 세미나를 진행합니다.
이를 통해 국가별 가장 빠른 유학트렌드 업데이트, 서로의 전문성을 발전시키며 다양한 고객의 니즈에 가장 적합한 유학솔루션을 제공하기 위해 최선을 다합니다.

KEY STATISTICS

30년+
전통교육그룹

Educational

감자유학은 교육전문그룹인 매경아이씨에서 만든 유학부문 브랜드입니다. 국내 교육 컨텐츠 개발 노하우를 통해 최상의 해외 교육 기회를 제공합니다.

17개
국내최다센터

The Largest

감자유학은 전국 어디에서도 최상의 해외유학 상담을 제공할 수 있도록 국내 유학 업계 최다 상담 센터를 운영하고 있습니다.

15년
평균상담경력

Specialist

전 상담자는 평균 15년이상의 풍부한 유학 컨설팅 노하우를 가진 전문가 입니다. 이를 기반으로 감자유학만의 차별화된 유학 컨설팅 서비스를 제공합니다.

24개국
해외네트워크

Global Network

미국, 캐나다, 영국, 아일랜드, 호주, 뉴질랜드, 필리핀, 말레이시아 등 감자유학 해외 네트워크를 통해 발빠른 현지 정보 업데이트와 안정적인 현지 정착 서비스를 제공합니다.

2,600+
해외교육기관

Oversea Instituitions

고객에게 최상의 유학 솔루션을 제공하기 위해서는 다양하고 세분화된 해외 교육기관의 프로그램이 필수 입니다. 2천개가 넘는 교육기관을 통해 맞춤 유학 서비스를 제공합니다.

2020
대한민국 교육 산업
유학 부문 대상

2012 / 2015
대한민국 대표
우수기업 1위

2014 / 2015
대한민국 서비스
만족대상 1위